LE NOUVEAU TESTAMENT

CENT ANS D'EXÉGÈSE À L'ÉCOLE BIBLIQUE

SUPERIORUM PERMISSU

ISBN 2-85021-045-5
ISSN 0575-0741

ISSN 0575-0741

CAHIERS DE LA REVUE BIBLIQUE

27

LE NOUVEAU TESTAMENT

CENT ANS D'EXÉGÈSE À L'ÉCOLE BIBLIQUE

par

Jérôme MURPHY-O'CONNOR, o.p.
avec une contribution de Justin TAYLOR, s.m.

PARIS
J. GABALDA et Cie Éditeurs
Rue Pierre et Marie Curie, 18
—
1990

ABRÉVIATIONS

AB	Anchor Bible.
AJRA	Australian Journal of Biblical Archaeology.
AusBR	Australian Biblical Review.
BA	Biblical Archaeologist.
BETL	Bibliotheca Ephemeridum Theologicarum Lovaniensium.
BLE	Bulletin de Littérature Ecclésiastique.
BTB	Biblical Theology Bulletin.
CBQ	Catholic Biblical Quaterly.
CNT	Commentaire du Nouveau Testament.
CSEL	Corpus Scriptorum Ecclesiasticorum Latinorum.
DBS	Dictionnaire de la Bible, Supplément.
DJD	Discoveries in the Judaean Desert.
DRev	Downside Review.
ÉB	Études Bibliques.
ETL	Ephemerides Theologicae Lovanienses.
HTR	Harvard Theological Review.
JBL	Journal of Biblical Literature.
JRH	Journal of Religious History.
JSNT	Journal for the Study of the New Testament.
JTS	Journal of Theological Studies.
LD	Lectio Divina.
LVie	Lumière et Vie.
MTZ	Münchener Theologische Zeitschrift.
NRT	Nouvelle Revue Théologique.
NTS	New Testament Studies.
PIBA	Proceedings of the Irish Biblical Association.
QD	Quaestiones Disputatae.
RApo	Revue Apologétique.
RB	Revue Biblique.
RevQ	Revue de Qumran.
RHE	Revue d'Histoire et de Philosophie Religieuses.
RHR	Revue d'Histoire des Religions.
RNT	Regensburger Neues Testament.
RSPT	Revue des Sciences Philosophiques et Théologiques.
RSR	Recherche de Science Religieuse.
RThom	Revue Thomiste.

RTL	Revue Théologique de Louvain.
SBLDS	Society of Biblical Literature Dissertation Series.
SD	Studies and Documents.
SEA	Svensk Exegetisk Arsbok.
SF	Studia Friburgensia.
SJLA	Studies in Judaism in Late Antiquity.
SPC	Studiorum Paulinorum Congressus Internationalis Catholicus 1961.
SR	Studies in Religion/Sciences Religieuses.
TRev	Theologische Revue.
TS	Theological Studies.
TZ	Theologische Zeitschrift.
VInt	Vie Intellectuelle.
VSpir	Vie Spirituelle.
VSpirSup	Supplément à la Vie Spirituelle.
ZNW	Zeitschrift für die neutestamentliche Wissenschaft.

INTRODUCTION

« Faire des livres est un travail sans fin » (*Qoh* 12, 12). Est-ce bien là ce que voulait dire Qohélet ? Toujours est-il que l'expression dit vrai et qu'il est peu probable qu'on puisse l'oublier ! On écrit tant de livres car il y a tant de raisons d'écrire : distraire, instruire, vouloir se faire un nom, exorciser un démon personnel, ou bien se souvenir et fixer par écrit ce que le verbe emporte ; la liste est infinie. Le livre présenté ici a été écrit en l'honneur d'une École et d'une discipline.

La première École catholique créée pour être exclusivement spécialisée dans le domaine des études bibliques fut fondée il y a exactement un siècle. Cette École était alors aussi la première Institution universitaire moderne établie à Jérusalem. Elle s'appelle aujourd'hui l'École Biblique et Archéologique Française de Jérusalem. Quand elle ouvrit ses portes le 15 novembre 1890, elle portait le titre d'École Pratique d'Études Bibliques.

Cette appellation : École Pratique entendait bien mettre en lumière ce qui la différenciait des grandes Universités d'Europe et d'Amérique. Située dans le pays où la Bible naquit, elle avait ainsi davantage à offrir qu'une bonne bibliothèque et des professeurs qualifiés. Le climat et la géographie n'avaient guère changé depuis les temps bibliques. Quantité de noms de lieux étaient restés les mêmes. Le sol était jonché de ruines que l'on pouvait encore identifier. L'étudiant n'avait guère besoin de réfléchir longtemps pour assimiler les leçons les plus importantes que l'environnement biblique lui donnait ; ce qui ailleurs exigeait un formidable effort d'imagination devenait, en Terre sainte, aussi facile que de respirer. On se trouvait dans un décor resté pratiquement le même.

On faisait ses achats là où les patriarches autrefois marchandaient, on pouvait observer directement dans la vie quotidienne ce qui avait servi de base aux paraboles de Jésus.

Mais le rythme de l'histoire est peut-être plus accéléré au Proche-Orient qu'ailleurs et l'École Biblique n'a, bien sûr, pas échappé aux vicissitudes qu'entraînait sa situation privilégiée à Jérusalem. Le siècle qu'elle a vécu a vu quatre régimes bien différents.

Incorporée d'abord dans l'Empire Ottoman, Jérusalem passa ensuite aux mains des Anglais lorsque les Turcs partagèrent la défaite des Allemands à la fin de la première guerre mondiale. Âprement disputée par les armes entre Juifs et Arabes, en 1948, après l'expiration du mandat britannique, la ville fut conquise par les Jordaniens et plus tard par les Israéliens à l'issu d'une autre guerre, en 1967. Selon les événements, les professeurs de l'École Biblique furent expulsés, menacés, emprisonnés. Certains participèrent à des expéditions lointaines et risquées, d'autres devinrent diplomates ou précepteurs royaux.

Les circonstances variables et les rôles divers que les professeurs durent assumer ne modifièrent cependant jamais l'assise fondamentale de leur vie. Celle-ci, fermement établie sur un total dévouement demeura consacrée au service de l'Église et à la recherche intellectuelle. Ces hommes, entièrement voués à l'érudition, n'ont jamais cessé d'écrire. La publication des recherches de l'École Biblique couvre l'ensemble des études bibliques et des disciplines annexes. Un siècle de travaux méritait d'être décrit et célébré. Nous avions demandé au Père Benoit de publier dans la *Revue Biblique* une chronique des activités archéologiques de l'École depuis sa fondation. Ce fut son dernier article : « Activités archéologiques de l'École Biblique et Archéologique française de Jérusalem depuis 1890 »[1]. L'article fut ensuite édité en brochure, augmenté et illustré, sous le titre : *Un siècle d'archéologie à l'École Biblique de Jérusalem 1890-1990* (Jérusalem, 1988). Un volume des « Cahiers de la Revue Biblique » consacré au bilan des travaux de l'École ayant trait à l'Ancien Testament paraîtra prochainement. C'est un ouvrage collectif rédigé par plusieurs professeurs de l'École.

Ce volume sur le Nouveau Testament a été confié au Père Jérôme Murphy-O'Connor, o.p., qui exerce à l'École Biblique depuis un quart de siècle. En relatant la carrière de ses prédécesseurs et de ses collègues, l'auteur n'a pas seulement attiré l'attention sur une extraordinaire productivité, il a en outre éclairé la période la plus importante de l'exégèse critique néotestamentaire dans l'Église catholique. Des contributions décisives ont été apportées aux moments clés de la recherche par la plupart des hommes dont il parle. Ces études sont analysées selon leur contexte et le retentissement qu'elles ont eu.

Comme le Père Murphy-O'Connor fait lui-même partie de l'histoire qu'il était chargé d'écrire, sa contribution personnelle à cette histoire a été traitée par un collègue plus jeune, le Père Justin Taylor qui, depuis l'an dernier, fait partie du corps professoral de l'École.

L'École Biblique n'est pas seulement une Faculté universitaire. Elle est aussi une communauté définie comme un service envers l'Église et envers la

---

1. *RB* 94 (1987) pp. 397-424.

société. Cette vision s'est encore affinée et fortifiée par un siècle d'efforts communs. Bien que les projets collectifs soient relativement rares, nul ne travaille dans l'isolement. Émulation, encouragements, conseils, critiques font partie intégrante d'une vie entièrement donnée à la recherche de la vérité. De là sont nées une vigoureuse solidarité et la force d'une tradition où la foi et la raison se trouvent harmonieusement mêlées.

Jean-Luc VESCO, o.p.
Directeur de l'École Biblique et
Archéologique Française de Jérusalem
Jérusalem, le 27 mai 1990

REMERCIEMENTS

Je dois exprimer la reconnaissance que j'éprouve envers mes collègues pour la patience dont ils ont fait preuve en répondant à mes innombrables questions sur les faits, les motifs et les intentions, et aussi pour leur manière sympathique d'accepter l'analyse que je faisais de leur carrière et de leur caractère. J'ai une dette particulière envers Justin Taylor, non seulement pour la charité qu'il a manifestée en analysant mon propre travail, mais également parce qu'il m'a initié au fonctionnement du traitement de texte. Je n'avais cependant pas suffisamment progressé pour la mise en page correcte de la rédaction finale et Gérard Norton est venu à mon secours avec une générosité qu'il m'est plus facile de reconnaître que de payer de retour. La traduction française a été assurée par Sautéria Foufounis à laquelle j'exprime toute ma gratitude.

Avril 1990
J. Murphy-O'CONNOR, o.p.

Chapitre premier
LES DÉBUTS D'UNE TRADITION

L'École Pratique d'Études Bibliques naquit le 15 novembre 1890. Le discours inaugural de son fondateur, le Père Marie-Joseph Lagrange, était solennel. Mais il fut prononcé dans un abattoir désaffecté fraîchement nettoyé dont les murs portaient encore les anneaux où l'on attachait auparavant les animaux ; seule une porte ouverte laissait passer la lumière. Le public, peu nombreux, remarqua la pauvreté de l'équipement : une table, un tableau noir, une carte de Palestine et quelques livres achetés au rabais à un missionnaire[1].

Le niveau universitaire des professeurs ne valait guère mieux. Seul le Père Lagrange avait reçu une certaine formation professionnelle en études bibliques. Le Père Paul Séjourné avait étudié pour devenir prêtre dans le diocèse de Sées mais était passé dans l'Ordre dominicain après un pèlerinage en Terre Sainte afin de vivre et de travailler à Jérusalem. Le Père Doumeth était un prêtre maronite, entré récemment chez les Dominicains et dont l'assignation à Jérusalem était donc uniquement due à sa connaissance de l'arabe. L'abbé Heydet, du Patriarcat latin, connaissait très bien le pays et les coutumes locales mais n'avait pas de formation scientifique[2]. Étant donné les circonstances, note le Père Lagrange, « la solution la plus simple pour Paul Séjourné et pour moi, aurait été de considérer que nous étions en mission permanente pour étudier le pays, fouiller des sites archéologiques et servir d'hôtes aux érudits visitant la Terre sainte[3] ». Il est parfaitement clair que l'un et l'autre auraient préféré cela. Mais il fallait donner un enseignement aux étudiants. Qu'il y ait eu des étudiants ne laisse pas de surprendre. Leur présence, et surtout leur nombre — 3 en 1890, 14 en 91, 32 à 34 en

---

1. M.-J. Lagrange, « Après vingt-cinq ans », *RB* 12 (1915) p. 248 ; L.-H. Vincent, « Le Père Lagrange », *RB* 47 (1938) p. 334.

2. *Le Père Lagrange. Au service de la Bible. Souvenirs personnels.* Préface de P. Benoit, o.p. Paris, Éditions du Cerf, 1967, pp. 32-35.

3. *Père Lagrange*, p. 33.

1892[4] — peuvent s'expliquer par les nouvelles lois de la conscription militaire en France.

Tous les jeunes gens étaient soumis à trois ans de service militaire. Seuls
en étaient exemptés ceux qui n'étaient pas en France au moment de leur dix-
neuvième anniversaire et qui demeuraient à l'étranger pendant dix ans.
Comme les jeunes religieux passaient ce temps-là en formation et n'étaient
pas pris par les tâches pastorales, il était relativement facile aux Ordres religieux de s'arranger pour que leurs étudiants soient formés hors de France.
Les provinces dominicaines françaises envoyèrent leurs novices et leurs étudiants à Jérusalem. Une mesure analogue fut adoptée par les Assomption-
nistes dont les étudiants suivirent les cours à l'École Biblique. Tous ces jeunes gens étaient formés, non en spécialistes de la Bible mais en vue de la
prêtrise, c'est-à-dire qu'ils n'avaient besoin que des connaissances bibliques
nécessaires à la prédication. Il est par conséquent surprenant de s'aperce-
voir qu'à cette époque le Nouveau Testament était manifestement le sujet
d'étude le moins important à l'École Biblique.

Paul Séjourné en avait théoriquement la charge[5] mais son intérêt véritable le portait vers la topographie de la Terre sainte. Le Nouveau Testament était peut-être au programme en 1890-92, mais il n'apparaît qu'en
deuxième année en 1891-92 et plus du tout en 1892-93. L'enseignement du
Père Lagrange portait sur la *Genèse* et les *Galates* en 1895-96, mais il consacrait deux heures à celle-là et une seule au texte du Nouveau Testament.
L'étude de celui-ci fut de deux heures en 1896-97 quand le Père Lagrange
enseigna l'*épître aux Romains*. Durant les trois années universitaires suivantes cependant, on ne relève aucun cours d'exégèse néo-testamentaire. Cela
s'explique peut-être par le fait que le Père Lagrange était totalement absorbé
par l'Ancien Testament et qu'il avait à faire face aux retombées politiques
de son article sur les sources du *Pentateuque* paru en 1898 dans la *Revue
Biblique*[6]. Cependant, il était à la recherche d'un professeur du Nouveau
Testament. Le programme pour l'année 1900-01 comporte la mention :
« exégèse néo-testamentaire, *Évangile* de Jean — Mercredi et Vendredi à
15 h 15 — Père N.N. » Ce qui laisse entendre que les négociations n'étaient
pas achevées quand la *Revue Biblique* fut mise sous presse.

La personne que le Père Lagrange avait en vue était presque certainement le Père Thomas Calmes, de Rouen, qui, en fait, avait donné un cours
sur l'*Évangile* et l'*Apocalypse* de Jean en 1901-02. Il contribuait déjà à la

---

4. *Père Lagrange*, pp. 34-35 ; *RB* 1 (1892) pp. 130-131 ; 2 (1893) p. 145.

5. *Père Lagrange*, p. 34. Tout ce qui suit concernant les cours et les professeurs est tiré
des programmes d'études publiés chaque année dans la *Revue Biblique*.

6. Pour les détails voir *Père Lagrange*, pp. 75-109.

Revue Biblique[7] et avait en outre publié un livre sur l'inspiration, *Qu'est-ce que l'Écriture Sainte ?* (Paris, Bloud et Barral, 1899). Son cours consistait en une longue étude du prologue johannique[8], qui se développa plus tardivement et devint le premier commentaire sur Jean paru dans les *Études Bibliques*. Le fait qu'il n'était pas dominicain explique peut-être pourquoi il ne resta qu'un an ou deux. Tout en étant désireux d'aider l'École Biblique, ses supérieurs, n'auraient pas voulu céder de manière définitive un savant et un professeur aussi compétent. En fait, il renonça aux études supérieures et préféra devenir missionnaire en Amérique du Sud[9].

Il fut remplacé à l'École Biblique par le Père Magnien, o.p., qui enseigna l'exégèse du Nouveau Testament de 1902 à 1907. Il se fixa exclusivement sur les lettres pauliniennes. Qu'il n'ait écrit qu'un seul article[10] peut sans doute s'expliquer par le fait qu'il assurait les cours sur la philosophie scolastique qui changeaient chaque année. D'autres se trouvèrent dans le même cas, mais à un degré moindre[11]. Ces sujets-là faisaient partie du cycle d'études des séminaires. On les traita pour la dernière fois durant l'année universitaire 1911-12. La loi française sur la conscription militaire avait changé et les séminaristes n'étaient plus tenus de faire leurs études philosophiques et théologiques à l'étranger pour être dispensés du service national. Par conséquent, le nombre des élèves à l'École Biblique diminua de façon spectaculaire. Il y avait toujours eu quelques étudiants de niveau universitaire. Mais désormais il n'y avait plus qu'eux. Le poids de l'enseignement en fut considérablement allégé pour les professeurs. Cette situation était favorable à la recherche et le niveau des étudiants permettait l'étude de sujets nouveaux sans avoir à se soucier des exigences d'un programme contraignant.

Le Père Lagrange assuma la responsabilité de l'étude du Nouveau Testament en 1907 mais avant de parler de son travail et de celui des collaborateurs qu'il avait formés, il convient de mentionner un autre aspect des études néo-testamentaires à l'École Biblique. En donnant à sa fondation le nom d'*École Pratique d'Études Bibliques*, le Père Lagrange voulait attirer l'atten-

---

7. Deux longues recensions de l'Introduction au Nouveau Testament de Zahn, *RB* 7 (1898) pp. 77-89 ; 8 (1899) pp. 428-443 et un article « Le prologue du quatrième Évangile et la doctrine de l'Incarnation », *RB* 8 (1899) pp. 232-248.

8. « Étude sur le prologue du quatrième Évangile », *RB* 9 (1900) pp. 5-29, 378-399 ; 10 1901) pp. 512-521.

9. M.-J. LAGRANGE, *Évangile selon saint Jean* (ÉB), Paris, Gabalda, 1925, p. i.

10. « La résurrection des morts, d'après la première Épître aux Thessaloniciens. Étude exégétique sur : Th 4, 13-5, 2 », *RB* 16 (1907) pp. 349-382.

11. Ceux qui savent quels étaient les sujets dont le Père Savignac et le Père Abel étaient spécialistes (voir plus loin) s'amuseront en constatant que le premier eut à enseigner le Droit Canon et le De Ecclesia et le second, le De Ecclesia et le De Religione !

tion sur ce qui en constituait la méthodologie caractéristique, une étude combinée des documents et des monuments[12]. Il se peut qu'au début l'accent n'ait pas été suffisamment mis sur les documents du Nouveau Testament, mais on ne saurait dire la même chose des monuments qui y sont associés. « Archéologie du Nouveau Testament » est un des sujets que l'on trouve dans le tout premier programme des cours. Bien que par la suite on n'en trouve plus aucune mention, il n'y a guère de doute que la promesse fut accomplie par les cours de Raphaël Savignac (21 juillet 1874-27 novembre 1951) et de Félix-Marie Abel (28 décembre 1878-24 mars 1953).

Le Père Savignac arriva à Jérusalem en 1894, il était novice. Le Père Abel le suivit en 1900. L'un et l'autre allaient passer leur vie entière à l'École et acquirent une réputation internationale dans leurs domaines respectifs. Savignac se spécialisa dans l'épigraphie sémitique ; sa recherche de documents l'amena à s'aventurer dans bien des endroits dangereux et il parvint à une connaissance extraordinaire de la Palestine et des pays voisins. Le résultat de ses travaux produisit un flot d'articles scientifiques. La vaste érudition d'Abel et son sens critique aigu lui assurèrent une maîtrise incomparable des sources grecques (textes et inscriptions) touchant à l'histoire et à la topographie de la Palestine. En plus de 125 articles, il fournit la partie historique de vastes études sur Jérusalem, Bethléem et Emmaüs auxquelles il collabora avec l'archéologue de l'École Biblique, le Père L.-H. Vincent, o.p. *La Grammaire du grec biblique suivie d'un choix de papyrus*, d'Abel (ÉB ; Paris, Gabalda, 1927) fut d'une importance capitale pour le Nouveau Testament ; outre quelques 700 passages tirés de la *Septante*, elle traite de plus de 3 500 textes néo-testamentaires. La grammaire grecque est cependant bien loin de suffire pour comprendre le Nouveau Testament. Il est indispensable d'en saisir clairement l'environnement physique et le contexte culturel. Abel répondit à ces besoins par sa *Géographie de la Palestine* (ÉB ; Paris, Gabalda, I, 1933 ; II, 1938) et son *Histoire de la Palestine depuis la conquête d'Alexandre jusqu'à l'invasion arabe* (ÉB ; Paris, Gabalda, 1952). Les deux livres s'attirèrent un concert de louanges pour leur prodigieuse documentation et la sûreté de leur jugement, des qualités qui les rendent indispensables, encore aujourd'hui. En 1906, après avoir succédé au Père Vincent pour les cours sur la topographie de Jérusalem, le Père Abel passa de l'importance accordée à l'architecture à celle donnée à l'histoire. Tous les deux ans, il mettait le Nouveau Testament au cœur même de son cours. Il maintint ce rythme jusqu'à la fin de sa carrière en 1953, incorporant régulièrem nt à son enseignement les nouvelles données mises en lumière par les archéologues[13]. Son

---

12. *Père Lagrange*, p. 36.

13. Afin de donner leurs chances à de jeunes collègues en début de carrière, de devenir archéologues à l'École Biblique, le P. Abel passa le cours de topographie à G.A. Barrois en 1929-33 et à A.-M. Stève en 1948-49.

habileté en tant que guide n'est nulle part mieux manifestée que dans l'extraordinaire condensé d'histoire et d'archéologie qu'il mit dans le volume sur la Palestine qu'il écrivit pour la fameuse série de Guides Bleus[14]. Les cours qu'il donna de temps en temps sur l'introduction du Nouveau Testament (1922-23-1933-34, 1947-49) étaient très historiques dans leur orientation ; il mettait essentiellement l'accent sur les périodes hellénistiques et romaines. Il enseigna une fois les épîtres pauliniennes (1930-31), probablement d'un point de vue philologique.

En 1903-05, Savignac fut un des professeurs « bouche-trou » pour le Nouveau Testament. Après cela, il se consacra exclusivement à l'épigraphie jusqu'en 1924. Il commença alors un cours intitulé « Introduction historique au Nouveau Testament » qu'il continua jusqu'en 1933. Il y traitait des facteurs politiques, sociaux, économiques et culturels qui composaient le monde des premiers chrétiens.

La tradition de ce genre de cours, si précieux, qui permettaient de situer le Nouveau Testament, ne fut reprise que dans les années 70. De 1971 à 76, le docteur Bentey Layton, diplômé récent de l'Université de Harvard et spécialiste du *Copte* et du *Gnosticisme*, fit un cours sur des sujets tels que la *Littérature Chrétienne primitive, le Gnosticisme*, les *Textes Gnostiques Chrétiens* et leur environnement littéraire et doctrinal au deuxième siècle, et sur la *Diatribe*. Cette étude sur le prolongement des thèmes néo-testamentaires au cours du siècle suivant se révéla comme un instrument herméneutique de grande valeur. Le premier laïc (et en plus protestant) à être membre du corps professoral de l'École Biblique, ne pouvait se permettre de travailler indéfiniment pour les maigres subsides que l'École était en mesure de lui octroyer. Il est à présent professeur d'histoire ancienne du christianisme à l'Université de Yale, à New Haven dans le Connecticut.

De 1972 à 80, le Père H.-D. Saffrey, directeur de recherche au C.N.R.S. à Paris, vint chaque année faire un cours à Jérusalem. Il en consacra trois à l'histoire de la doctrine et les autres au milieu du Nouveau Testament. Ces derniers traitaient de sujets tels que : « la vie politique, religieuse et culturelle à Éphèse au début de l'ère chrétienne selon les inscriptions », « le culte de l'Empereur à Éphèse, la vie civique et religieuse à Éphèse à l'époque du Nouveau Testament selon l'inscription de Vibius Salutaris », « Les Juifs à Éphèse, les inscriptions éphésiennes des règnes de Claude et de Néron et la vie politique, religieuse et cultuelle de Thessalonique au commencement de l'ère chrétienne selon les inscriptions ». Ce type de cours sur le contexte du Nouveau Testament est actuellement assuré par le Père Justin Taylor, s.m. (voir chapitre 7).

---

14. *Syrie-Palestine-Irak-Transjordanie*, Paris, Hachette, 1932, pp. 504-625.

CHAPITRE II

M.-J. LAGRANGE, o.p.

On connaît trop bien la carrière du Père Lagrange pour qu'il soit nécessaire d'en répéter tous les détails[1]. Il nous faut cependant en rappeler quelques-uns si nous voulons bien comprendre son apport à l'étude du Nouveau Testament.

Né le 7 mars 1855, il avait, après son service militaire, passé son doctorat en droit et mis sa vocation à l'épreuve au séminaire sulpicien d'Issy-les-Moulineaux avant d'entrer chez les Dominicains de la Province de Toulouse en 1879. Au cours de ses études théologiques à Salamanque (1880-86) ses supérieurs notèrent le don qu'il avait pour les études bibliques, mais ce ne fut qu'en 1888 qu'on l'envoya à l'Université de Vienne. Lui-même a expliqué ce qu'il y faisait et ce à quoi il espérait parvenir : « Je ne suivis aucun cours à la faculté de théologie. J'avais étudié seul le syriaque et l'arabe, commencé l'assyrien. Je suivis, pour l'arabe et l'assyrien, le cours du professeur David-Heinrich Müller, pour l'égyptien hiéroglyphique et hiératique, celui du professeur Reinich et aussi à l'école de commerce le cours de M. Wahrmund pour l'arabe. M. Müller eut la bonté de me donner quelques indications particulières sur l'exégèse rabbinique et la mishnah. Il se montra pour moi un bon israélite, et c'est chez lui que je rencontrai le professeur Euting qui m'apprit à faire les estampages. Mon ambition n'était pas de me rendre fort dans chacune de ces matières, mais de former plus tard, à Toulouse, un corps professoral biblique[2]. »

Il se trouve que ce fut à Jérusalem qu'il eut à former des professeurs. Ceci cependant a moins d'importance que l'orientation intellectuelle révélée par ce qu'il dit et qui montre à quel point il se rendait compte de la situation à son époque. Vers la fin du XIXᵉ siècle, les problèmes épineux des étu-

---

1. *Le Père Lagrange. Au service de la Bible. Souvenirs personnels*, Paris, Éditions du Cerf, 1967. F.-M. BRAUN, o.p. *L'œuvre du Père Lagrange. Étude et Bibliographie*, Fribourg, Éditions St Paul, 1943. H.-L. VINCENT, « Le Père Lagrange », *RB* 47 (1938) pp. 321-354.

2. *P. Lagrange*, p. 30.

des bibliques portaient sur l'Ancien Testament. C'était là que les traditionalistes qui, dans le passé, avaient accepté la Bible sans se poser de questions et qui, à présent, en défendaient le sens littéral, s'opposaient aux spécialistes dont les découvertes remettaient en question des interprétations classiques. Par exemple, comme l'on savait désormais qu'il y avait eu des quantités de codes juridiques au Proche-Orient, il devenait impossible de soutenir que la législation d'Israël était venue directement du ciel comme le déclarait l'Ancien Testament. Selon la Bible, Moïse aurait minutieusement fixé tous les détails du culte israélite, mais cette affirmation se trouvait contredite par la preuve irréfutable qu'il y avait eu un développement progressif de tous les autres cultes connus. Pour beaucoup de gens à l'intérieur de l'Église accepter de telles opinions mettait la foi en danger. Pour le Père Lagrange et une poignée de savants chrétiens, refuser d'accepter les implications des découvertes modernes était un danger pour la foi de l'Église catholique avec des conséquences désastreuses pour ceux qui se fiaient à son jugement. La curiosité scientifique et le souci pastoral s'unissaient donc pour le pousser vers ce champ périlleux de la recherche. Ajoutons-y le côté intransigeant de son caractère. Bien que l'expression en soit un peu grandiloquente, il y a une bonne part de vérité dans ce que disait J. Chaine : « Les endroits où l'on se bat sont moins sûrs, mais c'est là qu'on peut le mieux servir[3] ».

L'Inspiration de l'Écriture Sainte

Sous-jacent aux questions particulières, il y avait le problème fondamental de l'autorité de la Bible. Le Père Lagrange fut donc obligé de prendre position sur l'inspiration et l'inerrance de l'Écriture Sainte. Dans les débuts de son enseignement, la théorie dominante soutenait que Dieu était l'inspirateur du contenu de l'Écriture, mais non de sa lettre. La renaissance thomiste du milieu du XIXe siècle mettait en question la théologie de la grâce sur laquelle s'appuyait cette théorie. Peu à peu apparut une autre solution qui faisait appel à la notion de causalité instrumentale chez saint Thomas afin d'expliquer comment la totalité de l'œuvre était à attribuer à Dieu et à l'auteur, mais à chacun selon sa manière. Le Père Lagrange appuya d'abord cette nouvelle hypothèse dans la recension qu'il fit d'un article du Père Thomas Pègues, o.p., un de ses confrères de Toulouse[4].

À ce moment-là cependant « il ne faisait que jouer au théologien dominicain en suivant Zigliara et Pègues qui attaquaient le point de vue jésuite sur la grâce et l'inspiration ». Cette pénétrante observation de J. Burtchaell

---

3. « L'Ancien Testament. Le Sémitisme » *L'œuvre exégétique et historique du R.P. Lagrange* (Cahiers de la Nouvelle Journée, 28), Paris, Bloud & Gay, 1935, p. 20.
4. « Une pensée de saint Thomas sur l'inspiration Scripturaire », *RB* 4 (1895) pp. 563-571.

met en lumière ce qu'il considère comme la seconde et la troisième phase qu'il juge les plus importantes dans le développement de la pensée du Père Lagrange à ce sujet[5].

Deux réactions critiques obligèrent le Père Lagrange à expliquer sa position, ce qui signifiait qu'il devait faire face au problème de l'inerrance. Il écrivait, « nous avons le principe traditionnel d'exégèse : Dieu n'enseigne infailliblement que ce que l'écrivain sacré enseigne. Nous avons le principe de bon sens : l'écrivain sacré n'enseigne que ce qu'il veut enseigner. Nous avons le principe de critique littéraire : l'intention de l'auteur se manifeste par le genre qu'il a choisi. Il ne nous reste plus qu'à mettre ces principes en regard d'un principe de logique non moins élémentaire : le terme ne renferme ni la vérité ni l'erreur, il n'y a d'erreur ou de vérité que lorsqu'il y a jugement, c'est-à-dire affirmation ou négation catégorique. Et il n'y a jugement catégorique que lorsque l'auteur veut le prononcer[6] ».

L'importance primordiale accordée aux genres littéraires est manifeste. Chacun a sa manière d'articuler la vérité, et, en cherchant soigneusement les différentes significations possibles, le spécialiste pouvait déterminer exactement ce que l'auteur sacré avait voulu dire. Le Père Lagrange était certain que, de cette manière, tout conflit entre la Bible et les découvertes modernes pouvait être évité.

La troisième étape de l'évolution de la pensée du Père Lagrange apparaît dans les conférences qu'il donna à l'Institut catholique de Toulouse en 1902 sur « La Méthode Historique surtout à propos de l'Ancien Testament ». Elles furent publiées l'année suivante[7]. Ce livre donnait les grandes lignes d'un vaste programme portant sur une authentique science critique catholique ; sa pertinence a été soulignée par sa réédition en 1966 avec une préface du Père de Vaux, o.p.[8]. Cependant, dans le chapitre sur l'inspiration, le Père Lagrange revient sur sa position antérieure en ce qui concernait le lien entre l'inerrance et ce que l'auteur sacré avait jugé devoir communiquer. Tirant argument des imperfections de l'Ancien Testament comparé au Nouveau Testament, il écrit : « L'inspiration conduit à l'écriture. Par sa nature l'écriture a pour but de fixer et de conserver une connaissance antérieure acquise. De sorte que le chemin de l'Inspiration n'a pas pour objet premier d'enseigner, mais de conserver le souvenir des vérités révélées et des faits

---

5. *Catholic Theories of Biblical Inspiration since 1810. A Review and Critique*, Cambridge, University Press, 1969, p. 139.

6. « L'inspiration et les exigences de la critique », *RB* 5 (1986) p. 507.

7. Une version anglaise apparut très rapidement. *Historical Criticism of the Old Testament*, traduite par E. Meyers, London, CTS, 1906.

8. *La méthode historique, surtout à propos de l'Ancien Testament*, Paris, Cerf, 1966.

de l'histoire qui permettent de comprendre l'ordre et la suite de la révélation, quoique le but de l'écrivain sacré puisse bien être l'enseignement[9].

Cette vision extraordinairement ouverte aurait vraiment dû faire l'effet d'un pavé jeté dans la mare des grenouilles traditionalistes, mais elle n'attira guère l'attention[10]. Une des raisons en est peut-être que le Père Lagrange lui-même commença tout de suite à s'en écarter. Il n'était pas préparé à appliquer ce point de vue au Nouveau Testament, ni même aux livres historiques dans l'Ancien. Afin d'expliquer les difficultés trouvées dans celui-ci, il proposa une théorie de *l'histoire apparente*[11]. Ceci attira contre lui une attaque venimeuse de A. Delattre, s.j.[12]. L'atmosphère se gâta si rapidement que ses supérieurs ne permirent pas au Père Lagrange de publier de réponse[13]. Cette interdiction s'étendit bientôt à d'autres sujets et il cessa d'écrire sur l'inspiration. J. Burtchaell a noté avec perspicacité : « Au sommet de sa carrière, le Père Lagrange essayait d'élaborer une théorie de l'inspiration qui serait à la fois critique et systématique. Ses idées manquaient encore un peu de netteté et de consistance[14] ». Grâce au Père Lagrange la théorie de l'inspiration verbale était devenue dominante parmi les catholiques, mais l'arrêt du dialogue scientifique priva certainement l'Église de points de vue qui l'auraient enrichie si on avait permis au Père Lagrange de continuer à élaborer ses idées.

Les grands commentaires

Lorsqu'arrive l'année 1907 le climat intellectuel était devenu tellement délétère que les autorités de l'Église et de l'Ordre pensèrent qu'il serait inopportun de laisser le Père Lagrange publier le commentaire de la Genèse auquel il travaillait depuis 10 ans[15]. L'acceptation de cette épreuve n'adoucit en rien la défiance dont il était l'objet ; « Pour les désarmer, je renonçai entièrement à l'étude de l'Ancien Testament, si ce n'est en vue du Nouveau, et puisque mes supérieurs ne m'autorisaient pas à dire adieu aux études bibliques, je me consacrai à l'étude de l'Évangile[16] ».

---

9. *La méthode historique*, 1904, p. 90.

10. Pour autant que je sache, la seule tentative menée pour en découvrir les implications, fut celle de F. SCHROEDER, s.j. : « Père Lagrange : Record and Teaching in Inspiration » *CBQ* 20 (1958) pp. 206-217.

11. *La méthode historique*, 1904, pp. 104-109.

12. *Autour de la question biblique : Une nouvelle exégèse et les autorités qu'elle invoque*, Liège/Paris, Dessain, 1904.

13. *Père Lagrange*, pp. 141-151.

14. *Catholic Theories of Inspiration*, p. 145.

15. *Père Lagrange*, pp. 91, 159, 167-169.

16. *Père Lagrange*, p. 172.

Selon le Père Vincent, ce fut le Père Cormier, Maître Général des Dominicains, qui suggéra de passer au Nouveau Testament en guise de compromis[17]. A l'époque, un changement de direction aussi radical dut paraître incompréhensible mais, avec l'avantage du recul on peut voir la main de la Providence dans cette décision dont Patrick W. Skehan a dit : « Quels qu'aient pu être les besoins dans le champ des études vétéro-testamentaires, l'absence des travaux du Père Lagrange sur l'Évangile aurait incontestablement laissé un vide beaucoup plus grand[18] ».

C'est ainsi que pour l'année 1907-08 à l'École Biblique le Père Lagrange assura un cours sur la théologie des Évangiles synoptiques. Le sujet en était l'*Évangile de Marc* ; il en publia un volumineux commentaire en 1911. Ce fut la seule année où il l'enseigna ! Il avait commenté trois fois l'*Épître aux Romains* (1896-97, 1910-11, 1913-14) avant d'en écrire le commentaire terminé en 1914 mais publié seulement en 1916. Exilé de Palestine par les Turcs en 1915[19], il était normal pour lui d'employer ses moments de loisir à Paris en composant un commentaire sur les *Galates* (1918).

Cette bifurcation vers saint Paul demande une explication car le Père Lagrange n'avait cessé de travailler à un commentaire sur Luc depuis 1912[20] et avait donné à deux reprises des conférences sur ce texte (1911-12 et 1914-15). On l'avait également désigné pour en assurer l'enseignement durant « l'année terrible » quand il fut brusquement rappelé de Jérusalem par le Père Cormier le 4 septembre 1912 et n'eut la permission de retourner à l'École Biblique qu'au mois de juillet suivant[21]. Ce qu'il fit cet été-là fournit une base de réponse : « J'étais rentré à Jérusalem au moment des vacances. Je les employai à écrire une petite vie de saint Justin. C'était un théorème évident parmi nos adversaires que l'absence de théologie nuisait à mon érudition. Je fus donc assez satisfait de m'entendre dire par le Père Général que l'examinateur avait été "enchanté" non seulement des faits mais de la compétence philosophique et théologique dont vous y avez fait preuve[22] ». Nous

17. « Le Père Lagrange » *RB* 47 (1938) p. 347.

18. « Père Lagrange and History in the Bible » in *Lagrange Lectures 1963*, Dubuque, Aquinas Institute, 1963, p. 26.

19. Événement qui suscita ces paroles : « C'était à nous, paraît-il, à faire valoir le caractère international de notre École. Nous avons répondu que, si nous avions largement accueilli des non-français et d'un cœur si large, c'est précisément parce que ce cœur était français. L'École Pratique d'Études Bibliques a été fermée parce que française, elle renaîtra française », dans « Après vingt-cinq ans », *RB* 12 (1915) p. 261.

20. *Père Lagrange* p. 206, note 62.

21. *Père Lagrange*, pp. 200 ss. L.-H. VINCENT, « Le Père Lagrange », *RB* 47 (1938) p. 349.

22. *Père Lagrange*, p. 215.

avons ici un aperçu de l'astucieuse sagacité politique qui faisait tout autant partie du caractère du Père Lagrange que sa sainteté. Un commentaire sur l'*Épître aux Romains* lui donna une occasion supplémentaire de montrer la solidité de ses connaissances en théologie scolastique.

Parmi les commentateurs il accordait une place éminente à saint Thomas et souligna que sa propre interprétation contribuait pour sa part à « montrer, dans l'exégèse indépendante un retour vers l'exégèse catholique sur les débuts de l'exégèse luthérienne »[23].

Une fois qu'il eut réglé cette question le Père Lagrange retourna à la seule chose qui l'intéressait réellement, les *Évangiles*. Quand l'École Biblique rouvrit ses portes après la Première Guerre mondiale, le premier cours qu'il donna traita de saint Luc (1919-20) et son commentaire fut publié l'année suivante. Il se peut qu'il ait enseigné sur Matthieu en 1920-21. Il le fit certainement au cours de l'année universitaire suivante en préparant son commentaire sur le premier Évangile qui fut complété en 1922 et publié l'année suivante. Il ne nous reste aujourd'hui que son travail sur le quatrième Évangile et il n'est pas surprenant que l'enseignement qu'il donna en 1922-24 ait été entièrement consacré à Jean. Terminé en 1924, son commentaire parut en 1925. Désormais, il ne devait plus donner de cours sur le Nouveau Testament sauf « l'Exégèse comparée des Évangiles », préparation évidente à sa *Synopsis Evangelica Graece* (1926) d'où il tira son seul livre populaire : *L'Évangile de Jésus-Christ* (1928) qui fut traduit en plusieurs langues et qui, à une certaine époque, se trouvait dans la bibliothèque de tout prêtre catholique[24].

L'année où il termina cette série de six volumineux commentaires était celle de son soixante-dixième anniversaire. Peu de temps après, dans un moment d'apitoiement sur soi qui ne lui ressemblait guère, il put se décrire comme « un rouage inutile[25] ». Dans les disciplines qui leur étaient propres, ses disciples étaient parvenus à son niveau. Le successeur qu'il s'était choisi, pour l'étude du Nouveau Testament, le Père Raphaël Tonneau, o.p., élève à l'École Biblique depuis 1922[26] était prêt à enseigner ; l'avenir étant assuré, il pouvait raisonnablement chanter son *Nunc Dimitis*. Le Père Tonneau cependant ne devait enseigner que quatre années (1926-30). le Père Abel fut appelé à la rescousse pour le remplacer en 1930-31, et l'année suivante un jeune dominicain, Augustin Carrié, donna les cours sur Marc. Le Père Lagrange espérait en faire peut-être son successeur, mais au bout d'une

---

23. *Saint Paul. Épître aux Romains* (EB), Paris, Gabalda, 1916, p. iv.

24. La version anglaise est intitulée *The Gospel of Jesus Christ*, London, Burns Oates and Washbourne, 1938.

25. *Père Lagrange*, p. 215.

26. R. Tonneau, « Le sacrifice de Josué sur le mont Ébal », *RB* 35 (1926) p. 198.

année, Carrié décida que l'austère vie intellectuelle de l'École ne lui convenait pas et il rentra en France.

En dépit de son âge — il avait 77 ans — on comprend que le Père Lagrange se soit senti contraint de reprendre le fardeau des cours. Il est peu probable cependant que le sens du devoir ait été sa seule motivation car, de ces cours (1932-35), sortirent les deux premiers volumes de sa grande introduction à l'étude du Nouveau Testament, l'un axé sur le canon du Nouveau Testament, l'autre sur les principes de la critique textuelle (1935), le troisième volume aurait logiquement dû être consacré à la critique littéraire qu'il avait enseignée en 1934-35, mais, en fait, il portait sur la critique historique (1937). Ce livre fut écrit en France après que le Père Lagrange ait dû quitter Jérusalem pour des raisons de santé en 1935. Cette fois-ci, il ne retourna pas en Terre sainte. Il mourut le 10 mars 1938 et ce ne fut qu'en mai 1967 que ses restes furent ramenés à Jérusalem et déposés dans la basilique de Saint-Étienne.

Ce rapide aperçu sur le Père Lagrange et ses publications sur le Nouveau Testament n'a pas essayé de prendre en compte les nombreux écrits durant cette période. Il est surprenant de constater que le nombre d'études issues des travaux préparatoires à ses commentaires est très limité[27]. Presque tous couvrent pratiquement l'ensemble des sujets se rapportant au Nouveau Testament ou à l'histoire des débuts du christianisme. Ils révèlent une extraordinaire érudition mise en valeur par un esprit pénétrant et une plume alerte. La rapidité et la concentration dont il faisait preuve dans son travail étaient incroyables.

Par ce qu'en ont rapporté les étudiants qui vivaient à l'École Biblique lorsque le Père Lagrange était en pleine force, on peut reconstituer sa journée de travail[28]. Tôt levé, il avait dit sa messe suivie d'une longue action de grâces, nettoyé sa chambre et pris son petit-déjeuner avant de se mettre au travail à sept heures. Jusqu'à onze heures quarante-cinq, il n'acceptait aucune interruption. À un étudiant venu lui souhaiter la bonne année un premier janvier il répondit : « Nous échangerons nos vœux après le déjeuner. Ce n'est pas le moment, je travaille. » S'il quittait sa chambre, c'était pour aller à la bibliothèque vérifier une référence. Il écrivait sur une grande table de bois chargée de livres empilés de chaque côté. Il savait si bien organiser ses idées qu'il lui était rarement nécessaire de réécrire une page. Les grandes feuilles blanches se remplissaient vite de sa nette écriture penchée.

27. Un pour Marc (1910) ; quatre pour Romains (1911, 1914, 1915) ; un pour Galates (1917) ; deux pour Luc (1911, 1914) et deux pour Jean (1923, 1924).

28. J. Chaine « Journée et menus propos du Père Lagrange » dans *Mémorial Lagrange*, Paris, Gabalda, 1940, pp. 355-360. F.-M. Braun, *L'œuvre du Père Lagrange. Étude et bibliographie*, Fribourg, Éditions St Paul, 1943, pp. 175-176.

Il ne s'arrêtait que lorsque la cloche sonnait l'office qu'il ne manquait jamais. À la récréation, après le déjeuner, il prenait toujours un plaisir enfantin à ouvrir les colis de livres. Il emportait ceux qui l'intéressaient à l'ombre, dans le jardin quand il faisait beau ou à sa chambre en hiver, et il lisait jusqu'au goûter à seize heures trente. Il lui arrivait alors de faire une promenade. Sinon, il retournait chez lui pour lire des épreuves ou écrire des recensions de livres. À la récréation du soir, après le dîner, il jouait aux échecs avant complies. Ensuite, il allait se coucher de bonne heure.

Il était tenu de s'imposer cette discipline pour assurer un rendement aussi extraordinaire mais seul le bon sens qu'il mettait à varier la routine de son travail quotidien explique qu'il ait pu maintenir ce rythme si longtemps. En plus de tout cela, il rendait visite à des amis à Jérusalem, suivait des conférences scientifiques et allait en France voir sa famille tous les deux ans. Dans les conversations, il pouvait être plein d'esprit. Une fois, quelqu'un faisait remarquer que son École avait été imitée à Jérusalem par les Anglais, les Américains, les Allemands, les Franciscains et les Jésuites : « si j'avais pris un brevet, répondit-il, je serais cousu d'or ! ». Sa gaieté est mise en valeur de façon charmante par un article drôle et astucieux qui correspond parfaitement à son titre : « Julien l'Apostat, prédicateur de retraites sacerdotales »[29].

Le climat intellectuel

Si l'on essaie d'évaluer l'apport du Père Lagrange aux études néo-testamentaires, il faut tenir compte des circonstances dans lesquelles il travaillait. Malgré la soumission aux autorités de l'Église qu'il manifesta en abandonnant son commentaire de la Genèse et en passant à un secteur totalement différent, la méfiance embrunait encore l'esprit de ses ennemis dont les rapports influençaient inévitablement l'attitude de Rome, qui à ce moment même, affrontait la crise moderniste. Tout ce qu'il publiait était passé au crible, mais aucune accusation formelle ne fut jamais portée contre lui. Le pape Pie X mit le doigt sur le problème en disant : « maintenant il n'y a rien, mais il y a le passé[29] ». Même alors, il n'y avait eu que des doutes et des critiques au sujet de son travail sur l'Ancien Testament. Aucune condamnation ou censure. Cependant on l'accusait de ne pas être très orthodoxe. Ceux qui ne lui faisaient pas confiance et qui n'étaient pas prêts à lire ses œuvres avec l'attention qu'elles méritaient avaient tendance à le mettre dans le même sac que Renan et Loisy.

29. « Julien l'Apostat, prédicateur de retraites sacerdotales », *VSpirSup* 17 (1928) pp. 242-248.
30. *Père Lagrange*, pp. 179-180.

Ernest Renan écrivit sa *Vie de Jésus* en 1863. Dans cet ouvrage il revêtait une lourde érudition germanique des habits de l'Orient mystérieux et la rendait ainsi attrayante. Quand le Père Lagrange commença à traiter sérieusement de ce livre, celui-ci avait déjà été réédité cinquante-deux fois et une édition à bon marché l'avait été cent-vingt fois[31]. Un tel succès ne pouvait qu'augmenter la révulsion de l'Église face au portrait de Jésus présenté dans cet ouvrage. Renan analysait les récits des quatre Évangiles de manière à ne retenir comme historique que les grandes lignes de l'Évangile de Jean. Sur ce canevas ténu, il projetait ensuite ses idées les plus fantaisistes : Jésus n'était même pas un sage ou un prophète, simplement un charmeur dont le but essentiel était de s'attirer l'admiration sans réserve d'un groupe auquel il communiquait la semence de sa doctrine. Leur interprétation naïve de la sérénité joyeuse qu'il répandait autour de lui en Galilée fit naître l'impression qu'il avait inauguré un état paradisiaque. Ce devait donc être le Messie, titre qu'il acceptait avec quelque gêne car il savait fort bien qu'il ne l'était pas. Cette petite tromperie avait comme excuse un désir de plaire mais, selon Renan, elle poussa Jésus à faire de faux miracles parce qu'il avait besoin de réussir. Il était évident qu'aucun catholique ne pouvait accepter cette présentation de Jésus-Christ.

Si l'importance de Renan était encore grande au début du vingtième siècle, Alfred Loisy avait l'avantage de l'actualité. Ses livres représentaient le sommet de la critique biblique et le Père Lagrange les recensait à mesure de leur parution. C'était un brillant exégète dont les observations détaillées gardent à ce jour une grande partie de leur valeur. Ses notes sur n'importe quel texte valent encore d'être lues. Le problème résidait dans la façon dont il en assemblait les passages. Il ne croyait pas en un Dieu personnel et, par conséquent, refusait toute autorité de l'Église : ses dogmes étaient un obstacle à la liberté de la recherche. Mais comme il savait qu'attaquer de face une institution aussi puissante ne pouvait signifier que la défaite, il résolut de la miner de l'intérieur en modifiant subtilement le sens de ses enseignements[32].

Pour Loisy, qui était le Jésus historique ? « Un ouvrier de village, naïf et enthousiaste, qui croit à la prochaine fin du monde, à l'instauration d'un règne de justice, à l'avènement de Dieu sur terre et qui, fort de cette pre-

31. « La vie de Jésus d'après Renan », *RB* 27 (1918) pp. 432-506.

32. « C'est, dis-je, tout ce système dont la caducité m'est apparue depuis vingt ans, et dont j'avais essayé d'élargir peu à peu la signification, persuadé, d'une part, qu'il était, tel quel, un obstacle à toute liberté de l'intelligence et à tout progrès de la science, et, d'autre part, qu'il contenait une âme de vérité morale dont l'excellence apparaîtrait dès qu'on aurait pu la tirer de sa gaine séculaire », (*Quelques Lettres sur des questions actuelles et sur des événements récents*, Ceffonds, 1908, pp. 68-6), cf. *RB* 17 (1908) p. 609.

mière illusion, s'attribue le rôle principal dans l'organisation de l'irréalisable cité ; qui se met à prophétiser, invitant tous ses compatriotes à se repentir de leurs péchés afin de se concilier le grand juge dont la venue est imminente et subite comme celle d'un voleur ; qui recrute un petit nombre d'adhérents illettrés, n'en pouvant guère trouver d'autres, et provoque une agitation d'ailleurs peu profonde, dans les milieux populaires, qui devait être arrêté promptement, et qui le fut, par les pouvoirs constitués, qui ne pouvait échapper à la mort violente et qui la rencontra[33] ». Paul fut le premier à donner à cette mort une valeur redemptrice et c'est à partir de là que sont issus tous les autres éléments de la tradition évangélique. On se mit à s'intéresser à la vie de Jésus et il fallut donc inventer des épisodes et un enseignement. On avait besoin de miracles pour illustrer le rapport qu'il avait avec Dieu. Des spéculations théologiques placées sur les lèvres de Jésus devenaient des affirmations révélatrices de ce qu'il savait de lui-même[34].

Renan et Loisy soutenaient l'un et l'autre que leurs conclusions dérivaient de l'étude critique qu'ils avaient faite du Nouveau Testament. De telles conclusions étaient inacceptables même pour les esprits les plus ouverts de l'Église, et ceux qui déclaraient que cette façon d'aborder les Évangiles était moderne et scientifique devenaient inévitablement suspects. On pensait qu'il n'y avait là qu'un premier pas vers une image de Jésus semblable à celles présentées par Loisy et Renan. Le Père Lagrange, lui, voyait que ces conclusions n'étaient pas liées à la méthode historique en elle-même mais aux idées préconçues de certains qui la mettaient en pratique[35]. Il n'avait cependant pas la naïveté de croire que cette déclaration de principe satisferait ses détracteurs. Il percevait clairement l'hostilité extrême du climat intellectuel dans l'Église ; il se rendait compte qu'il n'était pas libre de dire tout ce qu'il pensait et qu'il lui fallait formuler très soigneusement ce qu'il voulait exprimer. Si l'on mettait en doute la droiture de ses intentions il était certain que ses paroles seraient détournées de leur sens. Il n'était pas libre non plus de décider de l'opportunité d'une recension. Refuser de traiter des opinions de Loisy eût été interprété comme une approbation tacite. Par conséquent, il fut obligé d'adopter une attitude apologétique. Il lui fallait défendre les positions traditionnelles de l'Église sur les auteurs et les dates des livres du Nouveau Testament. En effet, les décrets successifs de la Commis-

---

33. *Les Évangiles Synoptiques*, Ceffonds, 1907, I, p. 252.

34. Loisy fit la synthèse de ses études évangéliques dans *Jésus et la tradition évangélique*, Paris, Nourry, 1910, qui fut recensé par Lagrange dans la *RB* 20 (1911) pp. 294-299 ; voir aussi son *Monsieur Loisy et le Modernisme à propos des 'Mémoires d'A. Loisy'*, Paris, Cerf, 1932.

35. Voir « Jésus et la Critique des Évangiles » d'abord lettre ouverte à P. Batiffol, qui fut publié en appendice à la seconde édition de *La méthode historique surtout à propos de l'Ancien Testament* (1904).

sion Pontificale Biblique sur Jean (1907), Matthieu (1911), Marc et Luc (1912) leur imposaient un caractère officiel. Il marchait donc sur la corde raide. D'une part, il devait considérer honnêtement les conclusions solidement fondées de la méthode historique, mais, d'une part, il fallait qu'il prouve son respect pour la tradition. Cela déjà convenait bien à sa personnalité car, au fond, le Père Lagrange était conservateur et n'adoptait des positions avancées que lorsqu'il y était forcé par l'évidence.

L'Évangile de Marc

À l'époque pré-critique de l'attitude envers la Bible, l'historicité des Évangiles allait de soi. On tenait pour certain qu'ils rendaient compte mot à mot des choses telles qu'elles s'étaient réellement passées. Ce que les gens savaient des Évangiles en était les lignes essentielles plus quelques détails significatifs. On n'attachait aucune importance au fait que, dans certains cas, les Évangiles présentaient des versions fort différentes du même épisode. De telles variantes ne devinrent un problème qu'à l'avènement de la science critique. Ainsi, quand Marc disait que l'herbe était verte lorsque furent nourris cinq mille hommes, et que Matthieu ne le disait pas, les critiques en concluaient que Matthieu avait jugé que ce détail dans le récit de Marc n'avait aucune importance et décidé de l'omettre. L'implication immédiate de ce type de conclusion était que Matthieu dépendait de Marc. Pour les conservateurs catholiques, cela ne signifiait qu'une seule chose, la réduction du nombre de ceux que l'on considérait comme les témoins oculaires du ministère de Jésus. Par conséquent, le problème synoptique (le rapport des Évangiles entre eux) devenait un champ de bataille.

Au temps du Père Lagrange, cependant, un certain nombre de savants catholiques éminents en étaient venus à accepter la théorie des « deux sources » qui postulait que la triple tradition de *Matthieu* et de *Luc* dépendait de *Marc*, tandis que selon la double tradition *Matthieu* et *Luc* dépendaient de *Q*. Ceci faisait passer le champ de bataille au deuxième Évangile car il devenait maintenant évident que l'historicité de toute la tradition évangélique reposait sur l'histoire de Marc.

Il y avait des points brûlants : l'originalité et l'unité de *Marc*. Partant de la supposition que *Matthieu* et *Luc* se seraient servi de tout ce qu'ils auraient pu trouver sur le ministère de Jésus et, observant par ailleurs que ces Évangiles ne contenaient pas tout *Marc*, ils en déduisirent que *Matthieu* et *Luc* dépendaient d'une forme plus primitive de l'Évangile de *Marc* (Ur-Markus) et après qu'ils s'en soient servi de nouveaux éléments furent ajoutés au second Évangile pour en donner la version actuelle. D'autres exégètes affirmaient que *Marc*, dans sa forme actuelle, s'inspirait également de *Q* et que, par conséquent, le texte était fort éloigné des événements rapportés, et les critiques faisaient remarquer que l'on ne pouvait se fier à son historicité.

Si des spécialistes sans idée préconçue pouvaient parvenir à de telles conclusions que pouvait-on attendre de ceux dont l'intention était d'attaquer l'Église ? Dès lors que l'on pouvait légitimement critiquer le texte, Loisy tira profit de ce que cela comportait d'inévitablement subjectif pour faire passer son point de vue personnel sur les origines du christianisme. Ainsi en *Marc*, il distinguait quatre documents. Document A, « une simple notice concernant Jésus de Nazareth qui, après avoir réuni quelques adhérents dans son pays de Galilée en prêchant l'avènement prochain du règne de Dieu, a été crucifié à Jérusalem, par jugement de Ponce Pilate comme prétendant à la royauté sur les juifs. Document B, une série de compléments intercalés dans la notice précédente et comprenant des récits de miracles, ou bien des prédications de Jésus relatives aux faits de la notice. Document C, une autre série de compléments destinés à étoffer la biographie du Christ en donnant une idée de son enseignement. Document D, le point de vue général de la compilation tel qu'il résulte d'additions et de retouches qui semblent imputables au dernier rédacteur[36] ».

Il est clair à présent qu'en écrivant son premier commentaire sur Marc, le Père Lagrange saisissait le taureau par les cornes. Bien que pénétrant sur un terrain nouveau, il ne se donna pas un temps de répit mais se plaça dès l'abord au cœur du débat contemporain. Dans son introduction, il déclara nettement son intention d'affronter les critiques libéraux sur leur propre terrain, mais en même temps, il faisait remarquer que son point de vue était autre : « la différence des méthodes tient en ceci que M. Loisy traite les textes comme des accusés et que je les regarde comme témoins[37] ». Selon le système juridique français, l'accusé pouvait être soumis à une épreuve assez rude pour essayer de vérifier l'hypothèse de travail du magistrat instructeur. Le Père Lagrange préférait le système britannique selon lequel un témoin est accepté sans soupçon jusqu'à ce que soit avancée une preuve contraire.

En ce qui touchait à l'unité de *Marc*, le Père Lagrange ne pouvait se confronter directement à Loisy car ce dernier ne daignait pas spécifier quels étaient les versets qu'il fallait attribuer à chacun de ses quatre « documents ». Il prit donc comme adversaire E. Wendling, qui soutenait que *Marc* avait acquis sa forme actuelle grâce aux efforts successifs d'un historien, d'un poète et d'un théologien[38]. S'inspirant beaucoup de l'œuvre de Swete et Hawkins,

---

36. *Jésus et la tradition évangélique*, p. 31.

37. *Évangile selon saint Marc* (ÉB), Paris, Gabalda, 1911, p. iii.

38. *Die Entstehung des Markus-Evangeliums. Philologische Untersuchungen*, Tübingen, Mohr (Siebeck), 1908.

des anglicans modérés qui avaient les mêmes préoccupations que lui, Lagrange soutenait que le style, la syntaxe et le vocabulaire typique de *Marc* se retrouvaient aux trois niveaux présentés par Wendling. Ceci n'est pas très original et le procédé est faussé par le transfert abusif sur un seul auteur de statistiques portant sur un texte qui est peut-être composite. Par contre, Lagrange est plus personnel dans l'analyse qu'il fait de la technique narrative de *Marc*. Il réussit à en démontrer l'unité, mais il poussa sa preuve un peu trop loin en voulant y reconnaître le style d'un témoin illettré[39]. On peut déceler ici le souci apologétique de confirmer la thèse traditionnelle (Papias, Justin, Irénée) selon laquelle *Marc* était le compagnon de Pierre et rendait compte de sa prédication. Il n'est pas nécessaire et l'on ne peut prouver que Pierre était illettré simplement parce que c'était un pêcheur. Il suffit de souligner que, dans l'Évangile de Marc, nous avons à faire à un témoin oculaire, et cette insistance de la part du Père Lagrange a résisté à l'épreuve du temps[40].

La partie la plus originale de l'introduction du Père Lagrange se trouve dans la façon dont il traite du substrat sémitique de *Marc* : il était admirablement préparé à cela par le travail qu'il avait fait sur l'Ancien Testament. Sa conclusion selon laquelle l'Évangile de Marc n'est pas la traduction d'un texte araméen original mais que sa langue est fortement teintée de formes sémitiques a été confirmée par des études ultérieures[41]. On peut mettre à son crédit qu'il ne s'est pas servi de cette opinion comme d'une indication supplémentaire de la tradition pétrinienne.

Tout en refondant les théories de Wendling et d'autres sur les origines diverses du texte, Lagrange n'avait pas l'intention de nier que Marc se soit servi de sources, mais il affirmait que l'évangéliste était un auteur et non un simple rédacteur[42]. Il voulait dire par là que Marc avait agencé librement les éléments oraux qui lui étaient parvenus, mais il nuançait cette opinion en admettant qu'il arrivait parfois à Marc d'agir davantage en rédacteur. Il hésitait beaucoup quant au rapport de *Marc* à *Q*. Après avoir très soigneusement pesé les divers arguments, il conclut en fin de compte que *Marc* connaissait *Q* mais ne s'en était pas servi. Ces conclusions étaient très prudentes mais, vue l'atmosphère de l'époque, le simple fait de parler de la sorte était extrêmement hardi. Aux yeux de certains pasteurs catholiques il sem-

---

39. *Évangile selon saint Marc*, p. lxxv.

40. Voir par exemple, V. TAYLOR, *The Gospel according to Mark*, London, Macmillan, 1963, pp. 148-149.

41. Taylor fournit une excellente synthèse (*Mark*, pp. 55-66).

42. *Évangile selon saint Marc*, p. cx. La vérité de cette vue perspicace n'apparut pleinement qu'avec la critique de la rédaction après la Seconde Guerre mondiale.

blait qu'il ouvrait des portes qu'on n'aurait même pas dû laisser, encore moins déverrouiller.

Le courage du Père Lagrange est mis en lumière par le fait qu'il consacra un chapitre entier à l'historicité du deuxième Évangile. Il commença par poser une question qui n'a pas encore reçu de réponse satisfaisante : qu'est-ce qu'un Évangile ?[43] Nul avant lui n'avait encore songé au problème de la forme littéraire[44]. À l'évidence, il appliquait ce qu'il avait fait auparavant pour essayer de discerner la vérité dans l'Ancien Testament selon les modalités de l'expression littéraire. Il ne poussa pas très loin la recherche des textes parallèles qui aurait pu clarifier son propos mais décida que la meilleure analogie au texte de Marc se trouvait dans le cycle d'Élie[45]. Il se demanda alors si Marc avait été mené par quelque idée préconçue dans le choix et dans l'usage qu'il avait fait des données qu'il avait reçues de la tradition et il conclut par la négative en s'appuyant sur les passages qui militent contre la thèse de l'évangéliste, à savoir que Jésus était le Fils de Dieu, par ex. les membres de la famille de Jésus pensent qu'il a perdu l'Esprit (Mc 3, 21). Si Marc rapportait de tels faits c'était que la fidélité à ses sources l'emportait sur ses préférences personnelles[46].

Jusque-là, on peut louer pleinement le Père Lagrange pour la solidarité de sa méthodologie, mais lorsqu'il entre dans le domaine de la vraisemblance des faits eux-mêmes, il y a confusion constante entre le possible et le probable[47]. Les choses se sont peut-être passées comme le dit Marc, mais on n'en a pas tout-à-fait la preuve. En principe, il n'y a rien de faux dans l'approche de Lagrange, mais la connaissance détaillée de la psychologie et de la personnalité des personnages, et celle du contexte historique de l'époque dont il aurait eu besoin manquait dans le cas de Marc.

On peut avoir une appréciation plus nuancée de la façon dont le Père Lagrange traitait l'histoire en voyant comment il abordait un certain nombre de points critiques. Il ne cessait de rejeter l'exclusion a priori de tout caractère surnaturel dans les Évangiles par les critiques libéraux, mais on voit bien qu'il a eu des problèmes avec la voix et l'Esprit au baptême de Jésus (Mc 1, 10-11). Dans le texte même de son commentaire, il parlait du « caractère objectif » de cette « théophanie très matérielle » et excluait l'idée d'un phénomène purement subjectif[48], mais dans les notes techniques il

---

43. Voir la discussion dans D.E. AUNE, *The New Testament in its Literary Environment* (Library of Early Christianity 8), Philadelphia, Westminster, 1987, ch. 1.

44. *Évangile selon saint Marc*, p. cxiv.

45. *Évangile selon saint Marc*, p. cxiv.

46. *Évangile selon saint Marc*, p. cxvii.

47. *Évangile selon saint Marc*, p. xviii.

48. *Évangile selon saint Marc*, p. 13.

disait : « Il s'agit d'une apparition sensible surnaturelle favorisée, mais une apparition sensible peut n'être vue que d'une seule personne spécialement favorisée... Les deux phénomènes (Voix de l'Esprit) pouvaient être perçus de tous ou d'un seul[49] ». Il est difficile de dire ce que Lagrange croyait vraiment et c'était certainement délibéré. Telle était sa façon de protester contre le terrorisme intellectuel de son temps.

On voit apparaître un autre problème épineux dans la façon dont il traite du passage : « entendant ceci, ceux qui l'accompagnent vinrent pour le saisir ils disaient : « *il a perdu l'esprit* » (Mc 3, 21). Lagrange refuse la facilité d'identifier « ceux qui l'accompagnaient » à des amis ou à des disciples, et soutient que le passage fait référence à la famille de Jésus. Mais il va ensuite jusqu'à expliquer « il a perdu l'esprit » par le souci qu'ils auraient eu de ce que Jésus ne se nourrissait pas convenablement ! En même temps, il cite Loisy, en l'approuvant, pour déclarer : « ils ne disent pas que Jésus ait perdu la raison... mais ils le croient dans un état d'exaltation mystique qui lui fait perdre le sens du réel de la vie et de sa propre condition[50] ». Ces derniers mots laissent entendre que la famille de Jésus avait l'impression qu'il en était venu à des prétentions qui dépassaient sa condition, auquel cas « il a perdu la raison » voudrait dire qu'ils ne croyaient pas en sa mission. Le Père Lagrange ne pouvait bien sûr pas dire cela, car Marie faisait certainement partie des proches parents de Jésus, mais il avait donné une indication au lecteur perspicace.

En parlant de la liste des femmes au pied de la croix (Mc 15, 40-41) parmi lesquelles Marie, la mère de Jésus n'est pas mentionnée, le Père Lagrange ne tint pas compte de la contradiction avec le texte de Jean 19, 25. À d'autres occasions il savait faire tourner de telles contradictions à son propre avantage. Il proposait une explication de l'appel des premiers disciples (Mc 1, 16-20) qui aurait rejoint le cœur de n'importe quel traditionaliste : « tout l'épisode est inintelligible si l'on ne suppose pas que Jésus peut mettre en mouvement les volontés ». Ce qui donne l'impression qu'il disposait du pouvoir miraculeux d'attirer instantanément des disciples. Mais Lagrange introduit alors une courte phrase : « les choses sont encore bien expliquées en Jean[51] » qui indique précisément le contraire car en Jean 1, 35, c'est Jean-Baptiste qui dirige les mêmes disciples vers Jésus et eux, une fois qu'ils le connaissent, en recrutent d'autres. Cette dernière version de la vocation des premiers disciples est beaucoup plus probable. En ne donnant pas de référence précise au quatrième Évangile le Père Lagrange pariait

---

49. *Évangile selon saint Marc*, p. 9.
50. *Évangile selon saint Marc*, p. 63-64.
51. *Évangile selon saint Marc*, p. 9.

que le lecteur moyen n'irait pas vérifier et il avait la rare satisfaction de dire ce à quoi l'on s'attendait tout en présentant sa propre interprétation.

Seuls les naïfs verront un manque d'intégrité intellectuelle dans de tels subterfuges. L'intégrité est liée à la manifestation de la vérité et, quelle qu'ait été la force de ses convictions, le Père Lagrange avait l'humilité d'admettre que ses interprétations n'étaient que de simples opinions que de nouvelles preuves pourraient réduire à néant dès le lendemain. Il y a là aussi une attitude scientifique bien fondée[52]. En outre, c'était un religieux en qui avait été inculqué très tôt un sens de responsabilité vis-à-vis de sa communauté et il ne voulait pas prendre de risques qui mettaient en danger l'École Biblique, l'institution qui rendait possible les recherches de ses disciples[53]. Il n'était pas non plus disposé à troubler les idées des croyants en un temps où des points beaucoup plus fondamentaux étaient remis en question. La règle de l'époque exigeait que des raisons aussi pratiques et sensées de garder une attitude effacée s'expriment par une noble soumission théologique à l'autorité toute puissante de l'Église[54].

Il n'y a aucun doute à avoir sur la sincérité du Père Lagrange lorsqu'il faisait de telles professions. Il aurait volontiers accepté une obéissance qui lui aurait été imposée. Mais il n'était pas naïf et savait fort bien que l'attention dont il était l'objet n'était pas uniquement motivée par un profond souci de la mission pastorale de l'Église. Il se rendait parfaitement compte que divers enjeux politiques étaient à l'œuvre et que les tactiques de ses ennemis devenaient plus haineuses à mesure que montaient les enchères[55]. Il eut donc été stupide de la part du Père Lagrange de ne pas s'exprimer avec grande précaution et il n'était qu'humain d'essayer de s'en tirer aussi bien que possible.

---

52. « Le savoir, en majeure partie, et toutes les explications ne sont que des hypothèses de travail, dont l'affinement constant constitue l'étoffe même de l'effort intellectuel. Le critère de valeur le plus important n'est pas tant la vérité qu'elles peuvent contenir que la capacité à promouvoir d'autres études, même si celles-ci finissent par les abandonner ». (O. GRABAR, *The Formation of Islamic Art*. New Haven-London. Yale University Press, 1973, p. xviii).

53. *Père Lagrange*, p. 204.

54. Voir dernier paragraphe de l'Introduction de Lagrange au Commentaire de Marc : « En essayant de comprendre ce que dit Marc, écho de ce qu'a dit Pierre, témoin de Jésus, je n'ai eu d'autre intention que de mieux entendre les paroles de vie. Je soumets ce que j'en ai écrit, sans aucune réserve, au jugement du successeur infaillible de saint Pierre, qui est comme lui, vicaire de Jésus-Christ. »

55. Par exemple, le Commentaire de Marc fut condamné par un Jésuite italien pour désobéissance délibérée à un décret de la Commission Pontificale Biblique, décret qui ne parut qu'après la publication du commentaire. Voir la réponse de Lagrange : « À propos d'une critique du P. Rinieri 'Commentaire de saint Marc' », *RB* 21 (1912) pp. 633-637. Le décret est reproduit dans les pp. 605-607 du même numéro de la *RB*.

J'ai longuement traité du commentaire de *Marc* parce que c'était le travail initial du Père Lagrange sur le Nouveau Testament. On y voit clairement le climat intellectuel qui entourait ses écrits, les pressions dont il était l'objet et les résultats auxquels il parvient. Par sa structure et sa façon d'aborder les textes, cette œuvre est dans la ligne de ses autres commentaires évangéliques. F.-M. Braun en a bien décrit l'importance : « l'Évangile selon saint Marc marque une date dans l'exégèse catholique du Nouveau Testament car il n'existait pas sur les Évangiles de commentaire français vraiment scientifique[56] ». En d'autres termes, son importance est politique et non scientifique. Étant données sa formation à l'Université de Vienne et les ressources des connaissances contemporaines dont l'auteur disposait, le commentaire de Marc était une œuvre très estimable ; un savant sérieux y prenait une position solidement étayée sur des sujets controversés. S'il s'était agi d'un théologien anglican écrivant à Oxford ou à Cambridge, le commentaire du Père Lagrange eut été reçu, au plan international, comme un apport de valeur à la littérature sur le deuxième Évangile mais non comme ouvrant des perspectives nouvelles. C'était un travail d'un bon niveau mais qui ne renouvelait pas la discipline des études sur l'Évangile.

Le commentaire de saint Marc du Père Lagrange ne faisait date que pour les catholiques et seulement parce qu'il s'agissait d'une œuvre catholique. Quand on songe au nombre de catholiques de par le monde, ce n'était pas une mince réussite. Qu'on permette à l'auteur de publier un commentaire sur les trois autres Évangiles avait également une formidable importance politique parce que le fait que les autorités religieuses acceptent son travail en faisait le point de référence des exégètes qui s'inspiraient de lui. Entre les deux guerres mondiales, Lagrange était l'autorité suprême. Les exégètes catholiques sentaient qu'ils pouvaient s'avancer aussi loin que lui, mais pas davantage. Les efforts faits plus tard dans les milieux catholiques pour essayer d'élargir les frontières étaient timides et peu nombreux. Il n'y eut pas de participation catholique sérieuse au débat qui se déroulait au sujet du Nouveau Testament.

Histoire des Formes (Formgeschichte)

Jusqu'à quel point Lagrange en était-il responsable ? C'est un curieux paradoxe, mais cette question ne fait que reconnaître l'autorité qu'il avait parmi les catholiques. Après la première guerre mondiale, l'impact le plus durable sur les études néo-testamentaires vint de l'apparition de la *Formgeschichte*. Le commentaire du Père Lagrange sur *Luc* parut en 1919, l'année où M. Dibelius et K.-L. Schmit publiaient leurs études d'avant-garde sur

---

56. *L'œuvre du Père Lagrange*, p. 117.

l'histoire des formes. Il était trop tard pour en tenir compte. En 1922, quand il publia son commentaire sur *Matthieu*, ces études s'étaient imposées et leur influence s'était encore accrue après la parution de *Die Geschichte der synoptischer Tradition* de Bultmann en 1921. Toujours à l'affût de progrès nouveaux, le Père Lagrange accepta le défi mais d'une façon qui laissait ses disciples sans véritables directives.

Dans le commentaire sur Matthieu, il aborda le problème d'une manière positive[57]. Il révéla un certain nombre de formes proposées par Schmidt, Dibelius et Bultmann, trouva des analogies dans les littératures juive et grecque de l'époque et puis les intégra à sa propre vision des origines de la tradition évangélique jusqu'à ce que les distinctions entre les formes différentes ne signifient plus rien. Dans sa recension de Bultmann, cependant, Lagrange prit une position totalement négative[58] dont l'essentiel se retrouve dans l'édition révisée de son commentaire de *Marc*[59]. Il mettait à mal sans pitié les hypothèses sous-jacentes, jetant une lumière crue sur le caractère arbitraire de nombre de jugements exégétiques de Bultmann et couvrait de mépris l'idée qu'une communauté puisse être créatrice. La violence de la réaction du Père Lagrange, violence qu'il maintient dans des recensions ultérieures de livres employant l'histoire des formes[60], était à la mesure de sa crainte d'un scepticisme qui réduisait ce que l'on pouvait savoir avec certitude au sujet de Jésus à son existence, à sa prédication en Galilée sur le Royaume de Dieu et à sa mort à Jérusalem.

Une telle crainte était contagieuse et il fallait attendre au moins dix ans avant que les exégètes catholiques en viennent à discuter de cette méthode en tant que telle[61]. Même alors leur appréciation positive se limitait à louer l'attention portée à la tradition orale qui a dû précéder la rédaction des Évangiles. Dans sa recension du livre de Vincent Taylor, *The Formation of the Gospel Tradition*, le Père Lagrange écrivait : « Nous n'estimons pas non plus résolu en entier le problème de la genèse de la tradition. Mais qu'il puisse être posé de la sorte, que les Évangiles contiennent des indications sur la

---

57. *Évangile selon saint Matthieu* (ÉB), Paris, Gabalda, 1923, pp. cxxiv-cxxxiii.

58. *RB* 31 (1922) pp. 286-292.

59. *Évangile selon saint Marc* (ÉB), 4e édition corrigée et augmentée, Paris, Gabalda, 1929, pp. lv-lviii.

60. Voir *RB* 32 (1923) pp. 442-445, sur G. Bertram ; *RB* 33 (1924) pp. 280-282, sur K.-L. Schmidt ; *RB* 39 (1930) pp. 623-625, sur K. Kundsin.

61. L. CERFAUX, « L'histoire de la tradition synoptique d'après R. Bultmann », *RHE* 28 (1932) pp. 582-594 ; F.-M. BRAUN, « Formgeschichte (École de la) », *DBS* 3 (1936) pp. 312-317 ; E. FLORIT, « La Storia delle forme nei evangeli in rapporto alla dottrina catholica » *Biblica* 14 (1933) pp. 212-248 ; S.-E. DONLON, « Form Critics, the Gospels and St Paul », *CBQ* 4 (1944) pp. 306-325.

manière dont ils ont été composés, c'est un fait dont nous devons tirer notre profit, avec la réserve qu'exige une matière aussi délicate. On peut signaler aux radicaux qui commencent par tout détruire et qui ont ensuite l'aplomb d'écrire une histoire à leur goût un emploi beaucoup plus critique de la méthode dont ils se targuent[62] ». Il était ici sur le point de séparer l'outil de la critique du système philosophique dans lequel on l'avait présenté et d'admettre que les suppositions de ceux qui s'en servaient ne faisaient pas nécessairement partie de l'emploi qu'on pouvait en faire. S'il avait écrit, comme il en avait l'intention, son livre sur la critique littéraire, il semble probable qu'il y aurait entériné cette séparation et évité vingt ans de luttes à la critique catholique.

Les études johanniques

Lorsque Lagrange écrivit son commentaire sur *Jean* en 1927, l'opinion critique considérait que le quatrième Évangile était une compilation grecque du milieu du IIᵉ siècle sans aucune valeur historique[63]. Le Père Lagrange aurait rejeté les affirmations totalement arbitraires invoquées pour soutenir cette théorie fantaisiste même s'il ne s'était pas senti lié par l'autorité de la Commission Biblique Pontificale qui avait déclaré par décret, en 1907, que l'auteur du quatrième Évangile était l'apôtre Jean, et que les paroles et les actions de Jésus rapportées dans ce texte n'étaient pas des créations littéraires[64].

Le Père Lagrange pensait que la question de l'auteur était intimement liée à la question du quatrième Évangile. Ainsi, un an avant la parution du commentaire, il consacra un article à l'étude des diverses théories de la dissection[65]. Il y analysait l'hypothèse des additions successives (Wellhausen, Loisy), et celle de la compilation de sources différentes (Spitta, Soltau, Faure), mais d'une manière qui ne rendait pas justice au caractère sérieux du problème. En mettant en lumière les défauts de logique interne et en attirant l'attention sur les contradictions entre les différentes propositions, il savait qu'il ne se servait que d'un argument *ad hominem*[66]. Il tirait une preuve d'échec dans la diversité d'hypothèses inconsistantes. Leur multiplicité même démontrait l'unité de *Jean*. En fait, la multiplication des hypothèses est la preuve la plus évidente qu'un problème n'a pas été résolu de

---

62. *RB* 43 (1934) p. 303.

63. Pour une analyse excellente, voir R.E. Brown, « Le Père Lagrange and the Fourth Gospel » dans *Lagrange Lectures 1963*, Dubuque, Aquinas Institute, 1963.

64. *Évangile selon saint Jean* (EB), Gabalda, 1925, pp. ii, cxcix.

65. « Où en est la dissection littéraire du quatrième Évangile ? », *RB* 33 (1924) pp. 321-342.

66. *Évangile selon saint Jean*, p. xvii.

manière satisfaisante. Le refus de Lagrange à se livrer à une critique littéraire sérieuse le poussa à se contredire lui-même de façon flagrante. Au cours
de la même année 1924, il pouvait écrire : « Nous constatons seulement que
le quatrième Évangile n'a pas cette unité des œuvres d'art parfaites... Pour
tout dire, c'est un ouvrage conçu à la manière sémitique, qui n'a pas été
écrit d'un seul jet, et qui, comme tous les ouvrages anciens, a pu subir quelques remaniements de copistes s'érigeant en réviseurs[67] ». Peu de temps
après, il pouvait déclarer sans indiquer le moins du monde qu'il était en train
de changer d'opinion, que la question d'unité d'auteur du quatrième Évangile « ne pourrait être traitée avant l'examen du style et de la langue et elle
se trouve résolue par la parfaite unité qui ne permet d'admettre ni plusieurs
sources, ni une série de compléments. L'ouvrage est écrit d'un seul jet,
sans aucun élément étranger... Il doit y avoir eu, en effet dans Jean comme
dans les autres écrits des accidents de copistes, des manipulations de réviseurs, des retouches de l'auteur, ou même des négligences dans la composition[68] ».

L'Évangile a-t-il été écrit *d'un seul jet* ou non ? Le texte a-t-il été
« révisé » ou simplement modifié par erreur ? Son unité était-elle « parfaite »
ou non ? Le sens littéraire du Père Lagrange était trop raffiné et sa faculté
d'observation trop développée pour que lui échappent les différences dans
le style grec, les inconsistances dans le déroulement du texte et les variantes
dans les discours. Dans son commentaire il traitait ces problèmes d'un point
de vue individuel par une multitude d'hypothèses partiales, mais quelque
chose le retenait de construire une hypothèse générale satisfaisante. Peut-
être sentait-il qu'il lui faudrait élaborer un concept beaucoup plus compliqué pour pouvoir attribuer le texte à l'apôtre. Le quatrième Évangile n'a
pas d'unité littéraire, et les exégètes modernes se joignent à ceux qui s'opposaient à Lagrange en y voyant trois (Schnackenburg), quatre (Boismard et
Lamouille) ou même cinq strates littéraires (R.E. Brown).

L'importance qu'avait l'auteur du quatrième Évangile pour le Père
Lagrange est soulignée par cette phrase extraordinaire : « Quand il serait
démontré que le deuxième Évangile a été écrit par Silas et non point par
Marc, il ne perdrait guère de son autorité. Le quatrième Évangile perdrait
la sienne s'il n'était pas l'œuvre d'un témoin oculaire[69] ». L'Évangile contient un certain nombre d'indications quant à son auteur, et si nous excu-
sons le Père Lagrange de s'être laissé aller à une psychologie un peu

---

67. « Où en est la dissection littéraire ? », p. 341.
68. *Évangile selon saint Jean*, pp. cxix-cxx.
69. *Évangile selon saint Jean*, p. xi.

sentimentale[70], il faut voir que l'analyse qu'il fait des données du texte pour conclure que l'auteur en était Jean, le fils de Zébédée, tient toujours bon aujourd'hui. Par exemple, R. Brown écrit : « À tout prendre, la combinaison des preuves externes et internes qui associent le quatrième Évangile à Jean, fils de Zébédée, est en fait l'hypothèse la plus plausible si l'on est prêt à croire ce que déclare l'Évangile, à savoir qu'il est l'œuvre d'un témoin oculaire[71] ». D'autres veulent l'attribuer à Jean-Marc[72] ou à Lazare[73]. Ces divergences ont cependant moins d'importance que le consensus selon lequel le quatrième Évangile s'appuie sur le témoignage d'un témoin oculaire. C.K. Barrett a écrit d'une manière fort judicieuse : « Ce que les présomptions qui ont à présent été exprimées peuvent au mieux prouver, c'est qu'ici et là, derrière le texte johannique se trouve la trame d'un témoignage oculaire. Il n'est certainement pas prouvé et peut-être pas démontrable que l'Évangile tout entier soit l'œuvre d'un témoin[74] ». Le Père Lagrange aurait peut-être été d'accord et aurait mieux tenu compte des données s'il avait pu reprendre son introduction après qu'a été considérablement assouplie, en 1954, la force des décrets de la Commission Pontificale Biblique sur les questions techniques[75].

Un des points que Lagrange n'aurait pas eu besoin de changer est l'insistance qu'il avait mise à prouver que la pensée johannique était solidement enracinée dans un milieu judaïque. Il était alors courant et il l'a été depuis, d'affirmer que le développement de la pensée johannique devait beaucoup au gnoticisme ou à l'hellénisme de Philon. Bien qu'en fait il ne se soit fait mention ni de l'un ni de l'autre dans son commentaire sur *Jean*, le Père Lagrange avait beaucoup écrit sur différents aspects de la culture gréco-romaine et son silence n'était certainement pas dû à l'ignorance[76]. Les argu-

---

70. Lagrange revient sans cesse sur le silence de l'auteur en ce qui le concerne lui-même et tous les membres de sa famille (pp. xiv, xvii, xviii, xx), et y voit « la marque d'une âme très délicate, aussi portée à s'effacer que généreuse, une manière un peu subtile, mais exquise, de résoudre le problème du témoignage sans la désagréable insistance du moi ».

71. *The Gospel according to John (I-XIII)* (AB 29), Garden City, Doubleday, 1966, p. xcviii.

72. P. PARKER, « John and John-Mark », *JBL* 79 (1960) pp. 97-110.

73. F.V. FILSON, « Who was the Beloved Disciple ? » *JBL* 68 (1949) pp. 83-88.

74. *The Gospel according to St John. An Introduction with Commentary and Notes on the Greek Text*, London, SPCK, 1962, p. 104.

75. Voir E.F. SIEGMAN, « The Decrees of the Pontifical Biblical Commission. A Clarification », *CBQ* 18 (1956) pp. 23-29.

76. Voir les comptes rendus par G. BARDY, « Le milieu hellénistique » et E. MAGNIN, « L'histoire comparée des religions et de la religion révélée », dans *L'œuvre exégétique et historique du R. Père Lagrange* (Cahiers de la Nouvelle Journée, 28), Paris, Bloud & Gay, 1935, pp. 123-161 et 165-214.

ments qu'il tirait de l'Ancien Testament se voient aujourd'hui confirmés par de nombreux textes parallèles dans les manuscrits de la mer Morte. Comme l'a fait remarqué R.E. Brown : « L'importance critique entre les manuscrits et Jean est que nul ne peut désormais affirmer que le langage abstrait employé par Jésus dans le quatrième Évangile a dû être composé dans le monde hellénistique du deuxième siècle. Ce que Jésus dit dans Jean aurait été parfaitement compréhensible dans les milieux sectaires de la Palestine du premier siècle[77] ».

Au cours du mois qui précéda son départ définitif de Jérusalem, le Père Lagrange eut la satisfaction de trouver la preuve indiscutable que la date très tardive attribuée au quatrième Évangile par les critiques radicaux ne pouvait être correcte. En 1935, H.I. Bell et T.C. Skeat publièrent le *papyrus Egerton*[78]. La paléographie faisait remonter le document aux environs de l'an cent cinquante de notre ère. Ceux qui l'avaient publié reconnaissaient que des parties du texte appartenaient au quatrième Évangile mais soutenaient que Jean dépendait du papyrus ou, de façon moins probable que les deux s'inspiraient d'une source commune. S'appuyant sur une analyse personnelle, le Père Lagrange affirmait au contraire que le papyrus citait Jean dans sa forme définitive et concluait : « La Providence nous a fourni la preuve incontestable que l'Évangile de saint Jean existait dans les termes où nous le possédons, au début du deuxième siècle, au même titre que les synoptiques[79] ». Cette interprétation du *papyrus Egerton II* et cette datation du quatrième Évangile sont celles qui ont prévalu[80]. En 1988 un savant très averti pouvait écrire : « Je considère maintenant qu'il est excessif de consulter 35 [commentaires] pour interpréter Jean de manière responsable. On a mieux à faire de son temps… Si dans M.-J. Lagrange, *Évangile selon saint Jean*, on fait abstraction d'opinions influencées par les dogmes catholiques, on peut trouver chez lui plus de 80 % de ce qu'il faut savoir de Jean en critique historique[81] ».

---

77. « The Dead Sea Scrolls and the New Testament » dans *John and Qumran*, ed. J.H. Charlesworth, London, Chapman, 1972, p. 8. Pour plus de détails, voir R.E. BROWN, « The Qumran Scrolls and the Johannine Gospel and Epistles », *CBQ* 17 (1955) pp. 403-419, 559-574. F.-M. BRAUN, « L'arrière fond judaïque du quatrième Évangile et la Communauté de l'Alliance », *RB* 42 (1955) pp. 5-44.

78. *Fragments of an Unknown Gospel and other Early Christian Papyri*, London, British Museum, 1935.

79. « Deux nouveaux textes relatifs à l'Évangile », *RB* 44 (1935) p. 343.

80. Cf. F.-M. BRAUN, *Jean le Théologien et son évangile dans l'Église ancienne* (ÉB), Paris, Gabalda, 1959, pp. 87-94.

81. H. BOERS, *Neither on This Mountain nor in Jerusalem. A Study of John 4* (SBLMS, 35), Atlanta, Scholars Press, 1988, p. 144 note 1.

Introduction au Nouveau Testament

À l'âge où la plupart des gens jouissent d'une retraite confortable et où ceux qui auraient publié autant que le Père Lagrange contempleraient avec satisfaction l'œuvre accomplie, celui-ci entreprit une tâche nouvelle. Dans l'intention d'assurer une base solide à une nouvelle génération d'exégètes, il se lance dans la publication d'une *Introduction au Nouveau Testament*. Le plan en était aussi simple que le but en était fondamental. Quels livres appartenaient au Nouveau Testament ? Comment pouvait-on être sûr du texte original ? Comment fallait-il étudier ces textes du point de vue littéraire ? Quels éléments externes fallait-il prendre en compte pour pouvoir les interpréter ?

L'étude de Lagrange sur la formation du canon du Nouveau Testament parut en 1933 ; il s'agissait d'une discussion approfondie et érudite de tous les faits dont on disposait[82]. Il voulait également y développer une thèse particulière. La question essentielle à laquelle doit s'affronter toute discussion sur le canon est la suivante : comment les différents livres furent-ils d'abord reconnus ? Les théologiens répondaient à l'unanimité que chaque document avait été identifié grâce à une révélation divine individuelle. Une réponse aussi hypothétique qui ne s'appuyait sur aucune preuve ne pouvait être du goût d'aucun historien. Le Père Lagrange s'opposa donc au point de vue général et soutient que le critère en avait été le caractère apostolique. Du point de vue historique, il s'agissait certainement de l'hypothèse la plus probable. Le Père Lagrange cependant, alla plus loin et voulut la présenter dans une discussion purement théorique sur les relations entre le caractère apostolique, l'inspiration et la canonicité. Ce fut le seul aspect qui attira des critiques catholiques et leur désapprobation était manifeste[83]. D'autres, à partir de là, eurent l'impression que le livre n'était qu'un manuel scolastique de plus et il n'eut que peu d'influence. Aujourd'hui, cependant, sa thèse essentielle est largement acceptée mais comme résultat des travaux d'autres exégètes.

Le deuxième volume de Lagrange sur la critique textuelle[84] fut immédiatement reconnu comme « contribution extraordinaire » par les spécialistes du niveau de Kirsop et Silva Lake. Le titre qu'ils donnèrent à leur article : « De Westcott et Hort au Père Lagrange et au-delà » soulignait l'impor-

82. *Histoire ancienne du Canon du Nouveau Testament* (ÉB ; Introduction à l'étude du Nouveau Testament, 1) Paris, Gabalda, 1933.

83. Par exemple F. OGARA, *Gregorianum* 15 (1934) pp. 451-466 ; L. CERFAUX, *ETL* 11 (1934) pp. 635-637.

84. *Critique textuelle II. La critique rationnelle.* (ÉB ; Introduction à l'étude du Nouveau Testament, 2), Paris, Gabalda 1935.

tance fondamentale du livre[85]. L'œuvre essentielle de Westcott et Hort fut publiée en 1881 et celle de Soden en 1907-10. Mais un nouveau genre de texte, le Césaréen, apparut en 1913 lorsque le *manuscrit Koridethi* fut publié pour la première fois. Par la suite le point de départ des données s'enrichit de nombreuses découvertes de papyrus. Il était donc urgent de tout revoir afin de classifier les acquisitions de cinquante ans de recherches et d'éclairer les problèmes non encore résolus.

Lagrange eut le courage d'entreprendre cette tâche formidable parce qu'il n'était pas spécialiste : il voulait simplement clarifier la situation pour les débutants[86]. Il ne s'agissait pas de fausse modestie. Un expert, selon Lagrange, était quelqu'un qui consacrait sa vie entière à un sujet et qui n'acceptait rien comme allant de soi[87]. Néanmoins, sa vision d'ensemble était si sûre et son sens critique si aigu que son livre permit à des spécialistes de guérir leur myopie due à l'attention exclusive qu'ils portaient à des problèmes particuliers[88]. Sa contribution n'aurait pu tomber à un meilleur moment. Le livre était presque terminé lorsque Sir Frederic Kenyon publia les fragments d'un *codex* comprenant les quatre Évangiles et les *Actes des Apôtres*, antérieurs d'un siècle à tous les manuscrits connus[89]. Ceci donnait au champ des recherches une dimension entièrement nouvelle que l'on pouvait voir clairement grâce au Père Lagrange qui avait su établir de manière si précise l'état de la question[90].

Il travailla sur ces textes dès leur parution et les résultats de ses analyses furent publiés dans trois longs articles de la *Revue Biblique* en 1934, mais il n'avait pas eu le temps d'en apprécier pleinement l'importance qui ne se révéla qu'après qu'on en eut tiré toutes les implications les plus complexes. Ainsi, sur un point, une œuvre majeure se trouvait dépassée dès sa parution. Mais le Père Lagrange aurait été le premier à admettre, avec les Lake, que « le savoir est une quête, non une conclusion[91] ». Son but avait été de porter sa part du fardeau de la science et de produire quelque chose d'utile, non de créer un monument pour l'admiration des générations futures. Pour lui, nulle conclusion scientifique n'était définitive. Il ne s'agissait que d'hypothèses, parties intégrantes d'un processus en devenir, participation généreuse à ce qui représentait le véritable succès.

---

85. « De Wescott et Hort au Père Lagrange et au-delà », *RB* 48 (1939) pp. 497-505.

86. *Critique textuelle*, p.viii.

87. *Critique textuelle*, p. viii.

88. Voir en particulier les remarques faites en ce sens par A. MERK, s.j., qui avait édité une édition critique du Nouveau Testament en 1933, dans *Biblica* 20 (1939) pp. 458-459.

89. *The Chester Beatty Biblical Papyri*, London, Emery Walker, 1933.

90. Voir K. et S. LAKE, *RB* 48 (1939) p. 502.

91. *RB* 48 (1939) p. 497.

Au lieu de traiter de la critique littéraire selon ce qui correspondait à son programme, le Père Lagrange consacra le volume suivant de son *Introduction à la critique historique*. Il ne fournit aucune explication à ce changement mais il n'est pas difficile de deviner ce qui le motivait toute sa vie. Il avait choisi de travailler sur les problèmes les plus actuels et l'âge n'allait pas modifier son comportement. Les principes de la critique littéraire étaient généralement acceptés et son exégèse montre que le Père Lagrange n'avait pas de contribution originale à apporter en ce domaine. S'il s'y était tenu, çà n'aurait été que pour achever ce qu'il avait entrepris. Par contre, les religions à mystères présentaient un tout autre problème. L'histoire du rapport de ces religions avec le Nouveau Testament dont l'étude avait commencé à Göttingen durant la dernière décennie du XIXᵉ siècle avait acquis une force de plus en plus grande dans les facultés théologiques allemandes et exerçait, à partir de là, une influence internationale. À partir de 1910, une longue série d'articles et de recensions témoignent de l'attention que Lagrange porta aux développements dans ce domaine.

L'Orphisme attira particulièrement son attention. D'une part, il y avait ceux qui soutenaient que Paul tirait ses idées théologiques essentielles de l'Orphisme, tandis que, d'autre part, il n'y avait aucune unanimité parmi les spécialistes quant à la nature exacte de l'Orphisme. Le Père Lagrange vit qu'il pourrait à la fois apporter sa contribution aux recherches dans un domaine particulièrement difficile, et mettre en lumière la transcendance du christianisme. La mise en œuvre de ce projet séduisait certainement un homme qui savait que son temps était compté ; il avait quatre-vingts ans quand il se mit à ce travail ! L'*Orphisme* (1937) qui parut l'année avant sa mort se révéla comme le sommet qui convenait à une carrière si extraordinaire.

Son analyse des éléments vagues ambigüs et disparates de l'Orphisme était remarquable non seulement par sa précision et par le soin qu'il avait pris à situer chaque détail d'information dans son contexte culturel mais aussi par la sympathie que Lagrange manifestait envers son sujet. La méthodologie est exemplaire. La datation des différents documents était respectée et il refuse toujours de faire des rapprochements qui n'étaient pas historiquement attestés. Il évita ainsi les synthèses non-réalistes (au sens littéral du terme) qui sont la plaie de beaucoup de travaux dans l'histoire des religions. Une telle rigueur critique rendait manifeste le caractère tendancieux des généralisations qui servaient de base aux affirmations selon lesquelles Paul dépendait de l'Orphisme. Dans ce livre, le Père Lagrange inaugurait une manière authentiquement critique d'aborder l'étude des religions comparées. Ses conclusions sont pleinement confirmées par des études récentes, par exemple, celle de H.-M. Schenke sur le mythe gnostique de l'Anthropos[92], celle de C. Holladay sur la catégorie du *theis aner*[93], ou celle de A.J.M. Wedderburn sur baptême et résurrection[94].

Les exégètes allemands n'accordèrent que peu ou pas d'attention à l'œuvre du Père Lagrange sur le Nouveau Testament. Il ne s'agissait pas d'un jugement, mais simplement d'une manifestation supplémentaire de leur habitude de ne pas prendre au sérieux des œuvres qui ne provenaient pas d'Allemagne. En outre, les critiques radicaux allemands ne visitaient pratiquement jamais la Terre sainte où ils auraient pu avoir un contact personnel avec le Père Lagrange ; le contact avec la réalité ne leur paraissait, semble-t-il, ni utile ni nécessaire. Le reste du monde savant accordait au fondateur de l'École Biblique la supériorité méritée par le nombre, l'éventail et la qualité de ses publications. Les relations qu'il avait avec ses collègues n'ont jamais été mieux décrites que par les Lake : « un homme avec qui la discussion était une éducation, la divergence d'opinion une discipline et l'accord une inspiration »[95].

Pour les catholiques, le Père Lagrange joua un rôle beaucoup plus important. Il rendit leur fierté et leur identité face aux études bibliques catholiques en leur donnant un programme, une méthode et le sens d'un but à atteindre, faisant ainsi entrer l'Église dans l'ère scientifique. Son apport le plus grand, cependant, se situait à un niveau beaucoup plus fondamental encore comme l'a perçu et noté Jean Guitton : « Et d'abord, il est souverainement juste de remercier le Père Lagrange pour un service primordial rendu à plusieurs universitaires chrétiens qui avaient été (ou qui auraient pu être) écartés de la foi par la critique biblique ; il a permis à une croyance sincère de devenir (ou de demeurer), en un temps où tout conspirait contre, un « hommage raisonnable[96] ».

---

92. *Der Gott "Mensch" in der Gnosis. Ein religionsgeschichtlicher Beitrag zur Diskussion über die paulinische Anschauung von der Kirche als Leib Christi*, Göttingen, Vandenhoeck und Ruprecht, 1962.

93. Theios aner in *Hellenistic-Judaism. A Critique of the Use of this Category in New Testament Christology* (SBLDS, 40), Missoula, Scholars Press, 1977.

94. *Baptism and Resurrection. Studies in Pauline Theology against Its Greco-Roman Background* (WUNT, 44), Tübingen, Mohr (Siebeck), 1988.

95. *RB* 48 (1939) p. 505.

96. « L'influence du Père Lagrange. Un témoignage » dans *L'œuvre exégétique et historique du R. P. Lagrange* (Cahiers de la Nouvelle Journée, 28), Paris, Bloud et Gay, 1935, p. 217.

CHAPITRE III

PIERRE BENOIT, o.p.

Comme le P. Lagrange ne trouva de successeur dans l'étude du Nouveau Testament que dans son très grand âge, on pourrait en conclure tout naturellement qu'au cours de sa carrière, il s'était jalousement réservé ce secteur à l'École Biblique. Une telle attitude n'aurait pas seulement été étrangère à son caractère, on peut aussi démontrer qu'elle était fausse. Ses écrits sur le Nouveau Testament ne représentent qu'à peu près 15 % de ses publications. Rien ne pourrait montrer plus clairement que son intérêt principal ne le poussait pas vers cette étude. Il acceptait d'y travailler par sens du devoir mais, personnellement, il était plus attiré par d'autres secteurs de la recherche auxquels il pensait pouvoir apporter une contribution plus importante.

Aussi, dès la fin de la première guerre mondiale, lorsque fut retombée l'agitation de la crise moderniste, il chercha avec ardeur un remplaçant. Il dut être amèrement déçu lorsque deux dominicains qui avaient, en fait, accepté d'enseigner à l'École Biblique : Raphaël Tonneau (1926-30) et Augustin Carrié (1931-32) firent défection. Quant à la raison de cet échec, nous ne pouvons que spéculer. La réputation du P. Lagrange était telle qu'il aurait fait hésiter tout successeur potentiel. La barre était vraiment placée trop haut. En outre, les études néo-testamentaires présentaient encore certains risques pour les esprits indépendants. Bien que la crise moderniste soit passée, la Commission Biblique Pontificale se considérait comme la gardienne de la foi et on peut juger de l'atmosphère qui en découlait en voyant que le 1er juillet 1933 elle fit paraître un décret sur la signification de Mt 16, 26 et de Luc 9, 25 et que le 30 avril 1934, elle insista pour que toutes les traductions liturgiques de l'Ancien et du Nouveau Testament soient faites à partir de la Vulgate latine. Par conséquent, ceux qui avaient l'ambition de se faire un nom dans le monde scientifique se tournaient vers la linguistique et — ou — l'archéologie, champs d'étude où l'originalité n'était pas considérée comme dangereuse. Il est significatif de constater que la production littéraire du P. Tonneau se borna à quatre articles : un sur la topographie biblique[1], deux sur l'épigraphie[2], et un sur l'histoire de la ville d'Éphèse[3]. Il ne publia rien sur des problèmes d'exégèse ou de théologie.

Ce ne fut qu'au tout dernier moment que le Père Lagrange trouva un candidat prêt à affronter ces difficultés. Très idéaliste et bien pourvu de l'entêtement de sa Lorraine natale, Pierre Benoit répondit avec ardeur à ce qui lui semblait être un simple appel du devoir. Il accompagna le Père Lagrange à Jérusalem à la fin de l'été 1932 et consacra désormais sa vie entière à l'École Biblique.

Le fils d'Auguste Benoit et d'Elisabeth Geny, Maurice Benoit naquit à Nancy le 3 août 1906. Il fit ses études au collège Sigisbert, dans la même ville. Après son baccalauréat (Sciences et Philosophie), il fit une année de mathématiques spéciales. Mais, au lieu de se présenter aux concours des Grandes Écoles, il décida de se faire dominicain. Il entra au noviciat de la Province de France à Amiens en 1924. Il y reçut le nom de Pierre, en l'honneur de Pierre de Vérone, le premier martyr dominicain. L'année suivante, il commença ses études philosophiques et théologiques en Belgique. Bien que les lois anti-religieuses n'avaient plus été appliquées rigoureusement en France, à cause du service héroïque rendu à la patrie par de nombreux religieux pendant la première guerre mondiale, la maison d'études de la Province de Paris était à Kain, près de Tournai. Les nombreux saules qui poussaient dans le voisinage expliquent le nom donné au couvent, le Saulchoir. C'est là que le Père Benoit fut ordonné prêtre le 25 juillet 1930 et, deux ans plus tard, il fut nommé lecteur en théologie (ce qui équivalait à un doctorat), après avoir passé sa thèse sur *La satisfaction du Christ chez saint Thomas d'Aquin*. Ceci voulait dire qu'il était destiné au travail intellectuel plutôt qu'au ministère. Il fut orienté vers les études bibliques par le Père Synave, son professeur d'Écriture Sainte au Saulchoir. À la fin de sa première année d'études à Jérusalem (1932-1933), le Père Benoit passa sa licence d'Écriture Sainte devant la Commission Biblique Pontificale à Rome.

Les premières années

Le Père Lagrange demanda alors qu'il soit assigné à l'École Biblique. Il y commença tout de suite son enseignement. Au cours des sept années suivantes, on peut dire qu'il s'instruisait lui-même en enseignant. Chaque année, il présentait une introduction spéciale et ne répétait jamais le même cours. Il traita des Évangiles, des lettres pastorales, des épîtres catholiques, du problème des synoptiques, du milieu culturel hellénistique et des religions

---

1. *RB* 35 (1926) pp. 98-109 ; 35 (1926) pp. 583-604 ; 38 (1929) pp. 421-431.
2. *RB* 36 (1927) pp. 93-98 ; 40 (1931) pp. 544-564.
3. *RB* 38 (1929) pp. 5-24 ; 321-363.

à mystères. Chaque année, il donnait aussi un cours d'exégèse et le choix des sujets traités révèle ce qui allait l'intéresser sa vie durant. Il expliqua l'épître aux Romains (deux fois), les épîtres de la captivité (deux fois), les Actes des Apôtres, Marc, et la Passion et Résurrection dans les Évangiles synoptiques. Dès la seconde année, il ajouta un cours aux étudiants avancés sur les différents problèmes posés par le Grec du Nouveau Testament. L'intention qu'il avait de se plonger systématiquement dans tous les aspects des études néo-testamentaires est manifeste et représente bien la façon dont il abordait son travail.

Mais cela ne suffisait pas. À partir de 1934, il fut chargé des excursions de l'École, ce qui signifiait qu'il devait guider les étudiants un jour par mois sur le territoire palestinien et les accompagner trois fois par an pendant des voyages beaucoup plus longs (de une à trois semaines), dans les pays limitrophes : Jordanie, Égypte, Syrie et Liban. Et, comme si cela ne suffisait pas à mesurer l'énergie d'un jeune professeur à qui chaque cours demandait une nouvelle préparation, il étudia le site d'Aïn Qades en 1937 avec Savignac[4], et explora la région autour de es-Salt avec le Père de Vaux, en 1938[5]. En plus, de 1937 à 1940, il réussit à publier cinq articles, tous résultant de ses cours d'exégèse.

On a du mal à croire qu'il fut dispensé du service militaire, quand on songe à l'endurance qu'il manifesta dans ses activités débordantes. Mais on comprend qu'on l'ait rappelé en France au moment de la mobilisation en 1939. Quand le premier diagnostic d'un léger souffle au cœur fut confirmé, on lui permit de retourner à Jérusalem. Il fit le voyage au début de 1940, avant que la seconde guerre mondiale ait désorganisé la circulation en Méditerranée et il prit le train du Caire à Jérusalem.

Il ne trouva aucun changement à l'École Biblique. La mobilisation avait causé beaucoup moins de perturbations que celle de 1914 parce que tous les professeurs principaux avaient dépassé l'âge du service et les PP. Couroyer et de Vaux étaient mobilisés au Consulat Général de France à Jérusalem où leur travail se terminait tous les jours à 13 h 30. Les étudiants, bien sûr, ne pouvaient pas venir à l'École, mais cela avait l'avantage de laisser plus de temps à la recherche. Ce qu'ils ne pouvaient faire, c'était de publier.

Bloqué en France au début des hostilités, le Père Vincent fut forcé de passer le reste de la guerre à Paris. Malgré d'énormes difficultés, lui et l'éditeur Gabalda réussirent à faire paraître les deux premiers fascicules de la *Revue Biblique* pour 1940, avant l'intervention des nazis. Celle-ci, cependant, ne mit pas fin aux articles et aux critiques de livres qu'il avait accepté

4. *RB* 47 (1938) pp. 89-100.
5. *RB* 47 (1938) pp. 398-425.

de publier et il était fermement décidé à faire aussi bien que le Père Lagrange qui, tout seul, avait fait vivre la Revue pendant la première guerre mondiale (1914-1918)[6].

Cette fois-ci, cependant, les Allemands occupaient Paris et le Père Vincent fut obligé de camoufler la Revue. À la fin de la guerre, il expliqua ce qui s'était passé : « La réglementation allemande imposée à la presse pendant la période d'occupation, comportait des conditions telles qu'il devint bientôt clair que la *Revue Biblique* ne pourrait pas continuer de paraître sous sa forme normale. Cependant, les publications qui n'avaient pas de périodicité régulière pouvaient obtenir l'agrément officiel en se soumettant à la censure. Il fallut accepter provisoirement cette solution, mais il restait à trouver une étiquette anodine qui couvrit un contenu qu'on entendait conserver fidèlement dans la ligne de la Revue. Le titre *Vivre et Penser* fut choisi précisément parce qu'il ne signifiait rien et, comme un rappel discret de ce qu'il s'agissait de maintenir en existence, on ajouta en sous-titre : « Recherches d'Exégèse et de l'Histoire ». L'indication « 1re Série » amorçait une continuation éventuelle[7] ». Le stratagème réussit. Le premier fascicule contenant les documents que le P. Vincent avait apportés de Jérusalem parut en juillet 1941. Après cela, il lui fallut compter sur des articles de spécialistes résidant en France, comme le Père Lagrange l'avait fait en 1914-1918. Malgré tout, le second fascicule parut en juillet 1942 et le troisième au début de juin 1945.

Quand la *Revue Biblique* eut repris son titre en 1946, le premier article fut une étude du Père Benoit sur Sénèque et saint Paul. Il avait tiré partie de ses années de guerre pour étendre ses connaissances sur le monde des débuts du christianisme. Un autre résultat de ce travail fut un article sur Porphyre (1947). Il avait aussi consacré beaucoup de temps à la maîtrise de l'hébreu moderne et à l'étude du rabbinisme. Il en tira un article sur Rabbi Akiba (1947) et, dans les années qui suivirent la guerre, il donna plusieurs fois un cours sur l'histoire et la littérature rabbiniques.

Les étudiants revinrent à l'École Biblique pour l'année universitaire 1946-47, mais il devint bientôt évident qu'une véritable guerre entre Juifs et Arabes éclaterait lorsque les Anglais quitteraient la Palestine le 15 mai 1948. Prévoyant non seulement le danger, mais une pénurie sévère, on

---

6. On ne peut qu'admirer la litote du Père Lagrange à l'époque : « Nos abonnés voudront excuser le retard de ce numéro. Dès le commencement d'août, les professeurs de l'École Biblique de Jérusalem sont partis au service de la France ; le directeur, resté seul, ne pouvait correspondre avec l'Europe. Enfin, l'École a été fermée officiellement par les autorités ottomanes. Heureusement, cette mesure n'atteint pas la *RB* qui continuera de paraître. Les abonnements seront donc reçus comme par le passé ». *RB* 23 (1914) p. 616.

7. *RB* 53 (1946) pp. 5-6.

conseilla aux étudiants de quitter la Palestine au début du printemps 1948. C'est ainsi que le programme prévu pour 1948-49 ne fut jamais appliqué. En fait, les seules conférences tenues à l'École Biblique en 1948, furent une série traitant des quatre grands sièges de Jérusalem. Elles furent données par les PP. Abel et de Vaux pour un groupe d'observateurs militaires des Nations-Unies qui étaient logés à l'École. Ils avaient demandé quelque chose qui leur ferait oublier les coups de canon dont le bruit enveloppait l'École Biblique tous les soirs. Les combats les plus intenses de novembre 1948 eurent lieu à Nablus Road ; ce fut là, en fin de compte, que fut fixée la ligne d'armistice qui allait diviser Jérusalem jusqu'en 1967.

Les prévisions pour l'année scolaire 1949-50 étaient si incertaines qu'on ne publia pas de programme dans la *Revue Biblique*. Cependant, au cours de l'année 1949, les conditions s'améliorèrent de façon spectaculaire une fois que l'on comprit que l'armistice allait durer et, par conséquent, les cours reprirent au début de 1950.

La Bible de Jérusalem

Au cours de cette période difficile, le Père Benoit put terminer la traduction et les notes des Épîtres de la captivité (1949) et de l'Évangile de saint Matthieu (1950) pour la *Bible de Jérusalem*. À part l'épigraphiste R. Savignac et l'archéologue A.-M. Stève, tous les professeurs de l'École Biblique étaient associés à ce projet extraordinaire. Les principes qu'il concrétisait : traductions d'après les textes originaux, chacune assurée par un spécialiste de ce livre-là, introductions détaillées et notes reflétant le plus haut niveau de la recherche moderne, révisions littéraires, sont aujourd'hui pratique courante. À l'époque, ils étaient révolutionnaires. La valeur de ceux qui en assuraient la mise en œuvre et de ceux qui y apportaient leur collaboration fit de la *Bible de Jérusalem* le point de départ d'une ère nouvelle dans les études bibliques catholiques. Son nom qui, tout d'abord n'était qu'un surnom, devint officiel, parce qu'elle était publiée sous les auspices de l'École Biblique de Jérusalem.

Le Père Benoit était l'un des deux représentants de l'École parmi les douze membres du comité de direction. Il joua ainsi un rôle clé dans le choix de ceux qui devaient participer au travail sur le Nouveau Testament et il était responsable, au nom de l'École, des décisions touchant à ce qui pouvait être retenu pour la publication. En plus, il joua le rôle de consulteur pour Marc, Luc, les Actes, l'épître aux Hébreux et les Épîtres catholiques. Les premiers fascicules parurent en 1948 et les derniers en 1954.

La tâche, maintenant, était d'agencer ces fascicules de manière à obtenir une Bible en un seul volume. Comme membre du nouveau comité chargé de cette responsabilité, Benoit prit part à la révision finale des traductions.

Mais son apport le plus important se situe à un autre niveau. À l'exception des textes johanniques, il écrivit les introductions à tous les textes du Nouveau Testament. À partir des données publiées dans les fascicules, il ré-écrivit toutes les notes explicatives en bas de page, décidant de ce qu'il fallait omettre, modifier ou ajouter. Parmi toutes ces notes, apparut quelque chose de nouveau, des mini-synthèses contenant de nombreuses références, groupées en un texte extrêmement condensé qui soulignait tous les aspects des thèmes théologiques importants, par exemple : Fils de Dieu, Fils de l'Homme, Miracles, Royaume de Dieu, Saint-Esprit. La révision systématique au plan théologique et littéraire avait déjà quelque peu dilué l'individualité des auteurs des divers fascicules. L'uniformité fut élevée au rang de principe dans la préparation de l'édition en un seul volume. Le P. Benoit n'avait nulle obligation de préserver le point de vue de tel ou tel collaborateur. Au contraire, son affaire était de réduire, sinon d'éliminer, toutes les diversités. Il était donc inévitable que l'exégèse et la théologie biblique de la si influente *Bible de Jérusalem* en un seul volume aient été celles du P. Benoit et réfléchissent ce qu'il considérait comme primordial. Il fallait, pour l'essentiel, insister sur une christologie de haut niveau et sur le souci de ne pas troubler les fidèles en s'écartant de la théologie catholique classique[8].

La sortie de l'édition en un volume en 1956 ne mit pas fin au travail sur la *Bible de Jérusalem*. Les fascicules continuaient à paraître en de nouvelles éditions et le P. Benoit jouait un rôle toujours croissant dans la révision des Évangiles de Marc, Luc et Jean. Les premières traductions, tout en n'étant absolument pas inexactes, se servaient d'un vocabulaire qui mettait en valeur leur qualité littéraire, mais rendait impossible une étude comparative des Évangiles. Pour répondre à ce besoin, les Éditions du Cerf demandèrent au P. Benoit de composer une synopse des Évangiles basée sur les traductions de la *Bible de Jérusalem*. Ceci eut une influence sur les révisions des Évangiles qui parurent après la publication de la synopse en 1965. Cette remise à jour fut surtout importante en 1973 lorsque parut une nouvelle édition de la *Bible de Jérusalem*, complètement révisée et augmentée. Dans sa recension (*JBL* 95 [1976] pp. 640-641), J.A. Fitzmyer trouva excellente la révision des notes et le fait que plusieurs d'entre elles aient été augmentées. Il illustrait son propos par deux exemples : dans l'édition de 1956, la note sur Luc 1, 34, laissait entendre que Marie avait peut-être décidé de

---

8. Comme précédent, il aurait pu citer le principe à la suite de saint Augustin, qui refusait d'accepter la traduction plus exacte de Jonas 4, 6, par saint Jérôme : « Je ne veux pas que votre traduction d'après l'hébreu soit lue dans les églises de peur de troubler le troupeau du Christ en le scandalisant par la publication de quelque chose de nouveau, quelque chose qui semble s'opposer à l'autorité de la Septante que leurs oreilles et leurs cœurs ont coutume d'entendre » (Ep 82, 35 ; *CSEL* 34, 386).

ne pas se marier. Une interprétation si romanesque n'avait aucun fondement dans le texte et c'est ce que disait l'édition de 1973 : « Rien dans le
texte ne suggère un vœu de virginité ». L'édition de 1956 traduisait *porneia*
— dans la clause d'exception de Matt 19, 9 — par « fornication » et l'explication plutôt confuse qui en était donnée trouvait moyen d'y voir une référence à la séparation, sans droit de remariage. Dans l'édition de 1973, le
même mot est rendu par « prostitution » et expliqué correctement comme
un terme technique qui désignait les mariages contractés dans les limites de
consanguinité interdites par la Loi (cf. Lév 18). De telles unions n'étaient
pas de véritables mariages, par conséquent leur dissolution n'était pas un
divorce.

Cet effort fait pour intégrer les résultats acquis de l'étude critique méritait la louange de Fitzmyer, mais il est évident que ce dernier n'avait pas
vérifié les introductions parce qu'il n'aurait pu en dire la même chose. À
une exception près, les introductions répétaient, mot à mot, celles de la première édition.

Dans la réédition française, le P. Benoit jouait le même rôle que dans
la précédente en ce qui touchait aux introductions et aux notes. Mais il aban-
donna sa solution première au problème des synoptiques en faveur de celle
proposée par son collègue M.-É. Boismard[9].

Ceci ne suffisait pas à préserver la réputation de la *Bible de Jérusalem*.
Le problème devint aigu en 1979, quand les éditeurs de la version anglaise,
la *Jerusalem Bible* (1966) demandèrent au P. Benoit d'en autoriser une révision en s'inspirant de la version française de 1973. Il ne demandait pas mieux
car il avait été extrêmement déçu par la première version anglaise. Il était
bien décidé à ce que les mêmes erreurs ne se répètent pas[10]. Il choisit Dom
Henry Wansbrough, o.s.b., ancien élève de l'École Biblique et moine de
l'Abbaye d'Ampleforth, comme unique responsable de la nouvelle édition
et resta en contact très étroit avec lui. Ce fut le début d'un dialogue de cinq
ans au cours duquel le P. Benoit se laissa persuader de permettre que les
notes et les introductions du Nouveau Testament soient un reflet plus exact
des transformations que la science biblique catholique avait connues depuis
1956. L'ampleur de cette transformation se voit dans une sélection des différences que l'on trouve entre la *Bible de Jérusalem* de 1973 et la *Jerusalem
Bible* de 1985. Les chiffres entre parenthèses sont les numéros des pages et
'a' et 'b' indiquent respectivement la colonne de droite ou celle de gauche :

---

9. Les détails seront donnés plus loin. Il suffit ici de comparer *B. de J.* 1956, 1283-4 à
B. de J. 1973, 1407-8 et prendre note de remarques de Benoit dans sa préface à la *Synopse
II* (voir plus loin) qui parurent un an avant la seconde édition de la *Bible de Jérusalem*.

10. Pour avoir un des comptes rendus expliquant les débuts de la *J.B.*, voir A. KENNY,
A Path from Rome. An Autobiography, Londres, Sidgwick et Jackson, 1985, pp. 113-123.

1973 Bible de Jérusalem	1985 Jerusalem Bible
1) L'attribution traditionnelle des évangiles synoptiques est confirmée par les preuves internes (1407a).	1) « Ces traditions ne sont d'aucune manière absolues ». Lévi le publicain n'a pas écrit Matthieu. La tradition simplifie à l'extrême le rapport de Marc à la prédication de Pierre (1599).
2) Traitement apologétique de l'autorité des évangiles qui diffèrent (1410b).	2) Simple affirmation sur l'inspiration (1604).
3) La valeur historique des Actes est garantie par la probabilité intrinsèque des événements, le respect de Luc pour ses sources et l'authenticité des discours (1568b).	3) Luc était moins préoccupé par l'exactitude matérielle des événements que par leur signification théologique et il agença les discours de sorte qu'ils conviennent à son propos (1795).
4) La conversion de Paul est datée de 36 (1615a).	4) La conversion de Paul datait de 34 (1849).
5) La division de 2 Cor en plusieurs lettres est considérée comme « fort possible » (1618b).	5) La même théorie est présentée comme une certitude (1855).
6) La division de Phil. en différentes lettres est considérée comme une possibilité (1621a).	6) La division de l'épître aux Philippiens en trois parties est présentée comme une hypothèse fort satisfaisante (1859).
7) Phil. 2, 6 est rendu par « Lui, de condition divine » et interprété comme référence à la pré-existence divine du Christ (1696).	7) L'hymne ''a été compris de la Kénose du Christ qui s'est dépouillé de sa gloire divine... Il est plus probable ici que Jésus, le second Adam, soit mis en contraste avec le premier Adam.'' L'interprétation de la kénose divine « n'est pas seulement moins scripturaire, mais est également anachronique (1941b).
8) Défend l'authenticité de Col et Éph (1621b).	8) Met en lumière le poids des arguments contraires à l'authenticité et conclut : « l'hypothèse selon laquelle Paul serait l'auteur authentique de ces deux lettres, est la plus forte, mais non la seule » (1860).
9) On explique les différences entre les épîtres pastorales et les Grandes Épîtres, comme en ce qui concerne Éph. par l'hypothèse d'un secrétaire à qui Paul aurait accordé plus de liberté (1623b).	9) Les arguments contre l'authenticité sont donnés en détail « la meilleure explication est peut-être que les Épîtres pastorales sont des lettres écrites par un disciple de Paul entre 80 et 90 » (1863).

On ne saurait supposer que Wansbrough réussit à modifier l'opinion de Benoit sur toutes ces questions. En 1980, le Père Benoit avait 74 ans . C'est un âge où l'on n'abandonne pas facilement les convictions d'une vie entière, mais il était disposé à se laisser persuader que ses idées ne représentaient plus le courant principal de l'exégèse catholique. Tout en continuant à tenir ses opinions pour justes, il accepta les modifications par Wansbrough parce qu'il ne pensait pas que la *Jerusalem Bible* doive transmettre des options qui ne soient pas conformes à l'opinion générale.

La topographie de Jérusalem

Pourtant, 30 ans plus tôt, Benoit avait été à la fine pointe de la science catholique, et il nous faut retourner à 1950 pour reprendre le fil de sa carrière. Une fois que l'École eut repris ses cours réguliers après l'agitation liée à l'instauration de l'État d'Israël, un schéma défini commença à se dessiner dans l'enseignement du P. Benoit. Au début, il donnait régulièrement trois cours : introduction au N.T., exégèse du N.T. et Grec. Il laissa tomber ce dernier, dont il est fait mention en 1957 et cessa son cours sur l'introduction au N.T. après 1968. Il continua à assurer un cours d'exégèse jusqu'en 1980. Les deux sujets prédominants en sont les Évangiles de l'Enfance et les Épîtres de la Captivité. L'importance accordée au premier s'explique du fait que c'était un sujet de controverse et la concentration sur le second était liée à la promesse faite au Père Lagrange d'en écrire le commentaire pour les *Études Bibliques*.

En 1952, il céda visiblement à grand regret, les excursions sur le terrain, au Père Fr.-Louis Lemoine, o.p. Il attachait une grande importance au lien étroit avec l'archéologie que seul l'enseignement pouvait assurer. Mais il fallait surtout laisser la place à de jeunes professeurs et d'autres responsabilités commençaient à s'accumuler. Une nouvelle occasion de s'occuper d'archéologie se présente en 1959 et Benoit s'en saisit avec joie. Il s'agissait du cours sur la topographie de Jérusalem qui était assuré par le P. M. du Buit, o.p., depuis la mort du P. Abel, en 1953.

Le Père Benoit assura ce cours pendant 25 ans (1959-1984) et le transforma en expérience légendaire. Lorsque d'anciens étudiants se retrouvent, chacun y va de son histoire sur Benoit. Le cours du mardi matin et la visite d'un secteur de la ville l'après-midi n'attiraient pas seulement les élèves de l'École Biblique, mais une bonne partie de la communauté internationale et diplomatique. Comme le Père Benoit était convaincu qu'il fallait voir tout ce qui était historique et que ce qui n'existait plus devait être décrit, la nuit était souvent tombée lorsque les ambassadeurs, consuls généraux, éminents professeurs et étudiants remontaient péniblement Nablus Road. Ceux qui s'intéressaient suffisamment à ces questions pour y fixer leur attention et qui avaient la vigueur physique suffisante pour tenir le pas, savaient qu'ils étaient privilégiés et bénéficiaient d'une introduction sans égale à l'histoire et à l'archéologie de la cité. Benoit avait une connaissance des textes, des monuments et des fouilles, à un degré qui ne sera probablement jamais surpassé. Il ne s'intéressait pas spécialement à l'Ancien ou au Nouveau Testament, comme l'avaient fait certains de ses prédécesseurs, mais il traitait de toutes les périodes, depuis celle des premiers vestiges d'habitation jusqu'à l'occupation ottomane. Il est vrai cependant, qu'il accordait une attention particulière aux sites se rapportant au N.T.

Quant à ses publications sur la topographie, un site particulier monopolisera presque entièrement son attention, il s'agissait du Prétoire où Jésus fut condamné à mort par Ponce Pilate. L'arrivée de Benoit à Jérusalem coïncida avec les fouilles du couvent de l'Ecce Homo dans le quartier musulman de la vieille ville[11]. Le Père Vincent avait identifié le grand dallage comme étant celui de la forteresse Antonia qui, affirmait-il, était le Prétoire, le lieu où Jésus fut condamné (Jean 18, 28 ; 19, 13)[12]. Or, les deux endroits ne coïncidaient pas.

Il n'y avait aucun doute quant à l'emplacement de l'Antonia à l'angle nord-ouest du Temple qui était dans la proximité immédiate de l'Ecce Homo. Le P. Abel avait cependant montré, en s'appuyant sur des documents du premier siècle, que le Prétoire devait se situer au Palais d'Hérode, près de l'actuelle Porte de Jaffa[13]. À cela, Vincent ne donnait qu'une réponse peu convaincante, à savoir que, durant la semaine de la Pâque, au cours de laquelle Jésus fut jugé, Pilate devait être à l'Antonia. Beaucoup plus tard, il tente d'étayer son affirmation en insistant sur « l'adaptation concrète et pour ainsi dire spontanée de tous les détails relatifs au procès de Jésus, à l'ordonnance architecturale désormais connue de l'Antonia[14] ». Il concluait son article par une invitation à débattre de ce problème, invitation qu'il adressa personnellement au P. Benoit dont il savait qu'il suivait l'opinion du P. Abel. Rien ne saurait mieux illustrer la liberté d'opinion qui règne parmi les professeurs de l'École Biblique. Au cours du même débat, le Père Benoit devait plus tard, faire preuve de la même largeur d'esprit.

Dans sa réponse, le Père Benoit acceptait la reconstruction archéologique de l'Antonia faite par le P. Vincent, mais il refusait d'y voir un rapport avec le procès de Jésus[15]. Il éleva l'hypothèse soutenue par le P. Abel (entre

---

11. Sœur Marie-Aline, de Sion, *La forteresse Antonia à Jérusalem et la question du Prétoire*, Jérusalem, Sion, 1935, pp. 39-43.

12. « L'Antonia et le Prétoire », *RB* 42 (1933) pp. 83-113.

13. *Jérusalem Nouvelle*, Paris, Gabalda, 1914, pp. 562-571.

14. « Le Lithostrotos évangélique », *RB* 59 (1952) p. 530.

15. « Prétoire, Lithostrotos et Gabbatha », *RB* 61 (1964) pp. 87-107.

autres) à un niveau de probabilité équivalent à une certitude historique en démontrant (a) que *praetorium* au premier siècle, voulait dire : une résidence officielle et n'avait pas de sens juridique mobile ; d'autre part, (b) que *Gabbatha* se serait tout naturellement appliqué au point le plus haut dans l'enceinte de la cité, à savoir le site du Palais de la cité haute.

Cette double proposition fut contestée par Sœur Marie-Aline de Sion, mais son argumentation ne consistait qu'à déclarer à nouveau la possibilité que l'Antonia ait été le Prétoire[16]. Le P. Vincent non plus n'était pas convaincu par les arguments littéraires du Père Benoit mais, au lieu de les critiquer ouvertement, il se contenta d'insinuer que l'Antonia pouvait être considérée comme un palais à cause de son luxe et de sa taille[17]. Il n'est peut-être pas très charitable, bien qu'assez naturel, de voir là une tentative machiavélique de troubler les sources documentaires de façon à maintenir ensuite le débat au plan purement archéologique.

Le P. Benoit accepta le défi et passa désormais au crible toute nouvelle découverte archéologique à Jérusalem, à la recherche de ce qui pourrait éclairer le problème. Il accumula peu à peu assez d'éléments pour montrer : (a) que le grand dallage du couvent de l'Ecce Homo (interprété par Vincent comme la cour de l'Antonia) n'était pas unique et n'avait donc pas pu être appelé le dallage (Jn 19, 13) ; (b) que ce dallage devait être daté du temps d'Hadrien, au début du IIe siècle et ne pouvait donc avoir appartenu à l'Antonia qui avait été détruite par les Romains en l'an 70, et (c) que l'Antonia n'avait pu être aussi grande que le supposait la reconstruction du P. Vincent. Par conséquent, le dallage avait dû être un forum d'Aelia Capitolina, avec un arc triomphal. Le seul problème auquel Benoit ne trouve pas de réponse satisfaisante était l'emplacement excentrique de l'arc[18].

Quelques années après, le Père Benoit encouragea l'un de ses élèves, Yves Blomme, à essayer de résoudre cette difficulté dans le contexte d'une étude plus approfondie d'Aelia Capitolina. Blomme le fit d'une manière que nul n'aurait pu prévoir. Il prouva qu'il ne s'agissait pas d'un arc triomphal du IIe siècle, mais d'une porte de la ville du Ier siècle[19]. Ceci réduisait à néant un des arguments archéologiques majeurs avancés par Benoit pour soutenir la deuxième preuve basée sur l'unité de l'arc et du dallage. Ce fut cependant le P. Benoit qui força le timide Blomme à publier sa découverte, car

16. *La forteresse Antonia*, pp. 201-237.

17. « L'Antonia, palais primitif d'Hérode », *RB* 86 (1979) pp. 244-271.

18. « L'Antonia d'Hérode le Grand et le forum oriental d'Aelia Capitolina », *HTR* 64 (1971) pp. 135-167. Voir aussi « The Archaelogical Reconstruction of the Antonia Fortress », *AJBA* 1/6 (1973) pp. 16-22.

19. « Faut-il revenir sur la date de l'arc de l'Ecce Homo ? », *RB* 86 (1979) pp. 244-271.

il avait été convaincu par sa démonstration et était heureux de voir son point de vue corrigé publiquement.

Il voyait aussi, bien sûr, qu'il y avait là un élément nouveau et important dans l'interminable discussion concernant le troisième mur au sujet duquel il avait publié l'étude qui est certainement la plus objective et la plus équilibrée[20]. L'arc ne pouvait être que la porte orientale par laquelle le mur d'Hérode Agrippa 1er était relié à l'Antonia et au Temple.

C'est dommage que le Père Benoit n'ait jamais saisi l'occasion de pousser à fond les implications de cette découverte. Mais à ce moment-là, il était pris par le commentaire sur les Épîtres de la captivité qu'il avait promis de rédiger et ses publications étaient toutes commandées par ce sujet. Il n'y eut que deux exceptions. Il écrivit une réponse à la tentative du Père Bargil Pixner qui situait le procès de Jésus dans le vieux palais Asmonéen sur la pente de la vallée du Tyropéon[21]. Sa justification ne pouvait être que dans son adhésion à la méthode de Lagrange, celle du texte et du monument ; le problème était celui du N.T. Son dernier article, lui seul était qualifié pour l'écrire, puisqu'il s'agit de l'histoire des découvertes faites par l'École Biblique, afin de rester fidèle à l'esprit du P. Lagrange[22].

L'inspiration de l'Écriture Sainte

Tout en étant absorbé par les vestiges historiques, le P. Benoit accordait également un intérêt intense au problème spéculatif de l'inspiration et de l'inerrance. Ce qu'il écrivit là-dessus, devait rendre son nom illustre dans les milieux ecclésiastiques. Sa première étude ne fut pas dictée par les nécessités de la controverse. Depuis le travail du P. Lagrange, au début du siècle, rien d'original n'avait paru sur ce sujet[23]. Il s'agissait ici, pour lui, d'un acte de pitié filiale envers l'homme qui l'avait dirigé vers les études bibliques. Le Père Synave, o.p., était mort en 1937, laissant inachevée sa traduction annotée du traité de saint Thomas sur la prophétie (*Summa Theologica*, II-II, qq. 171-178). Comme son enseignement et son programme de publications étaient arrêtés par la seconde guerre mondiale, le P. Benoit saisit l'occasion non seulement de terminer ce travail, mais d'écrire une longue (plus

---

20. « Où en est la question du "Troisième Mur" ? », In *Studia Hierosolymitana in onore P. Bellarmino Bagatti*, Jérusalem, Presses Franciscaines, 1976, I, pp. 111-126.

21. « Le Prétoire de Pilate à l'époque byzantine », *RB* 91 (1984) pp. 161-177.

22. « Activités archéologiques de l'École Biblique et Archéologique Française à Jérusalem depuis 1890 », *RB* 94 (1987) pp. 397-424.

23. Cf. J. BURTCHAELL, *Catholic Theories of Biblical Inspiration since 1810. A Review and Critique*, Cambridge, University Press, 1969, pp. 234-237.

de la moitié du volume) présentation faisant la synthèse de la pensée thomiste sur la prophétie et l'inspiration[24].

Publiée en 1947, cette étude eut un impact immédiat et devint « la théorie
classique dans les années qui suivirent immédiatement *Divino Afflante
Spiritu*[25] ». L'intérêt qu'elle éveilla en tant que première œuvre originale
parue depuis un demi-siècle, valut au P. Benoit la proposition d'écrire le
chapitre sur l'inspiration dans l'*Initiation Biblique* qui devint un manuel
d'enseignement extrêmement influent. Comme il s'était engagé dans un dialogue écrit avec les commentateurs de sa théorie, la pensée du P. Benoit
s'affinait, mais il n'écrivit jamais le livre définitif qu'il avait promis de faire,
comme partie d'une série de volumes supplémentaires à la *Bible de
Jérusalem*[26]. C'était dommage car, si l'on regarde bien ses écrits sur l'inspiration, on voit clairement que deux Benoit différents cherchaient à s'exprimer et que, celui qui dominait au début n'est pas celui qui parlait le plus
fort à la fin. L'impossibilité de venir à bout de cette tension, parvenue à
la prise de conscience de la complexité du problème placé dans un contexte
nouveau, pourraient peut-être expliquer pourquoi la synthèse promise ne
parut jamais.

Le premier Benoit est le théologien thomiste. Jusqu'à un certain point,
cette attitude lui avait été imposée par la nature de sa première publication
sur ce sujet en 1947, mais elle était aussi très conforme à sa personnalité.
Il se considérait comme un théologien et sa formation dans ce domaine avait
été purement scolastique. Il n'est par conséquent pas étonnant que son
analyse des rapports entre les jugements spéculatifs et pratiques et l'action
de la grâce divine, ait été caractérisée par l'emploi parfaitement maîtrisé de
fines distinctions qui tentaient de mettre en évidence ce qui se passe dans
la psychologie de l'auteur sacré. Sous la pression des objections, les discussions devinrent de plus en plus subtiles.

L'attention qu'il portait à l'acte de jugement était liée au problème de
l'inerrance. La garantie de la vérité, insistait-il, ne pouvait être établie d'une
manière spéculative, comme si elle se rapportait intrinsèquement à une certaine catégorie de sujets, mais seulement de façon empirique, en évaluant
soigneusement l'intention de l'auteur. En faisant ce calcul, il faut avoir trois
choses à l'esprit : l'objet formel du jugement (c'est-à-dire le point de vue
d'où l'on se place pour traiter le sujet), le degré d'affirmation (c'est-à-dire

24. *Traité de la Prophétie*, Paris, Revue des Jeunes, 1947. La version américaine publiée
en 1961 n'est pas une simple traduction, mais comprend les changements et les ajouts de Benoit.
Prophecy and Inspiration. A Commentary on the Summa Theologica II-II. Questions 171-178,
translated by M. Sheridan et A. Dulles, New York, Desclée, 1961, p. 13.

25. J. Burtchaell, *Catholic Theories*, p. 245.

26. Cf. son *Prophecy and Inspiration*, 13.

le poids que l'auteur attache à une affirmation) et la qualité qu'il porte à la communication (c'est-à-dire jusqu'à quel point se soucie-t-il de faire passer une idée)[27]. Il serait naturel d'en déduire que c'est ici que le Père Benoit se montre le plus original, mais il est alors déconcertant de découvrir que personne ne met en avant ce qui est vraiment spécifique dans son travail. Ceci laisse entendre qu'il n'était peut-être pas juste de considérer le Père Benoit, d'abord comme un théoricien spéculatif, et lui-même vient confirmer ce point de vue. Il déclare n'avoir fait que clarifier, corriger et compléter les études beaucoup plus anciennes de Calmes, Merkelbach, et Pesch[28]. Le penseur doué de créativité était l'autre Benoit et l'on n'a pas accordé la place qu'elle mérite à la nature fondamentale de son œuvre.

Le second Benoit est l'exégète, lié à la méthode historico-critique. Burtchaell[29] et Vawter[30] accordent à R.A.F. MacKenzie, s.j., d'avoir été le premier à remettre en question la validité du concept d'*auteur* telle qu'elle était comprise dans la façon dont les scolastiques traitaient de l'inspiration[31]. Pourtant, le P. Benoit avait écrit onze ans auparavant : « L'idée ancienne d'un seul auteur, composant et écrivant lui-même tout l'ouvrage qui porte son nom, a dû peu à peu faire place à des conceptions moins simples, mais plus réelles. Bien des livres prophétiques nous apparaissent aujourd'hui comme des recueils, parfois peu ordonnés, d'oracles et de discours qu'ont rassemblés des disciples postérieurs et qui ne sont peut-être pas tous du prophète principal auquel on les a attribués[32] ».

Pour le Père Benoit, la multiplicité d'auteurs ne posait aucun problème. Tous ceux qui avaient contribué en quoi que ce soit à la rédaction finale, même s'il s'agissait d'un copiste qui l'aurait modifiée de façon importante, tous jouissaient du charisme de l'inspiration.

On voit ici, en germe, la théorie sociale de l'inspiration associée au nom de J.L. McKenzie[33]. Ce savant, cependant, reconnaissait ouvertement sa dette envers le P. Benoit, pour « l'apport le plus constructif fait à la théorie de l'inspiration depuis cinquante ans », à savoir « le caractère collectif

---

27. *Prophecy and Inspiration*, pp. 134-135 et *RB* 63 (1956) p. 420. Les discussions sur le travail du P. Benoit sur l'inspiration ont eu tendance à ne s'intéresser qu'à ces aspects-là. Voir les compte rendus de J. BURTCHAELL, *Catholic Theories*, pp. 239-247 et de B. VAWTER, *Biblical Inspiration*, Philadelphia, Westminster/London, Hutchinson, 1972, pp. 102-104.

28. *Aspects of Biblical Inspiration*, Chicago, Priory Press, 1965, p. 124 note 15.

29. *Catholic Theories*, p. 248.

30. *Biblical Inspiration*, p. 104.

31. « Some Problems in the Field of Inspiration », *CBQ* 20 (1958) pp. 1-8.

32. *La Prophétie*, pp. 332-333.

33. « The social Character of Inspiration », *CBQ* 24 (1962) pp. 115-124.

de l'inspiration[34] ». En 1954, le Père Benoit avait étendu, par analogie, l'inspiration aux membres du Peuple de Dieu, lecteurs de l'Écriture Sainte[35] et, en 1959, il souligna le fait que le texte inspiré est l'aboutissement d'une longue conduite de bout en bout par le Saint-Esprit « qui ne s'est pas contenté de faire écrire quelques rédacteurs, mais qui a commencé par faire vivre des héros, parler des prophètes et des apôtres, bref qui a dirigé toute une histoire de salut avant de la consigner dans des livres qu'il a transmis à l'Église[36] ». La société qui, par obéissance à sa volonté, proclamait la révélation de Dieu d'une manière existentielle, était inspirée.

Cette ligne de pensée rendait impossible au P. Benoit de refuser l'inspiration à l'Église dont l'histoire est dirigée par le Saint-Esprit[37]. Comprise en ce sens, l'inspiration est un charisme ecclésial. Ce point de vue avait déjà été proposé par K. Rahner, mais dans un sens légèrement différent et limité à l'âge apostolique[38]. Selon le P. Benoit, l'Église possédait ce charisme de façon permanente, mais il n'explora jamais les implications potentiellement explosives de cette idée. L'extension que le P. Benoit donne à la notion d'inspiration implique nécessairement qu'il la concevait d'une manière analogique. Alors que, dans sa première étude[39], il se contentait d'y faire allusion, cet élément occupe progressivement une place de plus en plus grande dans sa pensée[40] et explique l'élargissement qu'il apporte à la vision de ce qui n'avait été qu'une problématique stérile[41].

La tension entre Benoit le théologien et Benoit l'exégète est facile à déceler dans ce que nous avons déjà dit. Cela devient flagrant quand ils traitent de l'inerrance. Le premier écrit : « La vérité est *l'adaequatio rei et intellectus*. Elle n'existe que dans le jugement, l'acte formel par lequel l'intelligence (*intellectus*) affirme sa proportion (*adaequatio*) à l'objet de connaissance (*res*)[42] » et il tient à limiter le nombre de cas où l'on peut trouver un tel jugement, car c'est en eux seuls que la vérité de la Bible est en jeu. Burtchaell

---

34. « Social Character », pp. 118-119.

35. *Initiation Biblique*, éd. A. Robert et A. Tricot, Paris, Desclée, 1954, pp. 30-31.

36. « Les Analogies de l'Inspiration » dans P. BENOIT, *Exégèse et Théologie*, Paris, Éditions du Cerf, 1968, III, pp. 27-28.

37. « Les Analogies de l'Inspiration », p. 28.

38. *Inspiration in the Bible* (QD, 1), New York, Herder, 1960.

39. *La Prophétie*, pp. 330, 353.

40. *Initiation biblique*, p. 23, et surtout « Les Analogies de l'Inspiration » (note 146 supra).

41. J.T. FORESTELL, c.s.b., fait remarquer que « le fond de la pensée de Benoit se trouve dans ce qu'il décrit comme la nature analogique de l'inspiration » (« The Limitation of Inerrancy », *CBQ* 20 [1959] p. 9).

42. *La Prophétie*, pp. 342-343.

donne l'impression que la façon dont Benoit comprend la vérité biblique se limite à cette restriction[43].

Cependant, Benoit l'exégète condamne cette vision de la vérité, comme étant un concept gréco-romain, fortement conditionné par le rationalisme et le positivisme. Il le condamne en tant que catégorie totalement inadéquate à l'étude de la Bible dont le concept de vérité est plutôt pratique que spéculatif, car ses auteurs étaient des sémites. Il insiste « Or, c'est en sémites qu'il nous faut ouvrir ce livre [la Bible] pour y rencontrer Dieu tel qu'il s'offre à nous : un Dieu qui agit, entre dans notre histoire, parle à notre cœur, qui se 'révèle' certes à notre connaissance, mais, par une démarche de vie qui appelle en réponse une connaissance faite d'amour, d'obéissance, d'engagement total. Il y a là toute une problématique qui n'est pas celle de notre formation occidentale ; il est impérieusement nécessaire de nous en pénétrer si nous voulons lire le Livre Saint comme il veut être lu[44] ».

La libération sous-jacente à cette façon d'aborder la vérité de la Bible qui remonte à 1954, se manifeste clairement deux ans plus tard lorsqu'il soutint que la vérité inspirée ne se trouve pas dans tel ou tel texte particulier, mais dans la Bible tout entière : « De même que l'enseignement de chaque texte, de chaque partie, dans l'ensemble du Livre, ne se perçoit qu'en replaçant ce texte, cette partie, dans l'ensemble du Livre, de même, l'enseignement de chaque livre biblique n'est pleinement qualifié pour notre adhésion de foi que selon la place qu'il occupe dans l'ensemble de la Bible[45] ».

Cette vision radicale qui transforme toute la problématique de l'inerrance reçut une précision extraordinaire dix ans plus tard : « Dieu n'engage pas toute sa vérité dans chaque phrase de la Bible ; vouloir le prendre au mot sur telle expression qu'il corrigea plus tard, c'est faire violence à sa Parole. "Corriger", ai-je dit. En effet, la pédagogie divine n'a pas procédé seulement par mode de compléments et de perfectionnements, elle a opéré aussi des corrections, voire des suppressions[46] ».

Afin qu'il n'y ait pas d'ambiguïté, il continua : « Dieu a pris deux mille ans pour écrire un grand Livre dont les chapitres sont autant d'ouvrages distincts dus à des écrivains nombreux et variés. C'est au cours de ce long travail qu'il a exprimé, par touches successives, sa vérité. Pour atteindre celle-ci, il faut embrasser tout l'ouvrage, des premiers balbutiements jusqu'à la révélation plénière dans le Christ. Là seulement, quand Dieu a dit son

---

43. *Catholic Theories*, p. 243.

44. *Initiation Biblique*, p. 43.

45. « Note complémentaire sur l'Inspiration », *RB* 62 (1956) p. 421.

46. « La vérité dans la Sainte Écriture », dans *Exégèse et Théologie*, Paris, Cerf, 1968, III, p. 153.

dernier mot, l'homme peut prétendre apprécier l'inerrance de sa Révélation : elle est, en somme, dans tout l'ouvrage[47] ».

Voici Benoit au mieux de sa forme théologique — pas la moindre trace de thomisme — s'inspirant de l'unité fondamentale des différentes composantes de la Bible. Ce fut à partir de coups de sonde de ce genre que se développa, en fin de compte, la critique canonique.

Étant donné que Benoit reconnaissait l'importance cruciale du Canon et qu'il étendait l'inspiration à tous ceux qui avaient contribué au texte définitif de la Bible, il était peut-être inévitable qu'il plaide en faveur de l'inspiration de la Septante, la traduction grecque de l'A.T.[48]. Cette proposition suscita des discussions qui, dans l'ensemble, n'étaient pas favorables au point de vue du P. Benoit[49].

Les Évangiles

Si l'on accorde au P. Benoit d'avoir ranimé le débat sur l'inspiration et l'inerrance, on peut également lui attribuer le mérite d'avoir ré-introduit la Critique des Formes parmi les exégètes catholiques. Son article de 1946 : « Réflexions sur la *Formgeschichtliche Methode* », fut un des facteurs les plus libérateurs dans le développement de la science critique catholique, après la seconde guerre mondiale. Si l'on s'en tient au contenu, sa présentation ne comportait pas grand'chose de nouveau. La plupart de ses observations, sinon toutes, avaient déjà été présentées par le Père Lagrange, mais ceci ne diminue en rien l'apport du Père Benoit. L'attitude du Père Lagrange envers la Critique des Formes avait été si négative que les exégètes catholiques avaient évité ce sujet entre les deux guerres mondiales et s'étaient par conséquent exclus du courant principal des études néo-testamentaires. Le retour du P. Benoit à ce sujet était un test délibéré de la liberté octroyée aux savants

---

47. « La vérité dans la Sainte Écriture », p. 154. Il est très difficile de voir une différence entre la position de Benoit ici et celle de Burtchaell, qui donne l'impression d'apporter quelque chose de neuf trois ans plus tard. « En gros, l'Église trouve l'inerrance dans la Bible si nous acceptons de prendre cela dans un sens dynamique et non statique. L'inerrance doit permettre, non d'éviter les erreurs, mais de savoir les gérer, d'y remédier, de leur survivre, en fin de compte, d'en profiter » (*Catholic Theories*, p. 303). Burtchaell avait été quelque peu dédaigneux en discutant le travail de Benoit et, c'est sans doute avec un petit sourire que son vieux professeur dut lui donner une tape amicale pour le féliciter de cette découverte à retardement ; voir sa recension dans *RB* 91 (1974) pp. 121-124, ici 124.

48. « La Septante est-elle inspirée ? », dans *Vom Wort des Lebens* (Fest. Max Meinertz), ed. N. ADLER, Munster, Aschendorf, 1951, 41-49 « L'inspiration des Septante d'après les Pères », dans *L'Homme devant Dieu* (Fest. Henri de Lubac), Paris, Aubier, 1963, I, pp. 169-187.

49. Par exemple P.A. AUVRAY, « Comment se pose le problème de l'inspiration des Septante ? », *RB* 59 (1952) pp. 321-336. F. DREYFUS, « L'inspiration de la Septante. Quelques difficultés à surmonter », *RSPT* 49 (1965) pp. 210-220.

catholiques par l'enclyclique *Divino Afflante Spiritu* (1943). C'était un geste
courageux, parce que l'encyclique reconnaissait implicitement qu'il y avait,
à l'intérieur de l'Église, des éléments obscurantistes, en prévenant ceux-ci
qu'ils devaient éviter de faire preuve du zèle quelque peu indiscret qui tend
à considérer toutes nouveautés, et pour cette seule raison, comme quelque
chose à combattre ou à tenir en suspicion.

Il n'y eut pas plus de réactions à l'article du P. Benoit dans les cercles
officiels que dans les milieux spécialisés. Sans doute était-ce dû davantage
à la qualité d'énergie intellectuelle tournée vers la reconstruction de l'Europe
d'après-guerre, qu'à un consensus général[50]. Ce fut donc presque sans que
l'on s'en aperçoive que ce texte devint un point de référence auquel les exégètes pouvaient se rapporter. C'est pourquoi la date de sa parution avait
été d'une telle importance. La clarté pédagogique de son analyse systématique joua également en faveur de son influence. Sans en modifier en rien
la teneur, le P. Benoit en avait simplifié la méthode au point que n'importe
qui pouvait voir de quoi il était question dans la Critique des Formes et apprécier la différence entre la manière d'y observer les faits et les présupposés
philosophiques. En outre, il traitait le sujet avec une sympathie évidente et
mettait en valeur les aspects positifs de cette méthode, de manière à encou-
rager les catholiques à l'adopter[51]. En fait, elle fit bientôt partie du bagage
normal des exégètes catholiques sérieux, mais ce ne fut qu'en 1964 qu'elle
reçut l'approbation de la Commission Biblique Pontificale, dans un paragraphe qui est un excellent résumé de l'article du P. Benoit[52].

L'article sur la critique des formes fut suivi peu après par une étude
également importante sur l'Ascension[53]. C'était là le fruit d'une graine semée
beaucoup plus tôt. En 1938, Victorien Larrañaga, s.j., avait publié une thèse
de doctorat de près de 700 pages dans laquelle il soutenait l'historicité litté-
rale de l'Ascension qui aurait eu lieu exactement 40 jours après la
Résurrection[54]. Le P. Benoit lui avait accordé une recension étrangement
brève pour un ouvrage de ce type et les louanges en étaient visiblement de
pure forme[55]. Les recenseurs expérimentés verront là immédiatement l'indi-

---

50. L'opposition qui couvait contre *Divino Afflante Spiritu* n'éclata qu'au début des années
60. Voir J.-A. FITZMYER, « A Recent Roman Scriptural Controversy », *TS* 22 (1961)
pp. 426-444.

51. Remarquer surtout la conclusion, *RB* 53 (1946) p. 512.

52. *Instruction Concerning the Historical Truth of the Gospels*, § 5. Voir J.-A. FITZMYER,
« The Biblical Commission's Instruction on the Historical Truth of the Gospels », *TS* 25 (1964)
pp. 390-391, 403.

53. « L'Ascension », *RB* 56 (1949) pp. 161-203.

54. *L'Ascension de Notre Seigneur dans le Nouveau Testament*, Rome, IBP, 1938.

55. *RB* 48 (1939) pp. 130-131.

de Jésus. Une persécution consécutive fut la cause de la fuite en Égypte. La mort d'Hérode offrait un espoir de retour, mais le caractère d'Archélaüs, son successeur, rendait imprudent de retourner à Bethléem, aussi, Joseph choisit-il l'alternative d'une vie nouvelle à Nazareth, le village de sa femme.

Le Père Benoit lui-même voyait une des objections à cette reconstitution. Joseph n'aurait pas eu besoin de chercher une auberge à Bethléem où il habitait (Lc 2-7). En réponse, il soutenait que *katalyma* pouvait ne signifier qu'une grande pièce qui, pensait-il, était la salle de séjour dans la maison paternelle de Joseph[65].

Cette reconstitution astucieuse et habile se sert avec beaucoup d'adresse de ce que l'on sait sur la réglementation des recensements dans l'Empire Romain au temps du Christ. Son défaut est tout simplement de ne tenir aucun compte de la façon dont Luc interprète les événements qui entourèrent la naissance de Jésus. À cela, Benoit rétorquait qu'il ne fallait pas s'attendre à la relation exacte et tatillonne des moindres détails dans un document qui traitait de l'entrée du Sauveur dans le monde.

Cependant, quand un point précis était remis en question, il remuait ciel et terre pour soutenir la véracité de Luc. Je pense à la façon dont il étudie le recensement de Quirinius (Lc 2, 2)[66]. Tout en admettant que la solution la plus simple et la plus évidente consistait à penser que Luc s'était trompé[67], il choisit pour sa part, une hypothèse plus compliquée : « Ce recensement de 6 après J.-C. par Quirinius, ne fit que consommer une incorporation à l'Empire qui avait été préparée depuis la fin du règne d'Hérode par des démarches, telles que le recensement dont parle Luc. Cela explique, ou si l'on veut, excuse, l'anticipation de l'évangéliste[68] ».

Le moins que l'on puisse dire est que cette formulation n'est pas très honnête, car il n'y a décidément rien qui prouve de manière convaincante qu'il y ait eu quelque chose comme un recensement dans les dernières années d'Hérode[69]. En outre, il n'y a aucune preuve de la série de mesures administratives qui auraient abouti au recensement de Quirinius exigé par la solution du P. Benoit.

---

65. « "Non erat locus in diversorio" (Lc 2, 7) », in *Mélanges bibliques en hommage au R.P. Béda Rigaux*, Gembloux, Duculot, 1970, pp. 173-186.

66. « Quirinius (Recensement de) », *DBS* 9 (1978) cols. 693-720.

67. « Quirinius », col. 713.

68. « Quirinius », col. 715-716.

69. Quand la discussion extrêmement érudite du P. Benoit est ramenée à l'essentiel, seuls deux points demeurent : (1) l'empereur Auguste avait une politique de recensements réguliers ; (2), le serment de fidélité imposé par Hérode, 7 av. J.-C., (Josèphe, *A.J.* 17-42) dont l'historicité n'est pas admise par tous, *a dû être* accompagné d'un recensement (« Quirinius », cols. 697-698).

Une telle attitude défensive est difficile à expliquer. Il y avait quelque chose de profondément conservateur dans la personnalité du P. Benoit, mais ce n'est qu'ici qu'il essaya de défendre l'indéfendable. Il y a une apologétique beaucoup plus vraie dans l'analyse linguistique extrêmement fouillée qu'il fit de Lc 1. Il y réfutait le point de vue généralement admis selon lequel Luc tirait ses informations sur l'enfance de Jean-Baptiste, d'un document johannite qui lui aurait ensuite servi de cadre pour bâtir sa narration sur l'enfance de Jésus[70].

Les manuscrits de la mer Morte

Un Évangile à Qumrân ! Cette nouvelle sensationnelle stupéfia le monde savant en 1972, quand José O'Callaghan, s.j., déclara avoir identifié des passages de Marc, des Actes, de l'Épître aux Romains, de la première Épître à Timothée, de l'Épître de Jacques et de la seconde Épître de Pierre, dans des fragments rédigés en grec, trouvés dans la grotte n° 7 à Qumrân[71].

Étant donné que l'École Biblique était étroitement mêlée à tout ce qui touchait au problème de Qumrân (achat de manuscrits, fouilles, publications), il aurait été impossible à tout membre de l'équipe, quel qu'il soit, de se tenir à l'écart de l'émotion contagieuse apportée par la découverte ininterrompue de documents nouveaux. Le Père Benoit participait activement aux discussions intenses suscitées par chacun des textes qui venait d'être découvert et saisissait toutes les occasions de visiter les lieux de fouilles. Sa connaissance du grec du 1er siècle en faisait l'expert idéal pour la publication des documents grecs non-bibliques trouvé dans le Wadi Murabba'at, tâche qu'il accomplit très rapidement et avec un soin exemplaire dans le second volume de *Discoveries in the Judaean Desert* (1961). Il avait été naturellement consulté par M. l'abbé Baillet, lorsque celui-ci publia les textes grecs de la grotte n° 7[72].

Le P. Benoit pouvait donc s'intéresser légitimement aux révélations de O'Callaghan. Quelque chose de très important lui avait-il échappé au cours des discussions sur ces textes qui en précédèrent la publication ? Après tout, c'était lui et non Baillet qui était expert en N.T. ! Si O'Callaghan avait raison, alors les implications et les dangers de sa thèse étaient clairs. Il faudrait procéder à une révision radicale qui reculerait la date de la plupart

---

70. « L'enfance de Jean-Baptiste selon Luc 1 », *NTS* 3 (1956-57) pp. 169-194.

71. « ¿Papiros neotestamentarios en la cueva 7 de Qumrân ? », *Biblica* 53 (1972) pp. 91-104 ; « 1 Tim. 3, 16 ; 4, 1-3 en 7Q », *Biblica* 53 (1972) pp. 362-367 ; « Tres probables papiros neotestamentarios en la cueva 7 de Qumrân », *Studia Papyrologica* 11 (1972) pp. 83-89.

72. M. BAILLET, J.T. MILIK, R. de VAUX, *Les "Petites Grottes" de Qumrân* (DJD, 3), Oxford, Clarenton, 1962, pp. 144-145.

des livres du Nouveau Testament, ce qui, par contre-coup, risquerait de susciter un accroissement considérable de fondamentalisme.

Le Père Benoit avait également une responsabilité officielle parce qu'en 1971, il avait succédé au P. de Vaux, o.p., comme président du groupe international chargé de la publication officielle des manuscrits de Qumrân. Ceci lui donnait accès aux originaux conservés au Musée Rockefeller, à Jérusalem et il se fit un devoir de vérifier la lecture des passages dont dépendaient les reconstitutions de O'Callaghan. Il découvrit qu'un nombre important d'entre eux étaient, soit extrêmement douteux, soit sans fondement[73]. Ceci se révèle être une réponse plus convaincante que celles des savants qui acceptaient la lecture de O'Callaghan et tentaient ensuite d'autres identifications basées sur la Septante.

Quand on eut vérifié l'authenticité et fixé la date des Manuscrits de la mer Morte, les savants se rendirent compte qu'ils appartenaient à une catégorie unique en ce qui concernait les études néo-testamentaires. C'étaient des documents qui faisaient connaître la vie intérieure d'une communauté juive palestinienne du temps de Jésus et de l'Église primitive, et qui ne présentaient aucun des problèmes de datation qui rendaient si difficile l'emploi des documents rabbiniques. Une fois que l'on eut décelé les contacts littéraires et reconnu les analogies doctrinales, commença une série, d'abord ténue, d'études comparatives qui, dans les années 50, prirent les proportions d'un véritable flot. Il y avait tellement de publications qu'il devenait pratiquement impossible de les contrôler. Les recherches des savants en ce domaine finissaient par ressembler à une nouvelle mine d'or où les revendications des uns et des autres menaient à la confusion.

Cette situation inquiétait le P. Benoit, ainsi que beaucoup d'autres. Quand on discuta sur une sélection des diverses études comparatives, à la réunion de la Société des Études Néo-testamentaires, à l'Université d'Aarhus en 1960, ses collègues se rendirent compte que le P. Benoit était le mieux qualifié pour faire un exposé méthodologique qui apporterait un peu de bon sens et d'ordre dans le débat. Le compliment était flatteur, mais il était censé avoir terminé ce travail pour la séance de clôture. Il y passa bien des nuits et le résultat en fut une conférence mémorable qui devint ensuite l'article « Qumrân et le Nouveau Testament[74] » qui faisait autorité. Le P. Benoit y insistait sur l'idée que la dépendance du N.T. sur les documents esséniens

73. « Note sur les fragments grecs de la grotte 7 de Qumrân », *RB* 79 (1972) pp. 321-324 ; « Nouvelle note sur les fragments grecs de la grotte 7 de Qumrân » *RB* 80 (1973) pp. 5-12.

74. Publié dans *NTS* 7 (1960-61) pp. 276-296, il parut avant le « Parallelomania », de S. SANDMEL (*JBL* 81 [1962] pp. 1-13) et l'étude magistrale de H. BRAUN, *Qumrân und das Neue Testament*, Tübingen, Mohr (Siebeck), 1966 ; les articles sur lesquels s'appuie ce dernier volume parurent en 1963.

ne pouvait servir de solution que là où il était impossible que les deux aient
dépendu d'une source commune, telle que l'Ancien Testament. Quand on
aurait rempli cette condition, il faudrait déterminer la date de l'influence
essénienne et étudier avec précision la qualité de cet apport. Dans le cadre
de ces principes méthodologiques, le P. Benoit déclarait que l'on pouvait
effectivement déceler une influence essénienne dans le N.T., mais seulement
au cours de la deuxième génération chrétienne (Paul, Jean) et sur des points
secondaires. À l'époque, beaucoup de ceux qui étaient d'accord avec les principes auraient trouvé la prudence de ces conclusions excessive ; pourtant,
des estimations ultérieures ne firent que confirmer l'exactitude de ses
jugements[75].

Le christianisme primitif

La compétence littéraire dont Benoit fit preuve dans ses études sur les
Évangiles, s'appliquait également aux Actes des Apôtres. Il n'écrivit que
deux articles là-dessus, tous deux inspirés par l'invitation à contribuer à des
Festschriften, mais la finesse de ses observations et la clarté de son argumentation nous font regretter qu'il n'ait pas accordé une plus grande part
d'attention à l'histoire de l'Église primitive.

On avait depuis longtemps reconnu la complexité des trois principaux
sommaires des Actes (2,42-47 ; 4, 32-35 ; 5, 12-16), mais il n'y avait pas
d'unanimité lorsqu'il s'agissait de distinguer les interpolations et de déceler
les intentions du rédacteur. Dans un article en hommage à M. Goguel, le
P. Benoit soutenait que 2, 42, 46-47 ; 4, 32, 34-55 ; et 5, 15-16, représentaient la forme originale de ces sommaires[76]. Cela montrait clairement que
les interventions du rédacteur ont toujours lieu au début de chaque som-
maire, sans doute afin de ne pas rompre le fil qui relie les sommaires et les
récits qui s'y rapportent. Par conséquent, le cadre essentiel de la première
partie des Actes existait déjà. Le style des interpolations, selon le P. Benoit,
excluait Luc. Ceci le poussa à suggérer qu'il y avait peut-être eu plus d'une
rédaction des Actes, hypothèse qui sera reprise en détail par son collègue
M.-É Boismard, quarante ans plus tard.

Le P. Benoit fit un article beaucoup plus important pour le volume célé-
brant le cinquantenaire de l'Institut Biblique Pontifical, en 1959. Tout le

75. Cf. J.-A. FITZMYER, « The Qumrân Scrolls and the New Testament after Forty
Years », RevQ 13 (1988) [= Mémorial Jean Carmignac] pp. 609-620. J. MURPHY-O'CONNOR,
« Qumran and the New Testament », dans The New Testament and its Modern Interpreters,
ed. Eldon Jay Epp et George MacRea, Atlanta, Scholars Press, 1989, pp. 55-71.

76. « Remarques sur les 'Sommaires' des Actes II, IV et V », dans Aux Sources de la
Tradition chrétienne (Fest. M. Goguel), Neuchâtel-Paris, Delachaux et Niestle, 1950, pp. 1-10.

monde s'accordait pour dire que Gal 2, 1-10 et Actes 15 contenaient des versions différentes de la même réunion importante à Jérusalem entre ceux qui étaient favorables à la mission chez les Gentils et ceux qui ne l'étaient pas. Le problème était que Paul spécifiait que ce n'était que sa deuxième visite à Jérusalem (Gal 1, 18-21) tandis que, selon les Actes, c'était la quatrième (9, 26 ; 11, 29-30 ; 12, 25 ; 15, 1-2). On avait fait beaucoup d'efforts pour résoudre ce problème en imaginant des sources qui se recouvraient. Une fois combinées, deux versions de la même visite pouvaient donner l'impression de deux visites. Une opinion très courante attribuait Actes 11, 27-30 + 12, 25 + 15, 1-33, à la même source parallèle à Gal 2, 1-10. Benoit affina cette hypothèse et évita la difficulté de placer l'assemblée de Jérusalem avant le premier voyage missionnaire (Actes 13-14), en montrant que Actes 15, 1-2 était une suture rédactionnelle créée par Luc pour relier 11, 30 et 15, 3, ce qui voulait dire, bien sûr, que 12, 25 était aussi d'ordre rédactionnel[77].

Ceci aurait pu indiquer au P. Benoit que Paul était un meilleur guide que Luc quant à la chronologie de son propre ministère, mais il n'était pas prêt à accepter les conséquences logiques de l'application d'un tel principe méthodologique sur la valeur historique des Actes[78]. Aussi ne se rendit-il pas compte que Actes 18, 22 se rapporte également à la seconde visite de Paul à Jérusalem et le résumé qu'il fit de la vie de Paul dans la *Bible de Jérusalem* (1973 = *JB* 1985) est faussé, parce qu'il n'a pas su donner aux informations fournies par les lettres authentiques, la priorité sur celles des Actes[79].

Les Épîtres de saint Paul

Ceci cependant avait peu d'importance pour le travail personnel du Père Benoit sur saint Paul, parce que, ce qui comptait à ses yeux, était l'ordre

---

77. « La deuxième visite de saint Paul à Jérusalem », *Biblica* 40 (1959) pp. 778-792 [= *Studia Biblica et Orientalia II* (AnBib, 11) Rome, IBP, 1959, pp. 210-224]. En considérant le début d'Actes 15 comme rédactionnel, Benoit anticipait un élément clef de l'étude fondamentale de G. LÜDEMANN, *Paul Apostle to the Gentiles. Studies in Chronology*. Philadelphia, Fortress, 1984, pp. 149-150.

78. Cf. sa recension dans *RB* 59 (1952) pp. 126-127 de J. KNOX, *Chapters in a Life of Paul*, New York-Nashville, Abingdon-Cokesbury, 1950.

79. Il faut cependant signaler que Benoit est loin d'être le seul à avoir cette opinion. Dans la toute dernière étude de la vie de Paul, J. A. Fitzmyer admet de manière explicite que, « dans la reconstitution de la vie de Paul, on doit donner la préférence à ce que Paul nous a dit sur lui-même » mais il suit néanmoins les Actes (qui contredisent Paul) en situant le second voyage missionnaire après l'assemblée de Jérusalem, ce qui entraîne des conséquences sérieuses quand il s'agit de dater les Épîtres (*Paul and His Theology A Brief Sketch*, 2nd ed. Englewood Cliffs ; Prentice Hall, 1988, pp. 3-5 et 14-17 = *New Jerome Biblical Commentary*, 79 : 5-6 et 31-38).

relatif des Épîtres. La 1re et la 2e aux Thessaloniciens furent écrites durant la première visite de Paul à Corinthe, au cours de son deuxième voyage missionnaire. Éphèse devint le port d'attache de Paul au cours de son troisième voyage. La 1re aux Corinthiens datait des débuts de son séjour là-bas, et l'Épître aux Philippiens vers la fin. La 2e aux Corinthiens fut composée en Macédoine, peu après son départ d'Éphèse. L'Épître aux Galates fut écrite avant qu'il ne parvienne à Corinthe d'où il envoya l'Épître aux Romains. Acceptant l'authenticité de Colossiens et Éphésiens (voir plus loin), le Père Benoit les situe à la dernière période de la vie de Paul. L'Épître à Philémon et celle aux Colossiens furent écrites vers la fin de la captivité de Paul à Rome et celle aux Éphésiens, un peu plus tard.

Dans l'édition de 1973 de la *Bible de Jérusalem* (p. 1623), le Père Benoit soutenait que les Épîtres Pastorales furent écrites quatre ou cinq ans après celle aux Éphésiens et durant la vie de Paul, qui aurait laissé plus de liberté que d'habitude à un secrétaire. Cependant, en 1977, il modifia son opinion : « Bien que rien n'interdise, à mon avis, de les rattacher aux dernières années de l'Apôtre, leur style, leur langage, leurs préoccupations doctrinales, tranchent trop sur les Épîtres antérieures pour qu'on leur reconnaisse plus qu'une paternité paulinienne indirecte[80] ».

Ce qu'il voulait dire exactement est loin d'être clair (s'agit-il de lettres inauthentiques que Paul ne désavoue pas ? De lettres authentiques dont Paul ignorait le contenu ?), mais il finit par accepter le consensus selon lequel les Épîtres Pastorales sont de la génération post-paulinienne (*Jerusalem Bible*, 1985, p. 1863).

Dans toutes ses études sur la pensée de l'apôtre, le Père Benoit reconnaissait explicitement la place centrale qu'y occupait Jésus-Christ. Ce ne fut cependant que vers la fin de sa carrière qu'il exprima avec précision la manière d'appréhender le Christ qui inspirait son point de vue sur la théologie de Paul[81]. Il mettait l'accent sur trois séries de textes : la première décrivait la venue de Jésus dans le monde, comme un changement de condition (2 Cor 5, 22 ; 8, 9 ; Gal 4, 4) ; la seconde donnait un rôle dans la création de l'univers au Jésus historique dans son état préexistant (1 Cor 8, 6 ; Col 1, 15-16). La troisième parlait d'un passage de la préexistence céleste à l'existence terrestre (Gal 4, 4 ; Phil 2, 6-11 ; Rom 10, 6 ; Éph 4, 9-10). Pour Benoit, cet ensemble laissait entendre « que Jésus, le personnage concret et historique que l'on a fréquenté sur la terre, n'a pas attendu ce moment pour exister réellement, encore que dans une situation autre que sa situation terrestre[82] ».

---

80. « L'évolution du langage apocalyptique dans le corpus paulinien » dans *Apocalypse et Théologie de l'Espérance* (LD, 95), Paris, Cerf, 1977, p. 302.

81. « Préexistence et incarnation », *RB* 77 (1970) pp. 5-29.

82. « Préexistence », p. 19.

Afin d'expliquer ce phénomène, le P. Benoit émettait l'hypothèse que le but premier de la création avait été de donner l'existence à une nature humaine destinée à être unie à la deuxième Personne de la Trinité[83]. En tant que créature, cet Homme-Dieu ne peut appartenir à l'éternité divine. Il ne peut non plus avoir existé humainement avant sa conception dans le sein de Marie. Par conséquent, selon Benoit, il a dû préexister selon une forme de durée intermédiaire, le *temps de l'histoire du salut*. Il n'est entré dans le temps normal et dans l'histoire qu'au moment de l'incarnation et est retourné, après la résurrection, à son mode d'existence antérieur[84].

Le Père Benoit fut profondément déçu quand la seule réaction produite par cette hypothèse fut un silence gêné. Son expérience au deuxième Concile du Vatican lui avait révélé combien les catégories théologiques traditionnelles s'étaient endurcies et avaient perdu toute leur saveur. Il voulait que l'Église apprenne à connaître la liberté et la vitalité d'une authentique théologie biblique. Son intention était d'ouvrir un dialogue entre théologiens spéculatifs et exégètes en essayant de reformuler en catégories néo-testamentaires, un dogme central qui, jusqu'alors n'avait été exprimé qu'en termes philosophiques. Quand sa proposition ne fut pas relevée, il se consola en pensant que les temps n'étaient pas encore mûrs pour que des idées neuves et avancées soient prises au sérieux. Il fut confirmé dans cette interprétation lorsque la première ébauche de son projet fut refusée par les censeurs romains.

Que ses collègues aient été choqués n'était pas dû cependant à ce qu'ils auraient considéré comme d'une hardiesse inacceptable. À l'exception de O. Cullmann qui pensait comme lui, ils ne comprenaient pas comment un exégète du XXe siècle pouvait même évoquer de telles catégories. Ce dont ils ne s'étaient pas rendu compte, c'est qu'il y avait deux Benoit que nous avons déjà rencontrés dans la discussion sur ses théories au sujet de l'inspiration. À propos de préexistence et d'incarnation, c'était le Benoit exégète qui faisait les observations sur lesquelles le Benoit scolastique élaborait les théories. Tandis que son instinct était juste quant à la vérité de la Bible, il était faussé ici par une hypothèse injustifiée. Il pensait que Paul était aussi conscient que Jean de la divinité de Jésus et voyait des allusions à la préexistence, là où, en fait, il n'y en avait pas[85]. Sa logique spéculative fit ensuite grossir son erreur initiale, la transformant en une hypothèse qui ne faisait qu'obscurcir le mystère de la vie de Jésus et exiger d'une foi à laquelle il était déjà beaucoup demandé, un effort qui n'était pas nécessaire.

---

83. « L'évolution du langage apocalyptique », p. 306.

84. « Préexistence », pp. 26-27.

85. Cf. J.D.G. Dunn *Christology in the Making, A New Testament Inquiry into the Origins of the Doctrine of the Incarnation*, London, SCM, 1980.

La connaissance que le P. Benoit avait des Épîtres est manifeste dans son aperçu de la théologie de Paul qu'il résume en six points : (1) le croyant est uni au Christ, (2) libéré du péché et réconcilié avec Dieu, (3) et justifié par la foi. (4) Comme la Loi n'est plus nécessaire, le salut est universel, et (5) nous atteint jusqu'à notre existence corporelle. (6) Par son union au Christ, le croyant entre dans l'âge eschatologique[86]. Il reconnaissait aussi qu'il y a une évolution dans la pensée de Paul. Les points 1 et 2 sont essentiels au kérygme de base et apparaissent dans toutes les lettres. Les points 3, 4 et 5 sont les éléments véritablement distinctifs de la théologie de l'Apôtre. Il ne leur est pas donné la même importance dans chacune des lettres et leurs modalités se développent de manière diverse afin de répondre à la situation des différentes communautés. On ne sait pas trop s'il faut considérer ces adaptations comme faisant partie d'une évolution. Seul le point 6 en présente une évolution appréciable[87]. Cette dernière observation était inspirée par le contraste qui existe entre les Grandes Épîtres de la Captivité. Le premier article important du P. Benoit était consacré à l'Épître aux Éphésiens[88]. Après cela, le Père Lagrange lui avait demandé un commentaire des Colossiens et des Éphésiens pour les *Études Bibliques*. Le P. Benoit ne pouvait pas refuser cette responsabilité qui fut à l'origine de ce qui allait devenir la préoccupation principale de sa carrière. On peut donc comprendre que la plus grande partie de ses écrits sur saint Paul ait porté directement sur les différents problèmes de ces épîtres énigmatiques.

Les Épîtres de la captivité

L'authenticité de l'Épître aux Colossiens ne posait pas de problème au P. Benoit. Selon lui, les doutes suscités par la critique du XIXᵉ siècle et entretenus par Bultmann et quelques-uns de ses disciples avaient été dissipés par les travaux de Dibelius, Lohmeyer et Percy, et les études postérieures n'avaient fait que confirmer que Paul en était l'auteur. Toutes les différences entre l'Épître aux Colossiens et certaines lettres antérieures pouvaient s'expliquer par des changements de secrétaires et l'évolution de la pensée de Paul (le plan de salut comme *mystère*, la suprématie cosmique du Christ *tête du Corps qui est l'Église*) se comprenait, si l'on tenait compte du type d'hérésie qu'il lui fallait affronter à Colosses[89].

86. « Genèse et évolution de la pensée paulinienne » dans *Paul de Tarse, Apôtre de notre temps*, éd. l. de Lorenzi, Rome, Abbaye de saint Paul, 1979, pp. 81-84.

87. « Genèse et évolution », p. 86. Le sixième point fut développé davantage dans « L'évolution du langage apocalyptique ».

88. « L'horizon paulinien de l'épître aux Éphésiens », *RB* 46 (1937) pp. 342-361, 506-525.

89. « Colossiens (Épître aux) », *DBS* 7 (1966) cols. 157-170.

Le scepticisme courant parmi les auteurs catholiques concernant l'existence du gnosticisme au Ier siècle, permit à Benoit d'apprécier la clairvoyance de J.-B. Lightfoot qui déclarait que l'hérésie colossienne ressemblait à l'enseignement des Esséniens, et de développer cette hypothèse à la lumière des manuscrits de la mer Morte. Il fut un des rares savants à voir que la présence en Asie-Mineure des doctrines d'une secte juive palestinienne xénophobe posait un problème à quiconque disait trouver une influence essénienne sur l'hérésie des Colossiens. Il fallait présenter une explication plausible, sinon la conclusion tirée des similitudes serait beaucoup moins probante. Benoit songea à Alexandrie comme point charnière, parce que les Therapeutoi de Philon présentaient des traits esséniens. De là, des missionnaires tels qu'Apollos (Actes 18, 24-19, 7) auraient apporté leur enseignement (quelque peu modifié) à Éphèse, d'où il serait passé dans la vallée du Lycus[90].

Au cours des dix dernières années de sa vie, le P. Benoit savait bien, au fin fond de son cœur, qu'il ne développerait jamais les notes lumineuses du fascicule de la *Bible de Jérusalem*, (3e édition) pour en faire le commentaire complet qu'il avait promis. Invité à honorer de vieux amis (Morton Smith, C.K. Barrett, et Bo Reicke), il fut heureusement obligé de publier des parties de ses recherches en cours. Elles laissent entrevoir d'une manière bien tentante, ce qu'aurait pu être ce commentaire.

À Bo Reicke, il présenta une analyse extraordinairement pénétrante des 11 variantes textuelles de Col 2, 2 et argumenta d'une manière convaincante — contre le sentiment général — en faveur de *eis epignôsin tou mystêriou tou theou, en hô*[91].

Si cet article manifestait ses dons en critique textuelle, son habileté de lexicographe n'est nulle part mieux représentée que dans l'effort qu'il fit, dans la publication en faveur de Kingsley Barrett, pour cerner la signification de *hagioi* dans Col 1, 12. Après avoir revu toute la littérature juive qui pouvait présenter quelque analogie avec le texte, il conclut que ce verset avait été nettement influencé par 1QS 11, 7-8. La référence première se rapporte donc aux anges, mais on peut aller jusqu'à leur adjoindre les élus, comme on le voit par ailleurs à Qumrân[92].

---

90. Ce point méthodologique crucial n'est pas même évoqué dans l'importante étude de E.W. SAUNDERS : « The Colossian Heresy and Qumran Theology » dans *Studies in the History and Text of the N.T. in honor of K.W. Clark* (SD) 29, ed. B.L. Daniels and M.J. Suggs, Salt Lake City, University of Utah, 1967, pp. 133-145.

91. « Colossiens 2, 2-3 », dans *The New Testament Age* (Fest. Bo Reicke), ed. W.C. Weinrich, Macon, Mercer University, 1984, I, pp. 41-51.

92. « *Hagioi* en Colossiens 1, 12. Hommes ou Anges ? » in *Paul and Paulinism* (Fest. C.K. Barrett), ed. M.D. Hooker et S.G. Wilson, London, SPCK, 1982, pp. 83-99.

La maîtrise de la littérature de caractère secondaire par le P. Benoit
et sa finesse en tant qu'exégète, sont parfaitement illustrées dans la manière
dont il traite une péricope entière dans sa participation au Morton Smith
Festschrift. L'hymne dans Col 1, 15-20 a suscité plus de 80 études. Le
P. Benoit les a présentées et critiquées, tout en élaborant sa propre solution, hautement originale. Il trouva des indications qui laissaient entendre
que l'auteur (Paul plus un assistant), après avoir terminé l'épître, reprit le
texte et y inséra un hymne (1, 15-17, moins v. 16c-e) dont la structure servit
de cadre à ses idées personnelles qu'il ajouta en 1, 18-20[93].

L'Épître aux Éphésiens ne profita pas du revirement d'opinion chez
les savants du XXe siècle qui attribuaient à Paul l'Épître aux Colossiens.
Quelques exégètes indépendants voulaient bien admettre qu'on pouvait tout
au plus y trouver les traces d'une authentique lettre de Paul qui aurait été
développée par un interpolateur, une génération après la mort de l'Apôtre[94].
La première étude du P. Benoit sur saint Paul était une réponse à cette dernière hypothèse[95]. Il n'eut guère de difficulté à montrer le caractère arbitraire des interpolations suggérées et l'effort principal de son article consistait à mettre en lumière ce qui était vraiment nouveau dans Éphésiens[96] et
de montrer ensuite comment et pourquoi la pensée de Paul aurait évolué
à ce point sous la pression de la crise colossienne.

Les possibilités psychologiques varient d'un individu à l'autre, et même
pour ceux qui étaient les plus disposés à être d'accord avec lui, l'argument
du P. Benoit ne faisait que prouver qu'il n'était pas impossible que Paul
ait développé les idées contenues dans l'Épître aux Éphésiens. Quant à
l'expression littéraire, il s'agissait de tout autre chose. Les différences de
style pouvaient être attribuées à un secrétaire, mais comment expliquer les
nombreux points de contact avec les autres lettres pauliniennes ?

Mettant provisoirement de côté l'Épître aux Colossiens, le P. Benoit
fait remarquer que celle aux Éphésiens ne présentait pas seulement des ana-

---

93. « L'hymne christologique de Col. 1, 15-20. Jugement critique sur l'état des recherches », dans *Christianity, Judaism and other Greco-Roman Cults* (SJLA 12), ed. J. Neusner,
Leiden, Brill, 1975, I, pp. 226-263.

94. Par exemple, M. GOGUEL, « Esquisse d'une solution nouvelle du problème de l'Épître aux Éphésiens », *RHR* 111 (1934-35) pp. 254-284 ; 112 (1935-36) pp. 73-99.

95. « L'horizon paulinien de l'Épître aux Éphésiens », *RB* 46 (1937) pp. 342-361 ; 506-525.

96. « Nous avons cru pouvoir organiser cet apport neuf autour de deux conceptions, d'ailleurs connexes : l'une qui accentue le cadre cosmologique du salut, en y intéressant le ciel et
les puissances spirituelles qui y demeurent ; l'autre qui considère le salut des chrétiens, moins
dans la transformation intérieure de leurs âmes individuelles que dans la croissance globale,
collective, du groupe social qu'ils constituent et qui s'élève progressivement vers le Christ céleste »
(« L'horizon paulinien », p. 506).

logies avec les lettres pauliniennes, mais également avec d'autres documents chrétiens primitifs, notamment avec la première Épître de Pierre. Reprenant une opinion de Selwyn, il suggéra que tous ces textes reflétaient une catéchèse baptismale commune à plusieurs groupes dans l'Église primitive. Ceci le conduisit à une perception très importante, à savoir que les lettres du Nouveau Testament avaient eu plusieurs auteurs : « Par-delà les personnalités des auteurs individuels, dont Paul est un cas éminent, on pressent tout un milieu communautaire de tradition catéchétique et liturgique dont ces auteurs et même un Paul, sont solidaires[97]. » Chacun des auteurs a sa voix personnelle, mais, en même temps, la communauté s'exprime à travers elle.

Une telle source commune est cependant trop vague pour expliquer les rencontres verbales précises existant entre l'Épître aux Colossiens et celle des Éphésiens. Il est clair qu'en 1937, le P. Benoit pensait que Paul, écrivant aux Éphésiens peu après la lettre aux Colossiens, avait dû être inspiré par des expressions de cette dernière[98]. Vingt-cinq ans plus tard, il aborda l'analyse détaillée que ce problème méritait. À partir d'un certain nombre de passages sélectionnés, il écrivait : « Nous avons cru constater en Éphésiens, un méticuleux travail rédactionnel à partir de Colossiens et qui met curieusement en œuvre des procédés complémentaires. D'une part, deux passages de Col servent à en écrire un en Éph... D'autre part, un même passage de Col se trouve dédoublé, soit dans un même passage complexe de Éph..., soit dans divers passages traitant du même sujet[99] ». Il en tira immédiatement la conclusion évidente : « On hésite à attribuer à Paul lui-même ce travail de marqueterie, fait la plume à la main, avec loisir et minutie[100] ».

Ainsi, le Père Benoit admettait précisément ce qui avait mené nombre d'exégètes à refuser l'authenticité de l'Épître aux Éphésiens, mais s'en tirait par l'hypothèse du secrétaire : Paul, après avoir fait son devoir en répondant aux Colossiens, aurait parlé de son nouveau point de vue sur l'ecclésiologie à un disciple, à qui il aurait alors demandé de le mettre par écrit et, lorsque c'était nécessaire, de s'inspirer de lettres antérieures et spécialement de celle aux Colossiens[101].

Cependant, le P. Benoit devait en même temps tenir compte de la remise en vigueur par C. Masson de la théorie de Hans Holzmann selon laquelle

97. « Épître aux Éphésiens », *DBS* 7 (1966) col. 207.

98. « L'horizon paulinien », pp. 518-519.

99. « Rapports littéraires entre les épîtres aux Colossiens et aux Éphésiens », dans *Neutestamentliche Aufsätze* (Fest. J. Schmid), ed. J. Blinzler et al., Regensburg, Pustet, 1963, p. 20.

100. « Rapports littéraires », p. 20.

101. « Rapports littéraires », p. 22.

les Épîtres aux Éphésiens et aux Colossiens dépendaient l'une de l'autre[102]. Il était seulement prêt à admettre que, dans certains cas, il semblait que Colossiens ait pu dépendre d'Éphésiens, mais il manifestait une répugnance évidente à s'aventurer dans un tel bourbier[103]. Il gardait cependant son ouverture d'esprit et l'analyse qu'il fit de Col 1, 15-20, l'obligea à reconnaître la vérité de la perception de Holzmann.

Par conséquent, il décrivit le rapport entre les deux lettres de la façon suivante : « Je pense que ce disciple, ou un autre, toujours avec le consentement de Paul, a remanié certains passages de Col pour faire profiter cette épître des enrichissements acquis dans la composition d'Éphésiens. Les deux Épîtres, je l'ai dit, sont à mes yeux, pratiquement contemporaines. L'Épître, dite "aux Éphésiens" est cette lettre que Tychique et Onésine auront apportée à l'Église de Laodicée (Col 4, 16), en même temps qu'ils apportaient Col à celle de Colosses. Mises ensemble sur le chantier, ces deux Épîtres ont exercé l'une sur l'autre des influences qui se reflètent dans leurs relations littéraires. La dépendance est surtout du côte d'Éphésiens, qui reprend et prolonge dans un sens plus ecclésiologique les vues cosmiques de Colossiens. Mais, sur plusieurs points, le disciple-rédacteur d'Éphésiens — ou un autre disciple du groupe paulinien — aura jugé bon de retoucher Colossiens pour la faire bénéficier de ces prolongements[104] ».

Cette hypothèse donne l'impression d'être totalement artificielle, mais le scénario n'en est pas absolument impossible et ceux qui le rejettent n'ont pas tenté la minutieuse analyse littéraire sur laquelle se fondait la position du P. Benoit.

Le thème du Corps du Christ était un élément clef dans la défense de l'authenticité doctrinale des Épîtres de la captivité par le P. Benoit. Dans ses études antérieures, il avait quelque peu exagéré le problème, croyant que ce thème était apparu pour la première fois dans les Épîtres de la Captivité. À cette époque, il considérait que les références au Corps, dans la première aux Corinthiens et dans Romains, n'étaient rien de plus qu'une métaphore pour exprimer l'union spirituelle des croyants au Christ[105]. Il revint à ce problème en 1956 et, dans un article qui devait avoir une très grande influence, il soutint que la notion de *Corps du Christ* apparaissait bien dans 1 Corinthiens et dans Romains[106].

---

102. *L'Épître de saint Paul aux Colossiens* (CNT) Neuchâtel, Delachaux et Niestle, 1950, pp. 83-159.

103. « Rapports littéraires », p. 21.

104. « L'hymne christologique », pp. 253-254.

105. Cf. « L'horizon paulinien » et surtout le compte rendu de A. WIKENHAUSER, *Die Kirche als der mystische Leib nach dem Apostel Paulus.*

106. « Corps, Tête et Plérôme dans les Épîtres de la captivité », *RB* 63 (1956) pp. 5-44.

C'était là le résultat d'une appréciation plus profonde de la théologie sacramentaire de Paul insérée dans le cadre de deux idées juives, l'anthropologie moniste et la personnalité corporelle. Par conséquent, Benoit insistait à présent sur le réalisme de l'union du croyant au Corps physique du Seigneur ressuscité, union due au baptême et à l'Eucharistie[107]. Ce n'était que grâce à cette perception, insistait Benoit, que Paul s'inspira du concept de corps social pour exprimer l'unité des croyants qui provenait de leur union avec le Christ. L'idée était chrétienne, l'image profane. Le point de référence principal est le Corps du Christ, mais « ce Corps du Christ ne reste pas limité à cette individualité historique. Il s'agrège désormais tous ceux qui s'unissent à lui, par leur corps même, dans le rite du baptême, et deviennent ses membres[108] ».

La même façon sacramentelle de comprendre le Corps du Christ se trouve dans les Épîtres de la Captivité, mais dans une forme développée et modifiée. On peut en résumer ainsi les éléments nouveaux : « D'une part, le Corps du Christ paraît se personnifier davantage et mieux se distinguer du Christ individuel, ce qui se traduit littérairement par la combinaison du terme de *Sôma* avec ceux de *Ekklèsia* et *Kephalê* ». D'autre part, il se trouve placé dans un horizon plus cosmique du salut, ce qui se manifeste par son association avec le terme *Plérôma*[109].

Le Père Benoit soutenait que Paul avait d'abord pensé au Christ comme *Tête*, alors qu'il réagissait contre ces Colossiens qui atténuaient le rôle du Christ en donnant trop d'importance à des puissances spirituelles[110]. En réponse, Paul insiste sur l'autorité que le Christ avait sur elles en se servant du mot *kephalê*, avec sa connotation biblique de « chef »[111]. Sa pensée passa alors à la signification hellénistique de *kephalê* c'est-à-dire « source », qui est le lien avec Corps. Le Christ, en tant que *Tête*, est le principe vivifiant du Corps.

Ayant ainsi expliqué la genèse du concept de Tête, le P. Benoit dût faire

---

Les mêmes idées sont exprimées dans une forme simple, mieux adaptée aux lecteurs dans *Populus Dei*, vol. 2 *Ecclesia* (Fest. Card. Alfredo Ottaviani). Roma, Communio, 1969, pp. 971-1028.

107. Cf. aussi « L'aspect physique et cosmique du salut dans les écrits pauliniens », dans *Bible et Christologie* (Commission biblique pontificale) Paris, Cerf, 1984, pp. 253-269.

108. « Corps, Tête et Plérôme », p. 14.

109. « Corps, Tête et Plérôme », p. 21.

110. La discussion sur ces êtres spirituels est traitée plus en détail dans « Angélologie et Démonologie pauliniennes chez saint Paul », dans *Foi et Culture à la lumière de la Bible* (Commission biblique pontificale) Torino, Ed. Elle Di Ci, 1981, pp. 217-233.

111. « Corps, Tête et Plérôme », p. 25. C'est le point le plus faible de la reconstruction de Benoit. Il reconnaissait que *kephalê* n'avait pas cette connotation en grec profane, mais supposait que, dans la Septante, c'était la traduction de *rosh* dont la connotation avec l'idée d'autorité est acquise. Mais *kephalê* n'est jamais employé pour rendre *rosh* dans ce sens-là.

de même avec *Plérôma*. Dans les grandes Épîtres, Paul ne relie le Christ qu'à ceux qui croient formellement. La nécessité d'affirmer l'autorité du Christ sur les puissances spirituelles et, par extension, sur le monde qu'elles gouvernent, obligea Paul, dans l'Épître aux Colossiens, à définir la relation du Christ à l'humanité non (encore) rachetée à son environnement social. Il le fit en adoptant le terme stoïcien *plérôma* qui, selon Benoit, est la plénitude de tout être, créé et incréé[112]. Cette définition subit une certaine modification bien qu'elle ait été assumée dans la nouvelle synthèse de Paul adressée aux Éphésiens. L'Église occupait tout son champ de vision. « C'est une vision pleine d'optimisme. L'eschatologie est 'réalisée'. La défaite des Puissances, qui est encore attendue en 1 Cor 15, 24-26, est supposée achevée en Éph. 1, 21ss. Les baptisés, qui sont déjà morts avec le Christ mais dont la résurrection est encore à venir d'après Rom 6, 3-4, et sont alors ressuscités en Col 2, 12, sont maintenant déjà assis dans les cieux avec le Christ (Éph 2, 6). L'incrédulité des Juifs, qui a causé tant de soucis aux chapitres 9-11 des Romains, est maintenant une chose du passé ; juifs et païens, réconciliés par la croix du Christ, marchent de conserve et dans le même Esprit vers le Père (Éph 2, 14-18)[113] ». Le plan divin du salut est complet. Tout a été restauré dans son ordre premier sous l'autorité du Christ, et son Corps a pris même dimension que la matrice de l'être. Aussi « ce [*plérôma*] qui était dans Colossiens 'la plénitude de l'être', est devenu 'la plénitude de grâce'[114] ».

Cette présentation extrêmement schématique des points essentiels de la façon dont Benoit concevait les Épîtres de la captivité ne fait que faiblement justice à la puissance d'une synthèse doctrinale qui demeure la meilleure défense de l'authenticité substantielle de l'Épître aux Éphésiens.

Le salut et les Juifs

Bien que les Épîtres de la Captivité aient été le principal sujet d'intérêt du P. Benoit, il y avait un autre écrit paulinien auquel il ne cessait de retourner : c'était Romains 9-11. Le massacre de six millions de Juifs par les nazis avait forcé le monde à affronter les implications de l'anti-sémitisme. Il obligeait également les théologiens chrétiens à réfléchir plus sérieusement que jamais à la place des Juifs dans le plan divin du salut. Le Père Benoit n'écrivit qu'un seul article sur le sujet dans le cadre des discussions de Vatican II

---

112. « Corps, Tête et Plérôme », pp. 32-37. Cf. aussi « The pleroma in the Epistles to the Colossians and the Ephesians », *SEA* 49 (1984) pp. 136-158.

113. « The plérôma », p. 156. Pour la suite du développement de ce thème, voir « L'Unité de l'Église selon l'Épître aux Éphésiens », dans *Studiorum. Paulinorum Congressus Internationalis Catholicus*, 1961, Rome, PBI, 1963, I, pp. 57-77.

114. « The Plérôma », p. 157.

sur les relations de l'Église avec les religions non-chrétiennes[115], mais il joua son rôle dans une série de longues analyses de livres[116].

Le problème critique était la situation du judaïsme contemporain. Il y avait ceux pour lesquels les Juifs sont encore un peuple élu, jouissant de tous les privilèges de l'Israël pré-chrétien et pour lequel l'observance de la Loi demeure un moyen légitime de salut[117]. Le P. Benoit critiquait sévèrement la présentation caricaturale du judaïsme qui était une des constantes de l'enseignement chrétien[118] et admettait volontiers la responsabilité des chrétiens au cours des siècles, qui mena à de violentes poussées d'antisémitisme, mais il n'était pas disposé à accepter une telle révision de la position de l'Église. Le désir compréhensible de faire amende honorable pour l'holocauste ne devait pas donner le droit de réformer ce qu'il considérait comme révélation divine.

Bien que les Juifs ne soient pas individuellement coupables et puissent être sauvés (et le sont, en fait), en tant qu'hommes de bonne volonté, le Peuple juif, en tant que tel, porte les conséquences de son refus de la lumière. Le P. Benoit, les comparait aux enfants d'un banqueroutier qui n'héritaient que de sa ruine. Leur religion avait été privée de l'accomplissement des promesses messianiques[119], un système religieux qui n'est plus conforme au plan de Dieu[120]. Le plan du salut ne sera réalisé que par la conversion du Peuple juif que Paul présente comme une certitude à venir (Rom 11, 25-26). Ce n'est qu'alors qu'il redeviendra le Peuple de Dieu.

Cependant, le P. Benoit refusait de placer le peuple juif au même niveau que les autres peuples qui ne connaissent pas encore le Christ. S'appuyant sur Rom 11, 28, il soutenait régulièrement qu'ils sont l'objet de la prédilection de Dieu. Ils ont été aimés les premiers, et, comme Dieu ne change pas, ils continuent de bénéficier d'une place spéciale dans le cœur divin[121]. Ce

---

115. Publié par la Documentation hollandaise sur le Concile, 144-144a, il a été repris sous le titre « La valeur spécifique d'Israël dans l'histoire du salut » dans *Exégèse et Théologie*, Paris, Cerf, III, pp. 400-421. Le même thème est repris dans « l'Église et Israël », III, pp. 422-441.

116. Il faut noter en particulier *RB* 55 (1948) pp. 310-312 (K.L. Schmidt) ; 56 (1949) pp. 610-613 (J. Isaac) ; 61 (1954) pp. 136-142 (P. Demann) ; 68 (1961) pp. 458-462 (D. Judant) ; 71 (1964) pp. 80-92 (G. Baum) ; 89 (1982) pp. 588-595 (F. Mussner).

117. On trouve une justification détaillée de cette opinion dans F. MUSSNER, *Traktat über die Juden*, Munchen, Kosel, 1979, ch. 1, mais Benoit l'avait déjà rencontrée dans l'œuvre du P. Demann et dans la réaction de G. Baum.

118. Cf. *RB* 61 (1954) pp. 137-138.

119. Cf. *RB* 56 (1949) p. 613.

120. « L'Église et Israël », dans *Exégèse et Théologie*, III, p. 458.

121. Cf. *RB* 58 (1961) p. 459 ; 71 (1964) p. 89 ; « Conclusions par mode de synthèse », dans *Die Israelfrage nach Rome 9-11*, éd. L. De Lorenzi, Rome, Abbaye saint Paul, 1977, p. 233.

privilège implique une mission dont Benoit tentait de cerner les contours. Le peuple juif est « un signe permanent d'inquiétude religieuse[122] ». « Il demeure parmi les peuples comme un témoin permanent des exigences redoutables du choix divin[123] ».

Une des propositions les plus controversées à Vatican II était une déclaration sur les Juifs. Les pro-sionistes espéraient la reconnaissance tacite de l'État d'Israël. Les chrétiens des pays musulmans craignaient une réaction en retour des Arabes. À l'intérieur de l'Église, la dispute n'était pas moins âpre. Les intégristes affirmaient que l'on était en train d'abandonner la tradition de l'Église, tandis que leurs homologues libéraux œuvraient en faveur d'un geste d'excuses généreux. Dans cette tourmente, il était inévitable que l'on demande au P. Benoit d'expliquer le point de vue du Nouveau Testament sur ce problème. Ce fut l'occasion de l'article cité ci-dessus, publié par le bureau hollandais d'information sur le Concile.

Il fournit aux évêques français une critique de la seconde déclaration sur les Juifs, le jour même où elle était présentée au Concile (25 septembre 1964)[124]. Il trouvait qu'elle manquait d'équilibre et laissa entendre que, si le Concile voulait faire un geste irénique de réconciliation, il devrait adopter la forme littéraire d'une exhortation ou une condamnation de l'antisémitisme. Si, au contraire, disait-il, « il faut traiter de l'affaire au plan théologique, il faut le faire complètement et totalement, après mûre réflexion, exprimant sans timidité ce qui est pour et ce qui est contre Israël. L'histoire du salut ne vaut que dans son intégrité et le témoignage intégral du Nouveau Testament doit être respecté. On ne sert convenablement, ni la vérité doctrinale, ni l'utilité pastorale, si l'on ne met en valeur que les éléments favorables à Israël, tout en se taisant sur ceux qui lui sont opposés[125] ».

Deux autres rédactions du document ne lui parurent guère satisfaisantes. Le 4 août 1965, il écrivit, à propos du second : « C'est un heureux essai de revenir à l'équilibre, mais, à mon avis, c'est encore un minimum insuffisant. L'ensemble du texte penche vers ce qui est favorable aux Juifs et évite ce qui leur est défavorable... Ce parti pris s'observe bien dans l'utilisation qui est faite des textes de saint Paul ». Il continua, mettant en évidence l'interprétation abusive de Rom 9, 4-5 ; 11, 18 ; et 11, 28. Ce projet fut néanmoins approuvé par le Concile le 15 octobre 1965.

---

122. *RB* 68 (1961) p. 460.

123. « La valeur spécifique d'Israël », p. 421.

124. Cf. G. M.-M. COTTIER, « L'historique de la Déclaration », dans *Les relations de l'Église avec les religions non-chrétiennes* (Unam Sanctam, 61), éd. A.-M. Henry, Paris, Cerf, 1966, pp. 37-78.

125. Des papiers personnels du P. Benoit.

Le deuxième Concile du Vatican

Ce fut une surprise de trouver le P. Benoit enrôlé parmi les conseillers d'une des commissions mises en place pour préparer le programme du Concile. À cette époque, les spécialistes qui, comme lui, avaient des convictions libérales, étaient tenus à distance, ou tout simplement éliminés. Voici ce qui s'était passé.

Celui qui recrutait les conseillers pour la Commission sur les Églises orientales, probablement quelqu'un faisant partie de la Commission romaine correspondante, invita des représentants des trois Instituts théologiques de Jérusalem : Basile Talatinian, du Séminaire franciscain, Maurice Blondel, du Séminaire des Pères Blancs et Roland de Vaux, de l'École Biblique. Celui-ci refusa un rôle pour lequel il ne se sentait pas compétent et qui ne l'intéressait pas. Le P. Benoit, cependant, qui faisait partie du monde théologique européen et qui était pleinement conscient de l'importance que le Concile aurait sur la vie de l'Église, insista beaucoup pour que l'École Biblique y soit représentée. Si l'offre actuelle était insuffisante elle pouvait servir de pierre d'attente pour un rôle plus important et il persuada le P. de Vaux de présenter son nom à lui pour le remplacer. Le Vatican accepta et, durant l'automne 1961, le P. Benoit prit part, à Rome, aux délibérations de la Commission.

En septembre, il fit circuler un papier contenant une série de réflexions théologiques qui, pensait-il, pourraient être utiles dans les discussions sur la réunification des Églises d'Orient et d'Occident. L'idée principale était que l'unique Église a deux dimensions, l'une céleste et invisible, l'autre, terrestre et visible. Ce thème devint le leitmotiv de l'introduction théologique basée sur la Bible pour l'avant-dernier projet du schéma sur *l'Unité de l'Église*, en décembre 1961. Des passages en furent impitoyablement supprimés, mais la version finale du schéma proposé avait conservé sa rédaction et son plan général[126]. Ce schéma fut discuté vers la fin de la première session conciliaire (27 novembre-1er décembre 1962), mais il fut renvoyé pour être amalgamé à deux autres schémas portant sur le même thème, l'un dû à la Commission théologique et l'autre au Secrétariat pour l'Unité chrétienne[127].

Une telle confusion dans l'organisation reflétait admirablement la qualité peu brillante des schémas distribués au cours de la première session du Concile (11 octobre, 8 décembre 1962). Les Pères conciliaires rejetèrent leur

---

126. *Pontifica Commissio de Ecclesiis Orientalibus Preparatoria Concilii Vaticani II*. Documents 155/1961 et 191-192/1961.

127. Cf. R. ROUQUETTE, *La fin d'une chrétienté. Chroniques* (Unam Sanctam, 69a), Paris, Cerf, 1968, I, pp. 259-260.

traditionnalisme étroit. Ils exigèrent que d'autres schémas soient préparés. Ils les voulaient positifs, pastoraux, ouverts et œucuméniques. Un esprit nouveau exigeait une équipe nouvelle et, à partir de 1962, on appela comme experts (*periti*) les théologiens aux idées avancées, dédaignés jusqu'alors. Ils furent nommés par le Pape Paul VI et des listes officielles parurent régulièrement[128]. La collaboration du P. Benoit à l'une des malchanceuses commissions préparatoires retarda peut-être sa nomination, qui n'eut lieu qu'en 1964. Il arriva sur la scène juste à temps pour participer d'une manière très active, à l'élaboration de deux des documents les plus importants issus du Concile.

L'Église dans le monde moderne était un document unique, non seulement par la diversité des sujets traités, mais, en fait, parce qu'il ne s'adressait pas seulement aux catholiques, mais à l'humanité tout entière. Parce qu'il était nouveau, les intégristes lui jetèrent l'anathème et il s'attira l'opposition de théologiens qui ne disposaient d'aucune technique qui leur aurait permis de le manipuler. En dépit d'une difficile période de gestation, il grandit avec le Concile et finit par en symboliser l'esprit. Depuis le tout premier avant-projet du printemps 1963, l'ambiance et la méthode s'étaient améliorées, tandis que le contenu s'était peu à peu développé, au cours de larges consultations, de discussions animées et de multiples révisions.

Le P. Benoit entra dans ce processus au début de septembre 1964, quand le sous-comité chargé du projet du schéma l'assigna au groupe de travail théologique[129]. Cependant, sa participation effective ne commença qu'un an plus tard. On avait fait circuler une nouvelle version du schéma au cours de l'été 1965. Les amendements proposés remplissaient près de 500 pages à la clôture du premier débat dans l'Aula, le 8 octobre 1965. Certains remettaient même en question la possibilité d'une révision parce que la session conciliaire du 14 septembre au 8 décembre 1965 devait être la dernière. Les traditionalistes se servaient de toutes les tactiques de retardement dont ils pouvaient disposer.

Pourtant, l'Église et le monde attendaient un document. Afin de venir à bout du formidable amoncellement de documents, la sous-commission centrale, chargée des projets, se divisa en dix groupes de travail. Le P. Benoit, en tant que spécialiste de la Bible, se trouva affecté au groupe 3, chargé de la section sur *La dignité de la personne humaine* et dont les membres étaient

---

128. Cf. U. BETTI, « Histoire Chronologique de la Constitution », dans *L'Église de Vatican II. Études autour de la Constitution conciliaire sur l'Église* (Unam Sanctam, 51b), éd. Y.M.-J. Congar, Paris, Cerf, 1966, II, p. 62 note 4.

129. Cf. R. TUCCI, « Introduction historique et doctrinale à la constitution pastorale », *L'Église dans le monde de ce temps. Constitution Gaudium et Spes* (Unam Sanctam, 65b), éd. Y. Congar et M. Peuchmaurd, Paris, Cerf, 1967, II, pp. 73-75.

les évêques Doumith, Granados, Ménager, Parente, Poma et Wright. Les autres experts étaient les Pères Coffey, Congar, Daniélou, Gagnebet, Kloppenburg, de Lubac, K. Rahner et Senmelroth[130].

Le Père Benoit avait écrit une critique de la partie théologique de la version du schéma distribuée le 28 mai 1965, pour un groupe d'évêques français. Par conséquent, on l'invita à préparer un projet amélioré des chapitres 1-3 du schéma pour la conférence épiscopale française. Après cela, il soumit ce texte au groupe de travail numéro 3 dont il faisait partie et, en fin de compte, au groupe de coordination. Après que l'on eut discuté des changements demandés par les Pères conciliaires, le P. Benoit fut choisi pour ré-écrire le chapitre 1 du schéma. Il modifia légèrement ce projet à la lumière des discussions qui avaient eu lieu à l'intérieur du groupe de travail (15 octobre 1965) et le résultat fut envoyé au groupe de coordination. Les principales différences entre ce document et la version finale, promulguée par le Concile le 7 décembre 1965, sont l'adjonction des articles sur le *Péché* (n° 13) et sur l'*Athéisme* (n° 20-21).

Ce même jour, le Concile promulgua également *La Déclaration sur la Liberté religieuse*. Ce schéma avait eu autant de mal à passer. Les conservateurs s'y étaient farouchement opposés parce qu'il représentait un authentique développement doctrinal que des esprits sclérosés ne pouvaient admettre. Le projet, discuté au cours du débat de l'Aula du 23-25 septembre 1964, fut critiqué parce qu'on l'accusait d'être trop juridique et trop philosophique[131]. Un passage sur la liberté religieuse vue à la lumière de la Révélation, fut ajouté pendant la révision suivante et l'un des rédacteurs du projet nous dit : « On sent ici que les auteurs du schéma se sont inspirés — quoique très librement — de deux excellentes pages du P.M. Leclerc : *L'Histoire de la Tolérance au siècle de la Réforme*[132] ».

On aurait dû voter sur cette révision le 19 novembre 1964, mais, au milieu d'une grande agitation, le scrutin fut repoussé au début de la session suivante (14 septembre-8 décembre 1965). Ce délai permit une nouvelle révision et le passage sur la révélation fut développée[133], cette fois-ci, cependant, avec l'aide de deux exégètes résidant à Rome, les PP. Lyonnet et McCool, de l'Institut Pontifical Biblique[134]. Le débat sur ce texte (distribué

---

130. La liste donnée par TUCCI (« Introduction historique », p. 107, note 103), est celle du 22 septembre 1965. Celle-ci provient des papiers du P. Benoit et est datée du 5 octobre 1965.

131. Voir J. HAMER, « Histoire du texte de la Déclaration » dans *La liberté religieuse. Déclaration "Dignitatis Humanae personae"* (Unam Sanctam, 60), éd. J. Hamer et Y. Congar, Paris, Cerf, 1967, p. 79.

132. J. HAMER, « Histoire », p. 85.

133. J. HAMER, « Histoire », pp. 91-92.

134. Y. CONGAR, « Avertissement », dans *La Liberté religieuse. Déclaration "Dignitatis*

le 28 mai 1965) eut lieu entre le 15 et le 22 septembre 1965. Bien que le schéma dans l'ensemble ait reçu une approbation écrasante, il y eut plusieurs critiques contre la section scripturaire[135].

C'est alors que fut demandée l'aide du P. Benoit[136]. Dans les premiers jours d'octobre, il reprit à zéro tout le travail sur les textes bibliques en une série de projets et on le chargea de structurer pour l'essentiel et même de rédiger en partie les nos 11 et 12 de la version définitive qui fut distribuée le 25 octobre et approuvée à une écrasante majorité, le 19 novembre 1965. Le P. Benoit était donc admirablement préparé à faire un commentaire sur *La Liberté Religieuse à la lumière de la Révélation* pour l'étude d'ensemble de ce document édité par J. Hamer et Y. Congar. Nous lisons cependant, dans une des notes de bas de page : « Une nouvelle rédaction avait été proposée en ce sens à la Commission chargée de rédiger le document conciliaire. Tout en reconnaissant l'intérêt et même l'importance de cette suggestion, la Commission n'a pas cru pouvoir la proposer à l'assentiment des Pères. On approchait du terme des discussions, et il semblait inopportun, voire imprudent, de jeter dans le débat un élément nouveau, de maniement délicat[137] ».

C'est du pur Benoit. L'allusion porte sur la distinction entre le monde céleste et le monde terrestre et la proposition devait venir du P. Benoit lui-même. C'était une idée qu'il avait présentée en 1961 à une Commission préparatoire au Concile ! La roue avait fait un tour complet, mais quel chemin parcouru !

Services rendus à la science

Que le P. Benoit ait participé à l'élaboration de trois des documents de Vatican II, contestés avec le plus de virulence, lui fit comprendre jusqu'à quel point la droite dans l'Église était implacablement opposée au changement. Les attaques contre les spécialistes libéraux de la Bible, qui avaient précédé l'ouverture du Concile[138], ne pouvaient être maintenues face à l'attitude ouverte et positive de la grande majorité des Pères Conciliaires. Mais, une fois ceux-ci dispersés, il était à craindre que les forces conservatrices

Humanae personnae'' (Unam Sanctam, 60), éd. J. Hamer et Y. Congar, Paris, Cerf, 1967, p. 11 note 1.

135. J. HAMER, « Histoire », p. 93.

136. Y. CONGAR, « Avertissement », p. 11 note 1.

137. « La liberté religieuse à la lumière de la Révélation », dans *La Liberté religieuse. Déclaration "Dignitatis Humanae personae''* (Unam Sanctam, 60), éd. J. Hamer et Y. Congar, Paris, Cerf, 1967, p. 210, note 5.

138. Voir J.A. FITZMYER, « A Recent Roman Scriptural Controversy », *TS* 22 (1961) pp. 424-426.

de la Curie romaine ne redoublent d'efforts acharnés pour regagner ce qu'elles avaient perdu. Afin d'éviter toute recrudescence de l'obscurantisme qui restreindrait la liberté légitime des savants et freinerait la communication de leurs recherches à l'Église tout entière, le Père Benoit décida de publier le compte rendu par le P. Lagrange, de la campagne insidieuse menée contre lui et contre l'École Biblique de 1906 à son point culminant en 1912, année qu'il appela « l'année terrible ».

Ce texte parut en 1967. Son titre était : *Le Père Lagrange au service de la Bible Souvenirs personnels*. Benoit ne cherchait pas à distribuer des blâmes ou à attiser de vieilles querelles. En fait, il soumit d'abord le manuscrit aux Jésuites de l'Institut Biblique Pontifical, parce que le Père Lagrange n'avait guère fait d'efforts pour cacher sa conviction que l'un des instigateurs des ragots malveillants qui avaient terni sa réputation et mis l'École Biblique en danger, était Léopold Fonck, s.j., le premier recteur de l'Institut Biblique Pontifical. La générosité répondit à la courtoisie du P. Benoit. Les Jésuites, qui avaient eux-mêmes subi le même genre de persécution durant la période qui précéda immédiatement Vatican II, insistèrent pour que la vérité tout entière soit rendue publique. Ils s'associèrent entièrement au but du P. Benoit, qui consistait à démontrer que l'étude critique de la Bible pouvait aller de pair avec une parfaite fidélité à l'Église et avec une foi profonde qui ne fléchissait jamais. Le Concile avait appris à tous les spécialistes que l'attitude de Lagrange envers l'Écriture Sainte était aussi importante que sa méthode. Si le savoir n'aboutit pas en service, il dégénère et devient érudition stérile.

Le P. Benoit ne croyait pas à la valeur de la science pour elle-même. Il étudiait la Parole de Dieu afin de la communiquer et ne refusa jamais une invitation à écrire un article de vulgarisation ou à faire une conférence à des non-initiés. Il ne s'abaissait jamais au niveau d'un auditoire, mais la rigueur de sa pensée était rendue accessible par la simplicité de son langage et par la clarté avec laquelle il organisait son sujet[139]. La conviction passionnée qu'il avait de l'importance de ce qu'il devait communiquer faisait toujours grande impression. Il était même disposé à faire des conférences en anglais et y réussit avec grand succès aux États-Unis (1969), en Australie (1973) et en Angleterre (1980).

Il a accepta aussi la fardeau administratif, comme une forme de service. Il édita la *Revue Biblique* de 1953 à 1963 et dirigea les deux séries de monographies : *Études Bibliques* et *Cahiers de la Revue Biblique*, jusqu'à ce qu'il prenne sa retraite. Il fut Directeur de l'École Biblique de 1964 à

---

139. Ces qualités sont parfaitement illustrées dans son livre, *Passion et Résurrection du Seigneur* (Lire la Bible, 6 ; Paris, Cerf, 1966) qui, en fait, était la reprise d'une série de conférences publiques.

1972. Avant qu'il n'occupe cette fonction, les professeurs de l'École étaient exclusivement français (au moins quant à la langue) et toute l'autorité était exercée par le directeur. Le premier acte important du Père Benoit, quand il prit ses fonctions, fut de nommer un dominicain irlandais, Jérôme Murphy-O'Connor, à la chaire néo-testamentaire. C'était là une telle innovation que le Consul Général de France éleva une protestation pour la forme. Le P. Benoit ne se laissa pas dissuader et il permit même à Murphy-O'Connor d'enseigner en anglais. Tout en étant français jusqu'au bout des ongles, le P. Benoit mettait la compétence au-dessus de la nationalité et ce fut encore lui qui prit l'initiative de recruter le professeur américain, Benedict Viviano, o.p.

En tant que Directeur, il avait la responsabilité des changements constitutionnels. Tout en étant d'un tempérament autoritaire, il avait été tellement marqué par l'esprit de Vatican II, qu'il accepta volontiers la requête des professeurs plus jeunes qui demandaient un changement radical dans les structures administratives de l'École Biblique. Durant la dernière année de sa charge, il ébaucha des statuts qui transformaient l'École en démocratie et transféraient au corps professoral le pouvoir ultime de décision.

La notoriété que valurent au P. Benoit ses apports nombreux et variés aux sciences religieuses, est mise en lumière par les distinctions honorifiques qu'il reçut. Il fut le premier catholique élu président de la Société pour l'Étude du Nouveau Testament en 1961-1962. La Société de Littérature Biblique (1963) et l'Association Catholique Biblique d'Amérique (1964), lui octroyaient le titre de membre honoraire à vie. Les Universités de Munich (1972) et de Durham (1974), le firent docteur *honoris causa*. Les papes Paul VI et Jean-Paul II le nommèrent à la Commission Pontificale Biblique (1972-87). Le gouvernement français le fit Chevalier (1959) et Officier (1974) de la Légion d'Honneur.

Pourtant, il ne produisit jamais d'œuvre majeure. À sa mort, le commentaire sur les Colossiens, auquel il travaillait depuis des années pour les Études Bibliques, demeurait inachevé. Sa large érudition, la pénétration de sa vision théologique et son jugement historique, étaient en grande partie inhibés par un perfectionnisme qui rendait impossible tout projet à long terme. Il restait toujours de nouveaux livres et de nouveaux articles à analyser. Le respect qu'il avait du jugement de ses collègues et sa propre humilité signifiaient qu'il ne parvenait jamais à finir un projet. Le côté positif de ce trait de caractère apparaît clairement dans ses recensions d'articles et surtout dans celles de livres importants. La sympathie qu'il éprouvait pour l'intention de l'auteur élevait la critique au rang d'un dialogue authentique.

Bien qu'il eut cessé d'enseigner l'exégèse en 1980, le P. Benoit continua son cours sur la topographie de Jérusalem jusqu'en 1984.

Le premier signe de sa fragilité croissante fut la chute qu'il fit en visitant des fouilles nouvelles. La cause véritable de sa faiblesse ne fut diagnostiquée que plus tard. Il souffrait d'une forme de cancer des ganglions (la maladie de Hodgkin). Après avoir été opéré d'une grosse tumeur à l'hôpital de la Hadassah à Jérusalem, il alla à Paris pour continuer son traitement. Il retourna à l'École Biblique au début de 1985 avec la bonne nouvelle que le cancer avait été enrayé. Lorsque le mal reprit au début de 1986, il préféra se faire soigner à la Hadassah de peur de mourir loin de Jérusalem. D'abord à l'École, puis dans une maison de convalescence, il continua à lutter durant une autre année et le 23 avril 1987, il mourut paisiblement à l'hôpital St-Joseph à Jérusalem. On l'a enterré parmi ses frères dans la crypte de l'École Biblique, dans la ville qu'il n'avait cessé de chérir pendant 55 ans.

Chapitre IV

MARIE-ÉMILE BOISMARD, o.p.

Nous avons déjà parlé du rôle joué par le P. Benoit dans le recrutement de deux professeurs non français pour l'enseignement du Nouveau Testament. C'est à lui également qu'est due l'adjonction à l'équipe de celui qui allait devenir son collaborateur le plus connu.

Né le 14 décembre 1916 à Seiches-sur-le-Loir, en Anjou, Claude Boismard était le quatrième des huit enfants d'Armand Boismard, homme d'affaires, et de Marie Collière. Il grandit à Angers et sa scolarité se passa d'abord au lycée David d'Angers, puis au collège Urbain Mongazon. Il fut reçu au baccalauréat de philosophie. Comme son père était tertiaire, Claude Boismard connaissait des dominicains de la Province de Lyon et admirait leur mode de vie.

En octobre 1933, il entra au noviciat de la Province de Lyon à Angers où il reçut en religion le nom de Marie-Émile. Après sa profession simple, le 4 novembre 1934, il fit deux ans de philosophie à la maison d'études dominicaine de Saint-Alban-Leysse en Savoie. Le service militaire était alors obligatoire en France et il n'y avait pas d'exceptions. Boismard fut appelé en novembre 1937 et affecté au 8ᵉ régiment technique à Versailles.

Il reçut une formation d'opérateur de radio et devait être démobilisé en octobre 1939. Mais, quand la guerre éclata on l'envoya en Belgique comme radio-technicien au Q.G. du corps d'armée de trois divisions blindées légères. Les attaques et les manœuvres de cette période confuse ne nous concernent pas ici. Qu'il suffise de dire qu'il fut un de ceux qui eurent la chance de trouver place à bord d'un bateau quittant la plage de Dunkerque, le 30 mai 1940. Après avoir passé environ une semaine dans le sud de l'Angleterre, il fut rembarqué pour Cherbourg avec le reste de son corps d'armée. Ils furent ré-équipés et se reformèrent dans la forêt de Rambouillet et tinrent une position à Pacy-sur-Eure , au sud de la Seine, avant d'être repoussés toujours plus au sud par les attaques allemandes.

Ils avaient atteint Périgueux quand le gouvernement de Vichy démobilisa l'armée. En juillet 1940. Boismard retourna au couvent de Saint Alban-

Leysse, où il fut ordonné prêtre en avril 1943 après avoir fait trois ans de théologie. Ayant remarqué l'intérêt particulier qu'il portait aux Évangiles et tout spécialement à saint Jean, ses supérieurs décidèrent qu'il fallait l'envoyer se spécialiser dans l'étude du Nouveau Testament. Comme ils pensaient qu'il fallait un doctorat de théologie pour accéder à la licence es-sciences bibliques, ils l'envoyèrent au Saulchoir, près de Paris, la seule faculté pontificale dominicaine en France. Là, au cours de la dernière année de guerre, en dépit des temps durs et des rudes conditions, il fut admis au lectorat en théologie (équivalent alors à un doctorat) pour une thèse sur *Doxa dans les Épîtres pauliniennes*, qu'avait dirigée Ceslas Spicq, o.p. Il restait à préparer la licence en Écriture Sainte, ce que les étudiants dominicains faisaient, normalement, à l'École Biblique. Aucun service maritime régulier ne fonctionnait sur la Méditerranée durant l'hiver 1945, mais Boismard se débrouilla pour trouver place dans un navire de transport de troupes qui partait de Toulon, le 31 décembre. Il débarqua à Port-Saïd, le 4 janvier 1946. Le lendemain, il prit un train de nuit avec des chargements à Kantara et à Lod, ce qui le mit à Jérusalem le 6 janvier.

Quand il eut terminé sa licence es-sciences bibliques, devant la Commission Biblique Pontificale, à Rome en novembre 1947, Boismard était destiné à retourner à la maison d'études de la Province de Lyon. Cependant, le P. Benoit n'était pas de cet avis. Prévoyant le besoin d'une spécialisation plus poussée dans l'étude du Nouveau Testament, et reconnaissant les talents extraordinaires de Boismard, il insista pour que celui-ci soit assigné à l'École Biblique. Le Provincial de Lyon s'y opposa fortement, mais dût s'incliner devant un ordre péremptoire du Maître Général. Par conséquent, en janvier 1948, le P. Boismard rejoignit le P. Vincent, le seul autre professeur de sa Province, comme membre permanent de l'École Biblique.

Les semailles

Les efforts du P. Benoit pour retenir Boismard à Jérusalem se comprenaient parfaitement à la lumière de l'étude écrite par ce dernier alors qu'il était encore étudiant. Les commentateurs n'étaient pas d'accord sur l'auteur de Jean 21. Les uns pensaient qu'il s'agissait d'un passage inséré après coup par l'auteur du quatrième Évangile, tandis que d'autres y voyaient l'ajout d'un écrivain plus tardif. Afin de décider entre eux, Boismard analysa le vocabulaire et le style du texte avec une minutie jamais atteinte auparavant[1]. Un des aspects remarquables de cette étude était la finesse du raisonnement sur les *hapax legomena*. Il les divisa en quatre catégories et les étudia selon

---

1. « Le chapitre XXI de saint Jean. Essai de critique littéraire », *RB* 54 (1947) pp. 473-501.

les synonymes et les mots de la même famille[2]. Sa conclusion était généralement nuancée : « Le chapitre XXI de l'Évangile de Jean n'a pas été écrit par Jean lui-même, mais par un rédacteur anonyme, certainement disciple de Jean, qui s'est inspiré des propres récits et du style johannique. L'identité de cet auteur demeure mystérieuse, malgré certains rapprochements curieux entre son style et celui de Luc[3] ».

Il se passa quelques années avant que Boismard ne reprenne le problème posé par les similitudes de style entre Jean et Luc et qu'il ne conclut : « Luc a certainement pris une part active à la rédaction du quatrième Évangile. Il est même probable que c'est lui qui a regroupé les diverses traditions johanniques pour les incorporer à un Évangile primitif que l'on pourrait appeler le proto-Jean[4] ».

La relation qui existe entre des observations stylistiques et l'attribution littéraire, n'est jamais d'une certitude absolue. Cette dernière appartient moins à la sphère d'un jugement objectif qu'à l'instinct artistique dont le facteur dominant est une sensibilité raffinée qui n'est pas toujours susceptible de rationalisation. Il s'ensuit qu'un jugement littéraire est toujours sujet à révision et la carrière de Boismard montre à quel point il se soumet à ce principe. Il n'a jamais eu de mal à changer d'avis, lorsqu'il était convaincu de ce qu'imposaient des données nouvelles.

Lorsqu'il considéra la relation entre Luc et Jean, en la plaçant dans la perspective plus large de tout le problème synoptique, il suggéra qu'elle s'expliquait peut-être par l'emploi de la première version de l'Évangile de Luc (proto-Luc), par un écrivain johannique[5]. Il eut à nouveau à traiter de ce problème dans le contexte de son analyse du quatrième Évangile. Il écrivit alors : « Ayant maintenant une meilleure connaissance des problèmes littéraires posés par le quatrième Évangile, nous avons cru pouvoir situer à deux niveaux différents les rapports entre Jean et Luc. Jean II-A et le proto-Luc dépendent de la même source, tandis que Jean II-B a utilisé l'ultime rédaction lucanienne, en même temps que Marc et Matthieu. N'ayant pas fait cette distinction dans le Tome II, nous avons cru devoir attribuer au proto-Luc tous les accords Luc-Jean contre Matthieu-Marc[6] ».

2. L'étude de ces pages (484-495) est un complément important aux remarques méthodologiques de G.D. Fee, en ce qui concerne ce type d'argument. (« II Corinthians vi.14-vii.1 and Food offered to Idols », *NTS* 23 [1977] p. 144).

3. « Le Chapitre XXI de Jean », p. 501.

4. « Saint Luc et la rédaction du Quatrième Évangile (Jn IV, 46-54) », *RB* 69 (1962) p. 210.

5. P. BENOIT et M.-E. BOISMARD, *Synopse des quatre Évangiles en français*, Paris, Cerf, 1972, II, pp. 16, 46, 47. Ce travail sera cité comme *Synopse II*.

6. M.-É. BOISMARD et A. LAMOUILLE, *L'Évangile de Jean* (Synopse des quatre Évangiles en français, 3), Paris, Cerf, 1977, p. 426. La terminologie employée dans cette citation sera expliquée plus loin, dans la section consacrée au quatrième Évangile.

Certains critiques ont vu dans ces changements d'opinion, une preuve de hâte et de légèreté. Ils témoignent plutôt d'un engagement idéaliste envers la vérité, allant de pair avec l'acceptation réaliste de ce que l'esprit peut assimiler à tel ou tel moment. Pour Boismard, être constant signifie toujours, tenir compte de l'évidence. Si celle-ci indique la nécessité d'une modification, il s'y plie. Il n'a jamais soutenu une position parce qu'il l'avait naguère adoptée. Ainsi, même au seuil de la vieillesse, il n'a cessé de manifester dans ses cours et dans ses écrits, la passion contagieuse de la découverte.

Au point où nous en sommes cependant de notre récit, il n'était encore qu'au début de sa carrière. Dès l'abord, on pouvait voir dans quelle partie du Nouveau Testament il devait se spécialiser. Il était exclu qu'il pénètre sur le terrain de son collègue plus âgé. Le Père Benoit avait manifesté peu d'intérêt pour le quatrième Évangile. C'était justement celui que préférait Boismard. Il décida de se préparer sérieusement en consacrant deux années à la critique textuelle (en laquelle Benoit voulait qu'on le spécialise), deux années à la critique littéraire et deux années à la théologie de l'Évangile. Seule la première partie de ce vaste programme se déroula comme il l'avait projeté.

En juin 1948, quand Boismard retourna à l'École pour y enseigner, après avoir passé à Rome son examen de licence es-sciences bibliques, l'année universitaire avait commencé et le directeur, le Père de Vaux, le dispensa de faire ses cours. De toute manière, l'exode des étudiants commença peu après, quand il devint clair que la guerre allait éclater après le départ des Anglais, au mois de mai. Les cours ne reprirent qu'en 1950. Le Père Boismard put ainsi s'adonner de tout son cœur à la critique textuelle, au cours des deux années qu'il avait voulu lui consacrer. Il s'entraîna à travailler sur des manuscrits grecs en rassemblant d'une manière nouvelle tous les textes de l'Évangile de Jean. Il y avait aussi les versions, ce qui voulait dire qu'il devait apprendre le Syriaque, le Copte, l'Éthiopien, l'Arménien et le Persan. Comme si cela ne suffisait pas, il se prépara à rouvrir la question de l'application des citations patristiques à la critique textuelle, en compilant une série systématique de citations du quatrième Évangile chez les Pères de l'Église grecs et latins. Ceci fournit les éléments de son article suivant « À propos de Jean 5, 39 — Essai de critique textuelle » (1948). Ce fut le début d'une saga qui sera traitée plus loin.

Les années 1948-50 furent aussi celles de la période de gestation de la *Bible de Jérusalem*. Le Père Boismard aurait raisonnablement pu s'attendre à être invité à collaborer en partie au corpus johannique, mais il fallait au moins que des savants plus anciens se soient vu opposer un premier refus. À la fin, l'Évangile échut à D. Mollat, s.j., et F.-M. Braun, o.p., accepta de s'occuper des Épîtres. Personne ne voulait la responsabilité de présenter l'Apocalypse. Comme il arrive souvent, aussi bien dans les Ordres religieux que dans les Universités, les tâches les plus risquées sont confiées aux jeunes. Il ne leur est pas seulement difficile de refuser ce qui est présenté comme un honneur, mais ils ont moins à perdre si les choses tournent mal. C'est ainsi que Boismard se trouva chargé du plus énigmatique des écrits johanniques.

Le problème essentiel de l'Apocalypse réside dans l'incohérence de sa structure. Visions et prophéties ne sont pas agencées selon un ordre perceptible et l'on a souvent l'impression de retourner vers des sujets déjà traités. Les commentateurs allemands négociaient ces difficultés en distinguant des sources différentes (quelque chose comme de 2 à 6 textes juifs, reliés entre eux par un rédacteur chrétien qui leur aurait, lui aussi, apporté une grande contribution personnelle). Les commentateurs français et anglais, au contraire, insistaient sur l'unité de la langue et du style.

Boismard réconcilia ces deux points de vue. Le nombre extraordinaire des doublets indiquait indubitablement deux textes indépendants au point de départ. Le style montrait qu'ils avaient été composés par le même auteur, mais à des moments différents, si l'on en jugeait par le contenu. Ainsi faisait-il remonter le texte le plus ancien à la fin du règne de Néron (54-68 ap. J.C.) ou peu après, et le second, aux environs de l'an 95, sous Domitien. Les deux documents auraient été fondus par un rédacteur chrétien qui y aurait ajouté les lettres aux Églises d'Asie vers l'an 100 de notre ère[7].

À un léger changement près, sa liste des éléments constitutifs des deux textes fut publiée dans le fascicule de 1949 de la *Bible de Jérusalem* et fut reprise dans les éditions en un volume à l'exception de la *Jerusalem Bible* de 1985. Cette divergence par rapport à la norme classique d'une Bible destinée au grand public, accordait une légitimité de facto à la critique des sources parmi les catholiques, et apprit à de nombreux lecteurs sa signification et son utilité. L'habileté pédagogique déployée dans cette présentation fut suivie, inévitablement, d'invitations à écrire sur l'Apocalypse pour d'importantes introductions à la Bible[8].

En dépit d'une telle productivité littéraire, le Père Boismard ne pouvait oublier qu'il était membre de l'École Pratique d'Études Bibliques, selon la première appellation qui avait été donnée à l'École. Comme étudiant, il avait participé à la première saison des fouilles du P. de Vaux au Tell el-Farah, près de Naplouse, en 1946. Nous le voyons ensuite monter en grade, d'abord, restaurateur de poteries (1947), puis, assistant du P. de Vaux et

---

7. « ''L'Apocalypse'' ou ''les Apocalypses'' de saint Jean », *RB* 56 (1949) pp. 507-541.

8. « L'Apocalypse » dans *Introduction à la Bible II. Nouveau Testament*, éd. A. Robert et A. Feuillet. Tournai, Paris, Desclée, 1959, pp. 710-742. « L'Apocalypse de Jean » dans *Introduction à la Bible III. Introduction critique au N.T.*, 4, éd. A. George et P. Grelot, Paris, Letouzey, 1977, pp. 13-55.

chargé de contrôler et de surveiller le site de la nécropole (1950). En 1959, il dirigea une rapide exploration de l'ouest de la Transjordanie avec le P. Benoit[9]. A cause de son éloignement et de sa plus grande diversité, cette région l'attirait beaucoup plus que la Palestine et il obtint une connaissance extraordinairement détaillée de sa topographie. Le peu de connaissance d'épigraphie grecque qu'il acquit au cours de ses expéditions, augmenta considérablement au printemps 1950, quand lui et Benoit furent chargés de déchiffrer et de relever les nombreuses inscriptions laissées par des pèlerins, du IVe au VIIe siècle sur les murs d'une grotte près de Béthanie[10].

Sur un tout autre plan, la communauté dominicaine décida que ce serait une bonne idée de maintenir le contact avec les anciens élèves et de les informer des activités de l'École. Les tâches de ce genre échoient inévitablement au dernier arrivant parmi les membres d'une équipe. C'est ainsi qu'en 1949, Boismard devint le fondateur et le rédacteur de la « Lettre de Jérusalem ». Benoit en assuma la responsabilité en 1950 et en demeura l'éditeur jusqu'à sa mort en 1987. Ce changement brutal était dû à des facteurs qui ne dépendaient pas de la volonté de Boismard. La fin de 1950 marqua l'arrêt de sa vie riche et variée à Jérusalem.

L'Université de Fribourg

La retraite spirituelle d'octobre était un temps de paix et de tranquillité. Les membres de la communauté y refaisaient leurs forces après les rigueurs du champ de fouilles de Tell el-Farah et se préparaient à affronter le début de l'année universitaire en novembre. Cette tranquillité vola en éclats à l'arrivée d'un télégramme du Maître Général des Dominicains. Il informait le P. de Vaux, Directeur de l'École, que le P. Boismard avait été nommé professeur de Nouveau Testament à l'Université de Fribourg en Suisse.

En 1889, quand cette institution fut fondée, de fait comme l'Université catholique de Suisse, la faculté de théologie fut confiée aux Dominicains. Cet honneur entraînait l'obligation de fournir des professeurs et, en 1950, le Maître Général devait trouver un remplaçant en toute hâte. La tactique qui consistait à ôter à Pierre pour donner à Paul, fut fort mal prise à l'École Biblique et le P. de Vaux télégraphia sur le champ « Départ Boismard impossible lettre suit ». La réponse de Rome arriva le lendemain. Cette fois, elle était adressée directement au P. Boismard. Elle disait : « Partez immédiatement pour Fribourg ». Dans le cadre de l'obéissance religieuse,

---

9. « Notes d'archéologie transjordanienne », *RB* 56 (1949) pp. 295-299.

10. « Un ancien sanctuaire chrétien à Béthanie », *RB* 58 (1951) pp. 200-251. Depuis, on a identifié la grotte comme étant la salle de réception de Marthe et de Marie mentionnée par Jérôme. Voir Joan TAYLOR, « La grotte de Béthanie », *RB* 94 (1987) pp. 120-123.

ceci ne lui laissait pas d'alternative et le 19 octobre 1950, il s'envola donc de Damas vers l'Europe.

Ce ne fut qu'arrivé à Fribourg que Boismard découvrit ce qui s'était passé. Il était victime d'une décision où intervenait la cour de Belgique. Au début de la Seconde Guerre mondiale, le roi Léopold III envoya son épouse et ses enfants en Suisse pour les mettre en sécurité. Un dominicain belge, le P. François-Marie Braun, professeur à l'Université de Fribourg, devint leur aumônier et finit par se lier à eux par une étroite amitié. Après que le roi fut libéré d'Allemagne, en 1945, le gouvernement ne lui permit pas de retourner en Belgique. Certains pensaient qu'il avait été sympathisant des Allemands. Il rejoignit donc sa famille à Lausanne et, bien sûr, y rencontra le P. Braun. Au plébiscite du 12 mars 1950, une légère majorité de Belges (57 %) vota le retour du roi, mais l'installation de la famille royale à Bruxelles (juillet 1950), fut suivie de longues et violentes manifestations. Dans toute cette agitation, la famille royale ressentit le besoin d'avoir auprès d'elle son vieil ami et conseiller, et le Père Braun fut subitement rappelé en Belgique pour devenir aumônier de la cour. C'était un devoir qu'il ne pouvait refuser, même si cela signifiait que Fribourg se trouvait sans professeur du Nouveau Testament au commencement de l'année universitaire.

Pour un Maître Général actif et décidé comme Manuel Suarez, le problème n'était pas compliqué. Il était obligé par contrat envers le Ministère de l'Instruction Publique du Canton de Fribourg. En outre, il fallait que les étudiants de la Faculté de Théologie puissent suivre les cours sur le Nouveau Testament afin de pouvoir préparer leurs examens et accéder à la prêtrise. Par contre, à l'École Biblique, il n'y avait pas de programme obligatoire. Étant essentiellement un institut de recherche, elle n'octroyait pas de diplômes. Par conséquent, aux yeux du Père Suarez, il semblait évident que c'était là qu'il pouvait « emprunter » un remplaçant au P. Braun.

Que telle ait été son intention, est clairement indiqué par une lettre qu'il écrivit au P. Boismard, peu après son arrivée à Fribourg. Il l'assurait que son assignation là n'était que temporaire. Mais les bonnes intentions doivent souvent céder la place à d'autres impératifs. Le Père Suarez était trop occupé pour se soucier de trouver un successeur permanent à Braun. Son attitude laissait entendre que si l'École Biblique voulait vraiment le retour du P. Boismard, elle n'avait qu'à s'arranger avec Fribourg.

À l'Université, Boismard avait une lourde charge d'enseignement. Il lui fallait enseigner la totalité du Nouveau Testament en plus du grec biblique. Comme il n'avait encore enseigné que très peu, cela signifiait que chaque cours exigeait une nouvelle préparation, et tout l'enseignement se faisait en latin. Ce dernier point était justifié par le caractère international de la Faculté, mais la concision et l'étrangeté de cette forme de communication inhibait le flot verbeux dont on pouvait s'attendre à ce qu'un jeune professeur tente d'étoffer un peu l'insuffisance de ses connaissances. En dépit de ces contraintes supplémentaires, Boismard ne se contenta pas de survivre, il réussissait fort bien.

C'est au cours de ces années à Fribourg que le Père Boismard commença à collaborer à *Lumière et Vie*, la revue théologique nouvellement fondée, de la Province de Lyon. Elle était destinée à un public de non-initiés et, pour qu'il soit plus compréhensible, chaque numéro était consacré à un seul thème. Il était demandé aux rédacteurs d'écrire sur tel ou tel aspect spécifique du sujet. Ainsi, à dix-sept reprises au cours des 30 années suivantes, le Père Boismard laissa tomber momentanément ses recherches personnelles pour donner des articles sur des sujets aussi divers que « Je renonce à Satan et à toutes ses pompes et à toutes ses œuvres » (1956) ou « Deux exemples d'évolution régressive (Jn 1, 17-3 ; Jn 5, 19) » (1980).

La plupart des sujets traitaient de problèmes fondamentaux : la divinité du Christ, le retour du Christ, la foi, le baptême, la vie nouvelle, l'eucharistie, etc. et le souci pastoral qui le poussait à accepter les demandes d'articles animait ses écrits, créant ainsi des modèles de vulgarisation authentique. Il en résultait d'autres demandes et, en 1960, il collabora par un certain nombre d'études à un périodique liturgique belge *Assemblées du Seigneur*, dont le but était de procurer aux pasteurs des éléments d'homélies bibliques.

De la grande variété de cours qu'il devait assurer à Fribourg, sont nés des articles sur Matthieu 22, 14 (1952) et Rom 1, 4 (1953), mais la littérature johannique demeurait son centre d'intérêt. Un article sur Jn 1, 18 (1952) fut à l'origine de son premier livre *le Prologue de saint Jean*. Il s'adressait « à tous ceux, prêtres ou laïcs, qui ont la volonté (et le temps) de mieux travailler *leur* Bible, afin de la mieux connaître[11] ».

J'ai mis l'accent sur le pronom possessif parce qu'il révèle une des convictions essentielles de Boismard, à savoir que le rôle de l'expert n'est pas tant de fournir les idées aux non-spécialistes, que de les rendre libres face à un Livre qui est, avant tout, source de vie. Ainsi n'épargna-t-il à ses lecteurs aucune des difficultés du Prologue. Même s'il proposait des solutions, dont certaines étaient très originales, il est clair qu'il se servait de ses grandes qualités pédagogiques pour permettre aux lecteurs de percevoir les problèmes. C'est ce don qui a fait de lui un professeur si passionnant à tous les niveaux. Bien des enseignants savent faire miroiter une réponse, mais Boismard pouvait, en plus, rendre un problème si vivant, que la recherche la plus hardie devenait un plaisir. Son attitude tout entière faisait penser à ce que disait le P. Lagrange à ses étudiants : « Maintenant, vous le voyez !

---

11. *Le Prologue*, p. 7.

Quand vous serez rentrés chez vous, vous n'aurez pas besoin de dire : "Le Père Lagrange a dit". Vous pouvez dire : "Je vois"[12] ».

Quand rien n'eut été tenté pour trouver un remplaçant à Boismard, à la fin de sa première année à Fribourg, l'École Biblique commença à s'agiter. Il était clair que si quelque chose n'était pas fait rapidement, Boismard allait devenir un membre permanent de l'Université où il était très apprécié, aussi bien par les maîtres que par les étudiants. Le P. Benoit surtout, se rendait compte que Fribourg n'avait aucun motif de remplacer Boismard. Il comprit que la seule solution consisterait à trouver un savant qui serait bien accueilli et qui voudrait bien y aller.

Son choix se porta sur le Père Ceslas Spicq, o.p., professeur du Nouveau Testament au Saulchoir. Outre de nombreux articles, Spicq avait publié de longs commentaires sur les Épîtres Pastorales (1947) et sur l'Épître aux Hébreux (1952). Son niveau universitaire dépassait ce dont avait besoin Fribourg. Savoir s'il désirait quitter la France était une autre affaire, mais le sens qu'il avait de ce qu'il devait à l'École Biblique qui l'avait formé, ajouté à une grande générosité d'esprit, le rendaient réceptif à l'appel du P. Benoit. Selon celui-ci, l'École avait besoin d'un apport de sang neuf, et Boismard aurait préféré être à Jérusalem. Donc, à l'automne 1953, Spicq commença une brillante carrière à Fribourg et Boismard retourna à l'École Biblique.

La première Épître de Pierre

Après avoir enseigné la critique des textes et étudié le quatrième Évangile, pendant quelques années, Boismard éprouvait le besoin d'élargir son horizon et, en 1955-56, il fit un cours d'introduction aux Épîtres Catholiques. Il était inévitable qu'il ait à traiter du problème fort controversé du rapport existant entre des documents baptismaux (homélies ? liturgie ?) et la Prima Petri. Étant donnée son extraordinaire habileté à percevoir les points de rencontre et les structures, Boismard fut très impressionné par la somme des points de rencontre littéraires entre celle-ci et une série d'autres lettres néo-testamentaires dressée par E.-G. Selwyn et dont ce dernier pensait qu'elles dépendaient toutes d'une catéchèse baptismale commune[13].

Boismard poussa plus loin ce raisonnement. Non seulement, il y avait des contacts verbaux entre 1 Pierre, Colossiens, Tite, Jacques et 1 Jean, mais encore pouvait-on y découvrir les mêmes modèles structuraux, c'est-à-dire la reprise des mêmes thèmes dans le même ordre[14]. En concluant cette étude,

---

12. J.F. McDonnell, o.p. « After Twenty-Five Years... » *Lagrange Lectures 1963*, Dubuque, Aquinas Institute, 1963, p. 20.

13. *The First Epistle of Saint Peter*, London, Macmillan, 1946.

14. « Une liturgie baptismale dans la Prima Petri », *RB* 63 (1956) pp. 182-208 ; 64 (1967) pp. 161-183.

il laissait entendre qu'il pourrait être profitable d'essayer de voir si, dans l'Épître aux Romains, il n'y avait pas de preuves du même modèle. Il reprit cette suggestion à son compte, deux ans plus tard, mais d'une manière inattendue.

A partir d'un cours d'exégèse sur la Prima Petri, en 1957-58, Boismard tira un livre intitulé *Quatre hymnes baptismales dans la première Épître de Pierre* (1961). Les modèles qu'il avait établis dans son étude précédente devinrent la clé de la lettre. Non seulement révélaient-ils où l'on pouvait trouver la substance des hymnes, mais la comparaison des formes différentes lui permit de séparer les hymnes primitives des additions ou des reformulations rédactionnelles. Les hymnes ainsi extraites étaient I : 1, 3-5 ; II : 3, 18-22 ; III : 2, 22-25 ; et IV : 5, 5-9.

Dans leurs recensions, les jugements des experts étaient divergents. Les uns n'y voyaient qu'une subtilité si raffinée qu'elle se détruisait elle-même, tandis que les autres saluaient un maître en critique littéraire, dont la capacité d'observation minitieuse était complétée par la profondeur de l'exégèse et par l'instinct constructif.

Au cours de son explication de ces hymnes qui, selon F.-W. Beare, était « marquée par l'exactitude philologique, le poids théologique et la chaleur de la dévotion[15] », Boismard releva des contacts entre l'Hymne I et Rom 8, 14-25, et entre l'Hymne III et Rom 6, 3-12 plus 8, 3. En vérité, ces contacts n'étaient pas très convaincants parce que ces liens étaient trop généraux. Ils lui furent utiles cependant en lui donnant l'occasion de chercher des rapports entre la Prima Petri et Romains, en dehors des hymnes. Dans sa conclusion, il aligne 1 P 2, 5 = Rom 12, 1-2 ; 1 P 3, 8-9 = Rom 12, 14-17 ; et 1 P 4, 7-11 = Rom 12, 3-13. Dans ces textes, les contacts sont tout à fait spécifiques. Les mêmes termes apparaissent selon le même ordre, ce qui suggère une dépendance directe.

Tous ces éléments furent retravaillés et repris dans l'article de Boismard « Pierre (première Épître de)[16] », qui est encore une excellente introduction à cette lettre difficile en même temps qu'une estimation critique de l'état de la recherche en 1966 et qui apporte une solution originale. Il refusait l'opinion dominante selon laquelle elle serait constituée d'une homélie baptismale (1, 3-4, 11) et d'une lettre (4, 12-5, 14), toutes deux composées par la même personne. Selon lui, les arguments n'étaient pas bien fondés et la simplicité de l'hypothèse ne rendait pas compte de la complexité des données. Il se rangea donc aux côtés de Selwyn et de E. Lohse[17].

---

15. *JBL* 81 (1962) p. 323.

16. *DBS* 7 (1966) cols. 1415-1455.

17. « Paränese und Kerygma im 1 Petrusbrief », *ZNW* 45 (1954) pp. 68-90.

Boismard cependant, soutenait qu'il était possible d'être plus complet que Selwyn et plus précis que Lohse. Outre les quatre hymnes cités ci-dessus, l'auteur de la Prima Petri utilisa les grandes lignes d'une homélie baptismale, rappelant les points essentiels de la vie chrétienne et des fragments d'un credo baptismal qui apparaissent dans 3, 18 + 21c + 22 et 4, 6. Boismard acceptait la reconnaissance d'une coloration palestinienne de ces éléments par Lohse et suggéra ensuite que, bien que leur forme définitive leur ait peut-être été donnée à Antioche, leurs racines remontaient à Jérusalem. Ceci expliquerait pourquoi la lettre fut attribuée à Pierre qui avait été à la tête de cette Église pendant les années où elle se constituait. En datant la rédaction finale de la Prima Petri, Boismard donnait plus de poids aux contacts non-liturgiques avec les lettres autnentiques de Paul, qu'au type de persécution auquel se réfère la lettre ou qu'à la date tardive de la première attestation de la Prima Petri. Ainsi l'attribua-t-il à Sylvain, qui avait été le compagnon de Paul, autour des années 80-95.

La synopse des Évangiles

Si important qu'ait été son travail sur la Prima Petri, il ne représentait qu'une faible part de la production littéraire de Boismard au cours des dix années qui suivirent son retour à Jérusalem. Il consacra presque tous ses efforts au quatrième Évangile et sa position parmi les tout premiers spécialistes de saint Jean fut confortée par huit articles aux vues extrêmement nouvelles. Tous s'attendaient à ce qu'il produise un commentaire majeur de saint Jean qui rivaliserait avec celui de Bultmann. On ne fut donc pas surpris que son livre suivant : *Du Baptême à Cana* (*Jn* 1, 19-22, 11), paru en 1956, fasse suite à celui sur le Prologue. Le livre qui parut ensuite n'avait cependant rien à voir avec Jean. C'était une analyse littéraire, qui allait faire date, des trois Évangiles synoptiques. Elle parut en 1972, après un silence de six ans, au cours desquels il n'avait publié aucun article. Quelle était la cause de ce brusque changement de direction ?

À la fin des années 50, le P. Chifflot, des Éditions du Cerf à Paris, avait demandé à l'École Biblique, de voir s'il ne serait pas possible de faire une synopse basée sur les traductions évangéliques de la *Bible de Jérusalem* et qui comporterait également de courtes notes sur les rapports littéraires entre Matthieu, Marc et Luc. Le P. Benoit accepta l'offre pour son compte personnel. Si Lagrange avait écrit une synopse[18], il convenait que lui aussi fasse de même. À l'époque, l'École avait un secrétaire extrêmement compétent, Fawzi Zayadine, qui devint plus tard un archéologue distingué et occupe

18. *Synopsis evangelica graece*, avec la collaboration de C. Lavergne, Barcelone, éditions Alpha, 1926.

une position élevée au Service des Antiquités de Jordanie. Benoit pensait avec raison qu'il était capable de bâtir un texte imprimé en colonnes parallèles que lui-même corrigerait ensuite. Les notes, enfin, lui donneraient l'occasion de démolir la théorie des Deux Sources.

Cependant, lorsqu'il commença ce travail, Benoit se rendit compte que ce n'était ni aussi simple, ni aussi facile que ce à quoi il s'attendait. La liberté laissée aux traducteurs de la *Bible de Jérusalem* signifiait qu'il n'y avait pas d'uniformité dans la manière dont tel ou tel mot était traduit. Ce point ralentit considérablement le travail préparatoire à la synopse. Afin d'accélérer un peu les choses, Benoit fit appel aux services de François Langlamet, o.p., et de L.-M. Dewailly, o.p. Mais le premier, alors étudiant, était destiné à l'étude de l'Ancien Testament et le second devait bientôt retourner en Suède où l'attendait un ministère très contraignant. Leur concours ne pouvait qu'être limité. Un engagement avait cependant été pris et le Cerf avait annoncé officiellement la publication de la synopse. Il n'y avait d'autre solution que de faire appel à Boismard, bien que le P. Benoit aurait voulu le laisser libre de se consacrer à Jean et à la critique textuelle.

Avec sa générosité habituelle, Boismard répondit en composant plus de 70 % des péricopes de la synopse.

L'adoption qu'il fit du principe de Benoit consistant à consacrer une ligne entière à des éléments identiques, si petits soient-ils, facilitait considérablement la comparaison entre les différents Évangiles. Il en était de même de l'emploi d'un signe indiquant les cas où un mot français unique devait servir à rendre plus d'un mot ou plus d'une expression de la langue grecque. Une autre innovation, afin de faciliter une fois de plus le travail de l'étudiant, fut de placer les doublets et les termes comparables d'un même Évangile, en colonnes parallèles, au lieu de les reléguer dans des notes en bas de page, comme c'était le cas dans les autres synopses. Cela signifiait souvent six colonnes et alla même une fois jusqu'à sept (section 295). Mais, l'ingéniosité de la présentation, due, pour une bonne part, à J.-M. Rousée, o.p., donnait des pages claires, aérées et belles, même lorsqu'elles devaient aussi présenter les résultats les plus importants du travail de Boismard sur la critique textuelle.

Le nombre de pages augmentait à mesure que se multipliaient les colonnes parallèles. Bientôt il était clair que la synopse allait être en elle-même une œuvre majeure, tant par sa présentation que par son contenu. C'est ainsi qu'elle fut publiée en 1965, sous le titre de *Synopse des quatre Évangiles en français, avec parallèles des apocryphes et des Pères : Textes*. Elle servit immédiatement de point de référence pour ce genre d'ouvrage, car la clarté de la présentation visuelle est la seule justification à la publication d'une synopse[19].

---

19. La seconde édition (1972) fut révisée par Pierre Sandevoir, pour cerner davantage le

À ce moment-là, la seule synopse grecque un peu à jour était celle publiée par K. Aland, en 1963[20]. Mais, une fois jugée selon le nouveau critère, ses défauts devenaient manifestes, particulièrement le fait de placer l'apparat textuel à la fin de chaque péricope, ce qui brisait l'unité de la page et tout sens de la continuité des Évangiles. On savait cependant que H. Greeven préparait une nouvelle édition de la synopse de Huck-Lietzmann depuis 1952 et l'on espérait qu'il profiterait du progrès accompli dans la structure des synopses. Le livre parut enfin en 1981[21].

L'accueil qu'il reçut fut mitigé. Il ne contenait pas tout Jean, au contraire de celui de Benoit et Boismard, mais les parallélismes qu'il donnait étaient plus détaillés que dans leur synopse. En outre, la présentation des doublets pouvait aller jusqu'à dix colonnes (la première prédiction de la Passion, pp. 132-133). Ces gains étaient cependant compromis par la présentation, comme le notait Boismard : « Celui qui ouvre pour la première fois la synopse de Huck-Greeven est aussitôt frappé (désagréablement) par le fait suivant dans de nombreuses pages, les colonnes réservées à chaque Évangile s'élargissent, se rétrécissent, se compénètrent, d'une façon assez déroutante[22] ». Pour ne donner qu'un seul exemple, le texte de Lc 9, 31-32, traverse toute la page avec quatre lignes dans la colonne de Marc et deux dans celle de Matthieu (p. 135). De plus, l'appareil textuel nécessité par la réédition de Greeven, occupe, en moyenne, la moitié de chaque page.

Là-dessus, Boismard décida de céder aux requêtes nombreuses et répétées qui lui demandaient de présenter une synopse grecque qui comprendrait tous les avantages de la version française. C'est ainsi que naquit la synopse de Boismard et Lamouille[23]. Loin de n'être qu'une simple présentation du texte grec sous-jacent au texte français, elle reflétait l'expérience et l'approfondissement de vingt années de travail supplémentaire sur les Évangiles. Elle montrait aussi que ses auteurs savaient apprendre chez leurs concurrents. Boismard avait loué l'extraordinaire clarté de la synopse d'Orchard : « Priorité absolue est donnée au texte grec qui occupe toute la page, avec pour seule interruption les numéros et les titres des péricopes,

---

sens littéral. La troisième édition fut révisée à nouveau par Boismard et Lamouille qui tentèrent de rendre toujours le même terme grec par le mot français. Ils ajoutèrent également une concordance montrant : (a) les mots préférés des Évangiles de Mt, Mc et Lc ; (b) les mots employés par deux Évangiles, mais non par le troisième ; et (c) les cas où l'on ne pouvait pas traduire littéralement.

20. *Synopsis Quattuor Evangeliorum. Locis parallelis evangeliorum apocryphorum et patrum adhibitis*, Stuttgart, Würtembergische Bibelanstalt.

21. *Synopsis of the First Gospels with the Addition of the Johannine Parallels*, 13th edition fundamentally revised by Heinrich Greeven, Tübingen, Mohr (Siebeck).

22. *RB* (1983) p. 443.

23. *Synopsis Graeca Quattuor Evangeliorum*, Louvain-Paris, Peeters, 1986.

donnés avec une grande discrétion... Les notes de critique textuelle, très sélec-
tives, sont placées en fin de volume, de façon à laisser toute la place de chaque page au texte grec[24] ».

Boismard et Lamouille ne pouvaient suivre Orchard sur ce dernier point,
parce que leur programme était plus complexe. Il leur fallait avancer en critique textuelle, tandis que lui ne s'intéressait exclusivement qu'à une solution particulière du problème synoptique. Ils réduisirent cependant au minimum le nombre des données connues en refusant de reproduire la vingt-
sixième édition de Nestle-Aland et se servirent d'un ravissant caractère
d'imprimerie grec pour diminuer l'espace en bas de page, réservé aux textes
non canoniques importants. Ils allèrent un peu plus loin qu'Orchard en supprimant les titres des péricopes, de sorte qu'aucun élément étranger ne vienne
couper la lecture du texte et, en maintenant des colonnes supplémentaires
pour les doublets intérieurs aux Évangiles, ils lui demeuraient supérieurs.
Si nous considérons ce à quoi est censé servir une synopse, celle de Boismard et Lamouille est la plus réussie.

Le problème synoptique

En rendant compte de cette synopse française, J.A Fitzmyer, s.j., com-
mentait : « Quand elle sera terminée, cette œuvre offrira indubitablement
aux exégètes du Nouveau Testament une raison supplémentaire d'avoir de
la reconnaissance envers les PP. Dominicains de l'École Biblique de Jérusalem et de reconnaître ce qu'ils leur doivent[25] ». En parlant d'une œuvre
non terminée, il faisait, bien sûr, allusion au commentaire littéraire qui avait
été renvoyé au second volume. La conception que le P. Benoit se faisait de
ce commentaire comme d'un moyen efficace de critiquer la théorie des Deux
Sources, avait dû être abandonnée depuis longtemps, non qu'il ait changé
d'avis sur le problème des synoptiques, mais parce que le P. Boismard l'avait
convaincu qu'ils ne pouvaient se contenter d'une conclusion purement négative. À moins qu'elle ne soit supplantée par une hypothèse plus adéquate,
la théorie des Deux Sources, quels que soient ses défauts, continuerait à occuper le terrain. S'ils voulaient donc être efficaces, il leur faudrait élaborer
une nouvelle théorie synoptique.

Le P. Benoit refusa cette proposition sous prétexte qu'il était déjà
engagé dans un projet de longue haleine, le commentaire sur les Épîtres de
la Captivité, qui avait la priorité. Boismard resta seul à porter toute la res-

---

24. J.-B. ORCHARD, *A Synopsis of the Four Gospels in Greek arranged according to the
Two-Gospel Hypothesis*, Edinburgh, Clark, 1983. Recensé par Boismard, *RB* 93 (1986)
pp. 470-471.

25. *TS* 27 (1966) p. 153.

ponsabilité du travail projeté. En dépit de cette perspective effrayante, son esprit entreprenant exultait à la pensée de développer une hypothèse basée sur l'étude détaillée de tous les éléments des synoptiques. Personne n'avait encore essayé de le faire. Comme Christophe Colomb, il ignorait ce qui se trouvait par-delà l'horizon. Comme Colomb ne tenait pas compte de ceux qui le prévenaient que la terre était plate, Boismard ne se souciait guère de ceux qui insistaient sur ce qui était comparable à cet avis au plan néo-testamentaire : la théorie des Deux Sources ne correspondait pas plus aux faits que la théorie de la terre plate. Colomb, cependant, atteignit le but désiré beaucoup plus vite que Boismard. Il lui fallut seulement 71 jours pour trouver une terre à l'Occident et les dangers qu'il affronta n'étaient que physiques ; la quête de Boismard dura six ans et le mena au bord de la dépression nerveuse.

Il est difficile, même à des spécialistes, de mesurer l'amplitude de la tâche qu'il s'était imposée. Il ne partait d'aucune idée préconçue. Il n'avait pas de thèse à prouver. Il pensait simplement que chaque Évangile était composé de strates superposées et sa méthode consistait à creuser aussi profondément dans chaque texte, que celui-ci le permettait. Au cours de son travail, il formulait des hypothèses partielles, les affinait, les écartait, ou les combinait. Il lui fallait sans cesse ré-écrire ses notes, encore et encore, et il n'était aidé par aucun secrétaire. À l'effort qu'il faisait pour essayer de discerner une ligne conductrice, parmi un nombre presque infini de variantes, vint se mêler la guerre des six jours, de juin 1967. Il fut retenu dans le jardin pendant 24 heures avec les autres professeurs, tandis que l'École était occupée et pillée par l'armée israélienne. Certains de ses amis arabes furent tués ou maltraités. L'humiliation systématique des vaincus fut plus qu'il ne pouvait supporter. Il travaillait de plus en plus lentement et finit par s'arrêter complètement ; il fut mis au repos complet en novembre 1967.

Le 29 février 1968, il rentra de Paris tout regaillardi. Il avait appris qu'il y avait des limites à ses forces. Il aida à construire le tennis de l'École et commença à jouer régulièrement. Chaque fois que se manifestaient des symptômes de tension, il se mettait en congé. Tout ceci ralentissait son rythme et l'on avait l'impression que le projet ne s'achèverait jamais. Pour l'année universitaire suivante, l'École le dispensa de cours et des recensions de livres. Durant tout l'hiver 1968-69, il travailla à Paris de pied ferme. Désormais, il savait où il allait, mais il commençait à craindre le danger du subjectivisme. Pour se développer, sa théorie avait besoin d'être contrôlée et stimulée par une émulation constructive.

Il persuada Pierre Sandevoir de venir à Jérusalem pour l'année 1969-70. Ancien élève de l'École Biblique et prêtre de l'archidiocèse de Paris, ce dernier avait travaillé aux Éditions du Cerf sur la Concordance du Nouveau

Testament qui était sur le point d'être publiée[26]. Ceci l'avait alerté sur le besoin de révision de la synopse française et il prit sur lui la responsabilité d'une seconde édition. Dans ce contexte, il était facile de stimuler son intérêt quant au problème synoptique.

Peu après son retour à Jérusalem, au début de 1969, un étudiant de la Province dominicaine de Toulouse, prit contact avec le Père Boismard et lui demanda d'être son patron de mémoire. Il s'agissait d'Arnaud Lamouille, qui allait devenir son principal collaborateur. Né à Toulouse, le 5 septembre 1938, il entra dans l'Ordre en octobre 1958, tout de suite après son baccalauréat. Après son ordination, le 4 juillet 1965, il acheva son cycle normal en théologie et passa huit mois en Allemagne pour apprendre la langue avant de venir à Jérusalem à l'automne 1968. Son mémoire sur la péricope complexe du possédé de Gérasa (Mc 5, 1-20 et parallèles) révélait ses dons de critique littéraire dont la subtile façon d'aborder les textes était très proche de celle de Boismard.

Après que son mémoire eut été approuvé, à Pâques 1970, Boismard l'invita à rester encore un an pour l'aider à achever son commentaire. Il accepta et ce fut lui qui permit à Boismard, non seulement d'achever son projet, mais aussi d'en envisager d'autres. Pourtant, Lamouille n'avait aucun désir de devenir professeur à l'École Biblique. Aussi, quand les dernières épreuves eurent été achevées, en juillet 1971, il rentra en France et commença un fructueux apostolat biblique. Il pensait en avoir fini avec l'École Biblique, mais la Providence en décida autrement.

Ceux qui abordent un passage d'Évangile avec les œillères de la théorie des Deux Sources, commencent invariablement par comparer les deux, trois ou quatre versions de la péricope. En fait, cela est même envisagé comme principe de méthode[27]. Le défaut le plus évident d'un tel système est qu'il n'est pas applicable aux textes qui n'ont pas de parallèles. Boismard pensait, au contraire, que chaque version devrait être étudiée par elle-même et pour elle-même, avant de se soucier des parallèles. Dans de nombreuses parties de la *Synopse II* (1972) il est possible de suivre le processus par lequel il est parvenu à ses conclusions, tandis qu'à d'autres endroits, la clarté exigeait qu'il présente d'abord sa conclusion et ensuite les arguments qui l'étayaient.

Travailler sur des morceaux choisis était une expérience instructive pour les étudiants, mais plus tard, Boismard et Lamouille simplifièrent ce pro-

---

26. *Concordance de la Bible. Nouveau Testament*, par sœur JEANNE-d'ARC, M. BARDY, O. ODELAIN, P. SANDEVOIR, R. WEGUINEAU, Paris, Cerf/Desclée, 1970. Cf. *RB* 78 (1971) pp. 438-442.

27. Cf., par exemple, H. ZIMMERMANN, *Neutestamentliche Methodenlehre. Darstellung der historischkritischen Methode*, Stuttgart, Katholisches Bibelwerk, 1967.

cessus en publiant un petit manuel de critique littéraire qui apprenait à se débrouiller tout seul[28]. Ils commençaient par expliquer un certain nombre d'indices qui montrent qu'un passage d'Évangile n'a pas d'unité littéraire, par exemple, que le texte comporte une tension interne, ou une contradiction, une note ressemblant à un commentaire, une reprise[29], une discontinuité dans la pensée, un doublet verbal ou structurel, un changement de vocabulaire et/ou de style, des perspectives théologiques différentes, des variantes textuelles (montrant que des scribes y avaient vu un problème). Ils montrent alors, sur une série de passages tirés de Marc, Luc, Jean et les Actes, comment se servir de ces clés pour ouvrir l'histoire littéraire d'un texte.

Ce ne fut qu'en exploitant systématiquement de tels indices dans chaque péricope des synoptiques, que Boismard finit par élaborer une hypothèse qui rendait pleinement justice à toutes les données. Il n'est pas étonnant de voir qu'elle est beaucoup plus complexe que la théorie simpliste des Deux Sources. Dans la *Synopse II*, il distingue trois étapes dans la tradition écrite des Évangiles ; la troisième et dernière est représentée dans les quatre Évangiles dans leur forme actuelle. Au premier niveau qui est le plus primitif, il discerne quatre documents qu'il appelle A, B, C et Q. Ce dernier est un des éléments-clés de la théorie des Deux Sources, qui lui permet d'expliquer en grande partie la double tradition. Boismard, cependant, s'écarte du consensus en attribuant à Q des passages qui ne se trouvent que dans Lc ou Mt, et en refusant certaines parties de la double tradition. Il avouera plus tard être incapable de décider si Q formait une unité bien définie.

D'autre part, les documents A, B et C forment des unités homogènes qu'il n'hésite pas à appeler des Évangiles. *Le document A* fut composé en Palestine, dans une communauté judéo-chrétienne. Ses récits sont, en général, simples et concrets, et sont souvent composés selon le cadre d'une histoire vétéro-testamentaire. Il y a peu de citations explicites de l'Ancien Testament, mais les allusions au texte de la Bible hébraïque sont fréquentes. Ce document fut alors réinterprété dans un milieu chrétien issu du paganisme, donnant ainsi naissance au *document B* qui, parmi d'autres particularités, cite l'A.T. selon la version de la Septante. Boismard dit que Paul connaissait le *document B* quand il écrivit l'Épître aux Romains. Cela lui permet de le dater d'avant l'an 57. Comme le *document A* doit être plus ancien, il le situe aux environs de l'an 50.

---

28. *La vie des Évangiles. Initiation à la critique des textes*, Paris, Cerf, 1980. Traduit en allemand et en espagnol.

29. BOISMARD a écrit un article important sur cette technique rédactionnelle, « Un procédé rédactionnel dans le quatrième Évangile : la Wiederaufnahme », dans *l'Évangile de Jean, sources, rédaction, théologie* (BETL 44), éd. M. de Jonge, Gembloux-Louvain, 1977, pp. 235-241.

Le *document C* était entièrement indépendant des deux autres et reflète des traditions différentes et plus anciennes. Comme il donne la pré-éminence à Pierre, Boismard suggère qu'il s'agit peut-être de « l'Enseignement de Pierre » que connaissait Ignace, ou des « Souvenirs de Pierre » dont parle Origène.

Selon Boismard, l'étape seconde ou intermédiaire de la tradition écrite de l'Évangile est également constituée de quatre documents :

Marc-intermédiaire aurait sa source principale dans le document B, mais s'est également servi du document A et, dans une moindre mesure, du document C. Le rédacteur n'a pas simplement réuni ces documents, il les a organisés soigneusement, afin de mettre en lumière certains thèmes théologiques. Il s'intéressait particulièrement aux exorcismes, et c'est lui qui rapporte la plupart du temps des ordres de Jésus interdisant de parler de son ministère. Il donnait une place prépondérante à la foi et aux thèmes annexes du rejet des Juifs en tant que peuple choisi et de l'appel des païens au salut. L'importance donnée à ce dernier thème, associé à la façon dont le rédacteur modifiait et expliquait ses sources pour les rendre plus intelligibles à des lecteurs non-juifs, indique que *Marc-intermédiaire* fut écrit pour des païens convertis.

Matthieu-intermédiaire ne s'est inspiré que de deux sources : Q et le document A, celui-ci étant le plus important. Le souci principal du rédacteur était de mettre en relief l'enseignement de Jésus, en montrant qu'il conservait l'essentiel de la Loi de Moïse, tout en s'opposant à l'interprétation étroite des scribes et des Pharisiens. Un tel intérêt porté à la Loi révélait que *Matthieu-intermédiaire* fut composé dans des cercles judéo-chrétiens, mais en dehors de la Palestine, car l'Ancien Testament est cité selon les versions grecques attribuées à la Septante ou à Théodotion. Comme le rédacteur était fortement influencé par le Traité des Deux Voies, qui était connu dans toute l'Égypte et surtout à Alexandrie, Boismard suggérait que cette ville aurait été le lieu de sa composition et que l'on pourrait dater le document d'avant la chute de Jérusalem en 70.

Matthieu-intermédiaire fut la source principale du *Proto-Luc* qui dépendait aussi de Q, du document B et du document C. Comme beaucoup d'autres, Boismard avait été mené à imaginer un Proto-Luc, afin d'expliquer les convergences entre Luc et Jean et les convergences entre Matthieu et Luc contre Marc. En dépit des différences de perspective théologique entre le Proto-Luc et Luc, Boismard atrribue les deux ouvrages au même auteur, parce que leur style et leur vocabulaire sont identiques.

Boismard soutenait en outre que certaines parties du Proto-Luc avaient été abandonnées lors de sa dernière rédaction. Elles avaient été conservées en *Jean* dont le proto-Luc était une des sources principales, les autres étant les documents B et C. Il avait soin de faire remarquer cependant que ces conclusions au sujet du dernier Évangile ne se rapportaient qu'aux passages communs entre Jean et les Synoptiques. Mais il laissait entendre que ces textes auraient peut-être besoin d'être modifiés, ce qui se vérifia lorsqu'il compléta son étude sur l'œuvre entière de Jean.

L'étape terminale de la tradition écrite est représentée par la rédaction finale des Quatre Évangiles dont la structure (sauf chez Jean) fut déterminée par Marc-Intermédiaire.

L'édition finale de *Marc* fut influencée non seulement par ce document-clé, mais aussi par Matthieu-intermédiaire et par le Proto-Luc. Dans le style du dernier rédacteur, Boismard décela ce qu'il a appelé des « paulinismes » et des « lucanismes » et, par conséquent, attribua la forme finale de Marc à un disciple de Luc.

Le dernier rédacteur de *Matthieu* ne connaissait que Matthieu-intermédiaire et Marc-intermédiaire et il aligna systématiquement le premier sur le second. De plus, il groupa les histoires et les dits de ses sources et porta jusqu'à cinq le nombre de discours qu'il trouva dans Matthieu-intermédiaire. Le style et le vocabulaire du dernier rédacteur de Matthieu manifestait, selon Boismard, le même type de « lucanisme » qui lui avaient paru être caractéristiques du dernier rédacteur de Marc. Il en concluait qu'il s'agissait d'une seule et même personne, ou, à tout le moins, de membres de la même école lucanienne.

Le travail du dernier rédacteur de *Luc* consistait à compléter le Proto-Luc en fonction de Marc-intermédiaire. Boismard suggérait que le Proto-Luc et les Actes des Apôtres formaient à l'origine un seul document. Quand Luc eut pris connaissance du contenu de Marc-intermédiaire, il résolut d'élargir la partie de son œuvre se rapportant au ministère de Jésus. L'épaisseur du document ainsi augmenté le rendait trop pesant et Luc en fit deux livres séparés. Ceci nécessitait à la fois une conclusion à l'Évangile et une introduction aux Actes. Ce sont là, en effet, des doublets.

La rédaction finale de *Jean* n'était pas très longue. Le rédacteur se contenta d'y introduire des éléments tirés de la version finale de Matthieu.

Comment réagit le monde des spécialistes ? Il y avait ceux qui trouvèrent le moyen d'ignorer une œuvre aussi massive, reconnaissant ainsi implicitement la force de ses arguments[30]. Il y avait ceux qui, après avoir considéré la théorie, la niaient carrément, par exemple, Bruno de Solages, qui soutenait que l'on devrait donner plus de poids à l'ordre des péricopes qu'à leurs détails[31].

---

30. Par exemple, J.A. FITZMYER, *The Gospel according to Luke (I-IX)* (AB), Garden City, Doubleday, 1981, pp. 63-106.

31. « Une question de méthode : A propos de la théorie synoptique du P.M.-É. Boismard », *BLE* 74 (1973) pp. 139-141.

Il y en avait également qui trouvaient une telle attention aux détails intéressante, mais d'une complexité inacceptable. H.F.D. Sparks, lui-même éditeur d'une synopse, parlait certainement au nom de plusieurs en écrivant : « Le plus grand obstacle qui se dresse devant cette théorie est cependant sa complexité. Si la préhistoire des Évangiles fut, en vérité, aussi compliquée que le suppose le P. Boismard, (et il n'y a, a priori, aucune raison valable pour qu'elle ne l'ait pas été), la question se pose inévitablement de savoir s'il est possible à un savant du XXe siècle, quel qu'il soit, d'en démêler l'écheveau avec autant de précision et de succès que prétend l'avoir fait Boismard. Et, si c'est impossible, on en pourrait conclure qu'à mesure que se compliquent les théories d'explication des correspondances entre les Évangiles, celles-ci deviennent sujettes à caution et, nécessairement, moins convaincantes bien que dire cela n'est pas prétendre qu'elles sont par conséquent plus éloignées de la vérité que les théories beaucoup plus simples auxquelles nous sommes habitués depuis longtemps. En d'autres termes, il nous faudra désormais, soit nous contenter d'une des solutions plus simples, soit admettre franchement que le problème est insoluble si nous nous appuyons uniquement sur les seules preuves existantes[32] ». Bref, une mauvaise hypothèse, pourvu qu'elle soit simple, est préférable à n'importe quelle hypothèse compliquée ! On aurait difficilement pu présenter avec plus de délicatesse la position des partisans de la théorie des Deux Sources.

Les théories cependant, doivent être jugées non en fonction de l'énergie et de la satisfaction de leur interprète, mais selon leur adaptation aux données. Le côté positif de la réaction de Spark fut exprimé par W. Wink : « Nous avions toujours su que le problème était peut-être plus complexe que nous ne l'avions imaginé. Nous avions eu raison d'essayer de ramener cette complexité à un ensemble plus réduit. Si cette tentative a échoué, il nous faut alors être prêts à faire courageusement face à la complexité jusqu'à ce qu'elle se plie à quelque dessein intelligible et fiable[33] ».

Wink n'était qu'un commentateur parmi d'autres à admettre que, quoi que l'on pensât de la théorie personnelle de Boismard, il avait démontré d'une manière convaincante, la nécessité d'une vision moins simple de la préhistoire évangélique[34]. Wink s'en donne la preuve à lui-même en faisant ce que des commentateurs moins critiques n'avaient pas fait. « Dans les limi-

---

32. *JTS* 25 (1974) p. 486.

33. *CBQ* 34 (1973) p. 225.

34. E.P. SANDERS écrivit « qu'il partageait le point de vue de Boismard, selon lequel nous avons atteint l'étape où il nous faut considérer des solutions complexes du problème synoptique. Il est utile d'avoir un point de vue qui permette à l'étudiant de penser que, dans n'importe quel passage, les relations entre Évangiles peuvent aller en plusieurs sens. » (*JBL* 94 (1957) p. 130). De même, S. LÉGASSE, *BLE* 74 (1973) p. 152.

tes d'une brève recension, il m'est impossible de reproduire les expériences de vérification que j'ai effectuées sur la thèse de Boismard. Je ne puis en indiquer que la procédure et le résultat. J'ai d'abord choisi trente péricopes et vérifié l'explication que Boismard donne de leur développement en la comparant aux phénomènes tels qu'ils sont vus dans la *Synopsis* d'Aland. Puis, je me suis demandé si l'hypothèse de deux documents pouvait expliquer les mêmes phénomènes aussi bien, ou mieux. Ensuite, j'ai essayé l'hypothèse de Griesbach sur les mêmes passages. Dans environ les deux tiers d'entre eux, j'ai trouvé les explications de Boismard convaincantes ou, à tout le moins, parfaitement concevables et supérieures à l'une ou l'autre alternative[35] ».

Il confirmait ainsi le jugement de X. Jacques, s.j., selon lequel Boismard avait produit « un travail magistral qui pose un nouveau et important jalon dans l'étude d'une question difficile[36] » et justifiait ceux qui avaient comparé son livre au *Geschichte der synoptischen Tradition* de R. Bultmann[37]. Il n'ouvrait pas un nouveau champ de recherche comme l'avait fait cette œuvre classique, mais il couvrait pareillement l'ensemble de la tradition évangélique, il présentait la même originalité de vues, le même courage et la même hardiesse dans les hypothèses et le même côté provocant par le manque d'ambiguïté dans la présentation.

A ce niveau de la recherche, avoir raison est moins important que d'être un élément stimulant de la quête en cours. Ce qu'appelait l'hypothèse provocante, mais nullement arbitraire de Boismard, était « un flot de dissertations et une décennie de débats[38] ». On ne pouvait juger adéquatement d'une œuvre si vaste dans sa vision, si minutieuse dans le détail, qu'après avoir étudié longuement et intensément l'interaction entre le texte et la thèse. Il est difficile d'expliquer pourquoi on ne l'a pas fait. La seule discussion détaillée de l'œuvre de Boismard porta sur des aspects particuliers.

Le quatrième Évangile

Après la publication de sa théorie synoptique en 1972, l'attention de Boismard se porta à nouveau sur l'Évangile de Jean. Il ne s'agissait pas seulement de son premier amour, mais il avait travaillé sur les péricopes dont on trouvait des parallèles dans les synoptiques et il avait grande envie d'étendre le même type d'analyse littéraire à l'ensemble de cet Évangile. Au cours de son projet synoptique, il avait cependant appris deux choses, les limites

---

35. *CBQ* 34 (1973) p. 224.
36. *NRT* 94 (1972) p. 807.
37. E.P. Sanders, *JBL* 94 (1975) p. 128 ; voir aussi *RB* 79 (1972) p. 435.
38. W. Wink, *CBQ* 34 (1973) p. 225.

de ses propres forces et les avantages de travailler avec un partenaire. C'est ainsi qu'il invita A. Lamouille à quitter la France et à revenir à l'École afin d'être co-auteur d'un livre sur Jean.

Tandis qu'il attendait la réponse de la Province de Toulouse, les réflexions de Boismard sur les problèmes de l'Évangile donnèrent naissance à deux articles. L'un était une étude de Jn 10, 24-39 pour le Schnackenburg *Festchrift*[39], et l'autre une combinaison inhabituelle de topographie et de théologie destinée à confirmer l'identification de Aenon, où Jean-Baptiste exerçait son ministère, avec Aïn Farah, au cœur de la Samarie[40].

Enfin, arrivèrent l'accord de Lamouille et l'autorisation de sa Province et, à la fin de l'été 1973, ils commencèrent leur étude de Jean. Cette fois-ci, cependant, ils travaillaient en très étroite collaboration, si étroite, que, dans la préface au magnifique volume, *L'Évangile de Jean* (1977), Boismard écrivait : « Il est impossible de préciser ce qui revient à l'un ou à l'autre dans l'œuvre définitive. Chaque note a connu quatre ou cinq rédactions successives, à mesure que notre théorie générale se précisait et porte l'empreinte plus ou moins profonde de la réflexion de l'un et de l'autre[41] ». Néanmoins, pour ce qui était de Boismard, ce livre était le couronnement de trente ans de travail sur le quatrième Évangile. Il était le reflet d'intuitions et d'options bien antérieures.

a) Critique textuelle

Dans la préface à laquelle nous venons de nous référer, Boismard déclarait qu'il portait la pleine responsabilité des notes sur la critique textuelle. Un peu plus tard, il expliquait sa méthode : « Sauf exception, on devra choisir la leçon la plus difficile, celle qui contredit la tendance facilitante des scribes, celle qui peut expliquer la genèse des autres, même si elle n'est attestée que par un petit nombre de manuscrits, voire par les seules versions anciennes ou citations patristiques[42] ». En affirmant ainsi qu'il préférait peser chaque variante plutôt que de compter simplement des manuscrits, Boismard se présentait comme quelqu'un d'éclectique et se rangeait parmi une minorité de spécialistes travaillant sur ce terrain[43]. Cependant, les derniers mots du texte cité l'excluaient même de ce groupe minuscule, bien qu'ils lui auraient

39. « Jésus, le Prophète par excellence, d'après Jean 10, 24-39 » dans *Neues Testament und Kirche*, éd. J. Gnilka, Freiburg, Herder, 1974, pp. 160-171.

40. « Aenon, près de Salem (Jean III, 23) », *RB* 80 (1973) pp. 218-229.

41. *L'Évangile de Jean* (Synopse des Quatre Évangiles en français, 3) avec la collaboration de G. Rochais, Paris, Cerf, 1977, p. 7.

42. *Évangile de Jean*, p. 11.

43. Cf. par exemple, J.K. ELLIOTT, « Plaidoyer pour un éclectisme intégral appliqué à la critique textuelle du Nouveau Testament », *RB* 84 (1977) pp. 5-25.

valu un accueil chaleureux de la part de nombre d'illustres spécialistes du passé. Au début du XXᵉ siècle, F.-C. Conybeare, en Angleterre, et F. Blass en Allemagne, avaient insisté sur l'importance des citations patristiques pour retrouver les textes authentiques que la tradition avait perdus. Leurs efforts ne leur avaient valu qu'un sourire amusé. Le témoignage patristique pourrait tout au plus servir à confirmer l'interprétation d'un manuscrit, disaient pompeusement les autorités[44]. Dès le début de sa carrière, Boismard avait jeté le gant aux autorités établies de la critique textuelle. En 1948, alors qu'il étudiait Jean 5, 39, il découvrit que la meilleure lecture, en termes de probabilité intrinsèque, n'apparaissait dans aucun manuscrit, mais était amplement attestée par les versions et par les Pères[45].

Il insista beaucoup sur l'importance des Pères, dans son article-programme suivant : il y présentait la thèse radicale qui ouvrit à nouveau un débat important. « Si l'on prend la peine de relever systématiquement les citations bibliques des Pères, on constate qu'il existe comme une double tradition textuelle : celle des Pères et celle des manuscrits et, cette dernière n'est pas toujours la meilleure[46] ». Afin de prouver son point de vue, il étudia une série d'exemples (Jn 1, 12-13 ; 12, 32 ; 14, 2-23 ; 17, 5-21) dans lesquels il observait que la lecture qu'il trouvait préférable était plus courte que le texte officiel. Rien d'étonnant à ce que cet article fut suivi par un autre intitulé « *Lectio brevior, potior* » (1951), dans lequel il montrait que certaines versions et les Pères donnaient la preuve d'un texte plus court de Jean 7. Le même phénomène apparaissait dans un nouvel article analysant Jn 6, 23-24 ; 11, 48-50, 10-24 ; 19, 34[47].

On aurait pu s'attendre à ce qu'une proposition aussi systématique concernant le texte d'un Évangile, crée une certaine agitation dans le monde de la science néo-testamentaire. En fait, elle ne fit naître tout au plus qu'une ride à la surface des eaux. M.-J. Suggs nota « son étonnante intimité avec les Pères » et ajouta « si Boismard a raison dans l'estimation qu'il fait de l'importance de ce témoignage, alors on a tort d'essayer de comprendre, du moins en partie, des preuves patristiques selon les recensions du IVᵉ siècle[48] ». J. Duplacy déclarait que les articles de Boismard « constituent

---

44. Pour une histoire brève, voir J. DUPLACY, « Les citations grecques et la critique du texte du Nouveau Testament : Le passé, le présent et l'avenir » dans *La Bible et les Pères*, éd. A. Benoit, Paris, Presses Universitaires de France, 1971, pp. 187-197.

45. « A propos de Jean, V. 39. Essai de critique textuelle », *RB* 55 (1948) pp. 5-34.

46. « Critiques textuelles et citations patristiques », *RB* (1950) p. 388.

47. « Problèmes de critique textuelle concernant le quatrième Évangile », *RB* 60 (1953) pp. 347-371.

48. « The Use of Patristic Evidence in the Search for a Primitive New Testament Text », *NTS* 4 (1957-58) pp. 144-145.

sans doute l'apport le plus neuf de ces dernières années dans le domaine de l'histoire du texte évangélique [de Jean] »[49]. Mais, à part quelques remarques d'ordre général sur la nécessité d'être très prudent en jugeant d'une matière si délicate, il laissa tomber[50].

Il n'est pas difficile de déceler ici une pointe de scepticisme à peine voilé. Il est évident que les spécialistes de la critique textuelle pensaient qu'en ne tenant pas compte des théories dérangeantes de Boismard, ils pourraient le reléguer dans l'obscurité, comme ils l'avaient fait de Blass et Conybeare. La surprise a dû leur arriver comme une douche froide, près de vingt ans après l'événement, ils se rendirent compte, enfin, que l'hypothèse de Boismard, selon laquelle l'original de Jean était un texte court, avait fortement influencé une traduction moderne très populaire de la Bible.

Dans son introduction à la première édition de Jean, dans la *Bible de Jérusalem*, en fascicules, D. Mollat écrivait : « Au cours de sa transmission le texte dense et concis paraît avoir été surchargé et affaibli par une végétation parasite de ''mots auxiliaires'' destinés à la rendre plus intelligible, pronoms, compléments circonstanciels ou déterminatifs, sujets, verbes ; parfois, aussi la vigueur d'un mot a été atténuée par un scribe timoré. Sans prétendre à une révision exhaustive du texte du quatrième Évangile, nous avons repris l'examen d'un certain nombre de variantes et il nous a semblé qu'en plus d'un cas, il était possible de retrouver des leçons courtes, bien attestées, qui restituaient au style de saint Jean sa concision et sa vigueur natives[51] ». Boismard lui-même aurait à peine pu dire mieux !

Ceci, bien sûr, mit le renard dans le poulailler, ou, selon les termes de G.D. Fee, « sortit les théories de Boismard du laboratoire et les mit sur la place du marché de manière permanente[52] ». Une critique sérieuse était maintenant absolument nécessaire, même si elle n'arrivait que dix-huit ans après l'événement. La critique de Fee contre Boismard n'est cependant pas très sérieuse. Il s'attaque à quelques textes où les arguments de Boismard étaient faibles, déplore qu'il dépende tellement de Chrysostome et Nonnus et offre quelques conseils sentencieux sur la méthodologie qui répètent de Suggs et Duplacy.

Lorsque Fee laisse entendre que la thèse de Boismard s'appuie seulement sur Chrysostome et Nonnus, il est inexcusable, à moins qu'il n'ait lu, en fait que l'article « *Lectio brevior, potius* » où Chrysostome et Nonnus

---

49. *Où en est la critique textuelle du Nouveau Testament ?* Paris, Gabalda, 1959, p. 49.

50. *Op. cit.*, pp. 36-37.

51. *L'Évangile et les épîtres de saint Jean* (La Sainte Bible traduite en français, sous la direction de l'École Biblique de Jérusalem). Paris, Cerf, 1953, p. 65.

52. « The Text of John in *Jerusalem Bible*. A Critique of the Use of Patristic Citations in New Testament Textual Criticism », *JBL* 90 (1971) p. 165.

jouent effectivement un rôle prépondérant. Boismard avait toujours eu soin de fournir de multiples attestations afin d'échapper au danger évident d'une variante patristique due peut-être à une mémoire inexacte ou à l'effort conscient d'adapter une parole de Jésus à une situation nouvelle. Ce fut justement la recherche de telles preuves qui le conduisit face à ce problème. « Lorsque nous parlons de tradition patristique, il ne s'agit pas de quelques variantes isolées, attestées par deux ou trois Pères cantonnés dans telle ou telle région du monde chrétien, mais des versets presque entiers, attestés par une masse de vingt-cinq à trente-cinq Pères échelonnés du IIe au VIIIe siècle et répandus par tout le monde chrétien alors : l'Europe, l'Afrique, Alexandrie, la Palestine, la Syrie, la Cappadoce, Constantinople, l'Arménie, l'Éthiopie. C'est là un fait vraiment remarquable qu'il faut essayer d'expliquer[53].

Tel est le défi qu'aucun des critiques de Boismard n'a jamais accepté. L'équipe de F. Neirynck, de l'Université de Louvain, par exemple, se contenta de reprendre l'erreur de Fee en en transférant sa critique à l'article programmatique de Boismard, « Critique textuelle et citations patristiques[54] ». Les faits, cependant, quant aux textes traités dans cet article sont les suivants : Chrysostome est cité quatre fois sur les cinq textes étudiés et Nonnus, une seule fois. Mais le nombre moyen de Pères cités par Boismard pour chaque texte est de *dix-neuf* !

Ayant lu Boismard plus attentivement, B. Metzger se rendait compte du poids que constituait le nombre de Pères que Boismard était capable de rassembler. À propos de Jn 14, 2, il nota que la position de Boismard était étayée par trente-cinq Pères, mais il ne pouvait que répondre : « Quand on examine chacune des références de Boismard dans son contexte, on est frappé par le manque de preuves, que le Père ait jamais eu l'intention de citer le texte entier d'un verset... Dans ces cas-là, on ne voit pas pourquoi tel ou tel Père aurait eu besoin de citer plus que le sens général du texte[55] ».

À part la *petitio principii*, selon laquelle la tradition des manuscrits représente le texte authentique, ce que précisément Boismard n'accepte pas, il est clair que Metzger n'a pas compris l'importance du nombre de Pères cités. Est-il concevable que tant de Pères de pays différents, aient *tous* cité le sens général d'un texte d'une manière *exactement identique* ?

Comme les critiques méthodologiques de sa position semblaient n'être qu'une excuse à conserver des illusions familières, on comprendra que Bois-

---

53. « Critique textuelle et citations patristiques », *RB* 57 (1950) p. 397.

54. F. Neirynck, J. Delobel, T. Snoy, G. Van Belle. F. Van Segbroeck, *Jean et les Synoptiques. Examen critique de l'exégèse de M.-É. Boismard* (BETL, 49), Louvain, Presses Universitaires, 1979, p. 29.

55. « Patristic Evidence and the Textual Criticism of the New Testament », *NTS* 18 (1971-72) p. 390.

mard ne se soit nullement senti découragé. Ce fut, en fait, exactement le contraire. Il étendit ses recherches pour y inclure les Synoptiques. Il était admis depuis longtemps que, lorsqu'un Père cite à plusieurs reprises une phrase d'Évangile, avec la même variante par rapport au texte reçu, ou quand un certain nombre de Pères qui ne dépendaient pas les uns des autres, citent tous la même variante du texte reçu, on doit en conclure que les uns et les autres dépendent d'un même document. De quel genre de document s'agissait-il et quel était son rapport aux Évangiles canoniques ? Dans un article qui donne un aperçu historique fort utile de la grande variété de réponses à ces questions, Boismard analysa Mat 5, 16-17 et 37 et conclut que le document ne faisait pas partie du Matthieu canonique, parce qu'il contenait une forme plus archaïque de logia et qu'il s'agissait probablement d'un catéchisme pour l'instruction des candidats au baptême[56].

Si Boismard ne tenait, avec raison, aucun compte des critiques mal fondées de son œuvre, d'autres, moins compétents, les prenaient plus sérieusement et une forte pression fut exercée sur le P. Mollat pour l'inciter à prendre une position plus médiane. C'est ainsi que nous trouvons dans la 3ᵉ édition de Jean, dans la *Bible de Jérusalem* (1973) cette petite note mélancolique : « on le notera, elle s'inscrit, en plus d'un cas, pour les options de critique textuelle, en retrait par rapport à la précédente [édition][57] ».

Dans son commentaire de Jean, Boismard fit un pas dans la même direction, mais, cette fois, la raison en est clairement donnée ; « Dans son ensemble, notre critique textuelle est restée assez modérée et nous n'avons pas pris en considération nombre de variantes habituellement négligées. Nous n'avons pas voulu construire notre critique littéraire à partir d'un texte que beaucoup n'auraient pas manqué de contester[58] ».

Juste au cas où il y aurait eu là un moyen facile de démolir l'explication de la genèse du quatrième Évangile donnée par Boismard et Lamouille, l'équipe de Neirynck à l'Université de Louvain scruta de près leurs options textuelles[59]. Si l'on passe au crible cette masse de chipotages et de critiques de détail souvent sans grand rapport avec le sujet, on s'aperçoit qu'aucune objection fondamentale ou sérieuse ne s'était présentée.

Au contraire, on admet que Boismard avait tenu sa promesse de modération en ne tirant pas partie des dix-sept variantes en faveur desquelles il avait polémiqué dans des publications antérieures. En plus, il n'avait pas

---

56. « Une tradition para-synoptique attestée par les Pères anciens » dans *The New Testament in Early Christianity* (BETL, 86), éd. J.-M. Servin, Louvain, University Press, 1989, pp. 177-195.

57. *L'Évangile et les épîtres de Jean*, Paris, Cerf, 1973, p. 71.

58. *Évangile de Jean*, p. 12.

59. *Examen critique de l'exégèse de M.-É. Boismard*, pp. 23-40 et 205-226.

abusé de la tradition patristique. Parmi les 107 cas où il s'écartait de la vingt-sixième édition de Nestle-Aland, il n'y avait que *trois* exemples où il se basait exclusivement sur des citations des Pères. En outre, il n'avait pas négligé les critères extérieurs, mais leur accordait même un rôle décisif dans certaines circonstances. « C'est cela, nous semble-t-il, qui le sépare encore de l'éclectisme intégral : il garde la notion, fort assouplie il est vrai, de ''meilleurs témoins'' ». Finalement, il avait suivi la règle de tous les manuels, de celui de Hort à celui de Metzger, en faisant effectivement ce dont les autres n'avaient fait que parler : il se servait du style de l'auteur néo-testamentaire comme critère d'appréciation des variantes[60]. Plus que cela, A. Lamouille avait, en fait, dressé la première liste complète et scientifiquement fondée des caractéristiques du style johannique, fournissant ainsi aux spécialistes un outil unique.

b) Critique littéraire

Bien que Boismard ait toujours été prêt à modifier ou à abandonner sa position à la lumière de preuves nouvelles, il y avait un esprit de suite dans sa façon d'aborder les textes qui aurait permis à ceux qui connaissaient bien ses publications, de prédire certains aspects de son histoire littéraire du quatrième Évangile.

A plusieurs reprises, il avait supposé un texte araméen primitif comme expliquant de la façon la plus probable l'origine des variantes textuelles[61]. Admettre qu'un seul auteur aurait traduit différentes sources araméennes joua un rôle important dans le refus chez Boismard de se laisser impressionner par la démonstration de E. Ruckstuhl sur l'ubiquité d'un style unique d'un bout à l'autre du quatrième Évangile : livre qui empêcha la plupart des savants catholiques de relever le défi du grand commentaire de Bultmann[62].

Dans son tout premier article, Boismard avait accepté l'existence de différents niveaux littéraires dans Jean. Ce point de vue reparut dans chacune de ces publications sur ce sujet. On doit cependant relever l'importance particulière d'une série d'études qui démontraient les différentes formes d'évolution à l'intérieur du quatrième Évangile. La pensée de cet Évangile révé-

---

60. Comme il est difficile de trouver les conclusions essentielles dans la masse de verbiage, les références des pages dans l'*Examen critique de l'exégèse de M.-É. Boismard* sont les suivantes : 27, 28-29, 32, 39, 220, 225.

61. « A propos de Jean V, 39 : Essai de critique textuelle », *RB* 55 (1948) pp. 5-34 ; « Importance de la critique textuelle pour établir l'origine du quatrième Évangile », dans *L'Évangile de Jean. Études et problèmes* (RechBib 3), éd. F.-M. Braun, Bruges, 1958, pp. 41-57.

62. *Die literarische Einheit des Johannesevangeliums* (SF 3), Freiburg in der Schweiz, Paulusverlag, 1952. Recensé par Boismard dans *RB* 59 (1952) pp. 425-427.

lait un développement dans le traitement des thèmes eschatologiques, dans les traditions concernant Jean-Baptiste et Jésus et dans la façon de comprendre le lavement des pieds des disciples par Jésus[63]. Qu'il ait reconnu des missions de disciples du Baptiste et des missions chrétiennes en Samarie, permit d'admettre une influence samaritaine[64], particulièrement lorsqu'il s'agit de voir en Jésus, le Prophète semblable à Moïse[65]. Mais il décela aussi l'influence des Targums dans la traduction de certains textes de l'Ancien Testament que l'on trouve dans Jean[66].

De tels détails cependant ne devinrent cohérents que pris dans l'ensemble. Dans son premier livre, Boismard divisa l'Évangile en sept semaines[67], qu'il devait faire suivre d'une analyse détaillée de la première semaine[68]. Enfin, il eut aussi l'occasion de parler de Jean dans la *Synopse II*. Se basant sur les passages communs entre Jean et les Synoptiques, il avait conclu qu'il y avait trois niveaux littéraires dans le quatrième Évangile[69].

Tandis que toutes ces études partielles ont laissé leur marque sur l'*Évangile de Jean*, il fallut inévitablement les nuancer et parfois les transformer pour les fondre en une hypothèse complète selon laquelle le quatrième Évangile, dans sa forme actuelle, est le résultat d'une évolution en quatre étapes.

Première étape : Aux environs de l'an 50 de notre ère, un Évangile complet, rédigé en araméen parut en Palestine. Il avait peut-être été écrit par le disciple bien-aimé qui était, soit Jean, fils de Zébédée, soit Lazare. On devrait l'appeler Jean I parce qu'il ne se distingue des étapes suivantes ni par le style, ni par le vocabulaire, mais il est identique à ce que Boismard avait appelé le document C dans son étude des synoptiques et il préféra conserver ce nom afin de mettre en lumière les liens entre les quatre Évangiles. Dans cet Évangile primitif, une place spéciale est accordée à cinq miracles, des *signes* accomplis par Jésus, qui servaient de base à la foi.

L'influence de la théologie samaritaine était soulignée par la présentation de Jésus en tant que Prophète semblable à Moïse.

---

63. « L'évolution du thème eschatologique dans les traditions johanniques », *RB* 68 (1961) pp. 507-524 ; « Les traditions johanniques concernant le Baptiste », *RB* 70 (1963) pp. 5-42 ; « Le lavement des pieds (Jean III, 1-17) », *RB* 71 (1964) pp. 5-24.

64. « Aenon, près de Salem (Jean III, 23) », *RB* 80 (1973) pp. 218-229.

65. « Jésus, le Prophète par excellence, d'après Jean 10, 24-39 », in *Neues Testament und Kirche* (Fest. R. Schnackenburg), ed. J. Gnilka, Freiburg, Herder, 1974, pp. 160-171.

66. « De son ventre couleront des fleuves d'eau » (Jo, VII, 38), *RB* 65 (1958) pp. 523-546 ; « Les citations targumiques dans le quatrième Évangile » *RB* 66 (1959) pp. 374-378.

67. *Le Prologue de saint Jean* (LD, 11), Paris, Cerf, 1953, pp. 136-138.

68. *Du baptême à Cana (Jean 1, 29-2, 11)* (LD, 18), Paris, Cerf, 1956.

69. *Synopse II*, p. 16.

Deuxième étape : Dix ou quinze ans plus tard, toujours en Palestine, ces mêmes données furent remaniées et rédigées en grec par le principal auteur johannique, que Boismard a appelé Jean II. Identifié à Jean le Presbyte dont parle Papias, il donna deux éditions de son Évangile (Jean II-A et Jean II-B) ainsi que trois lettres johanniques. Dans sa première édition (Jean II-A), il conserva l'ordre du Document C, tout en ajoutant deux miracles (tirés du Document A) pour en amener le nombre à sept, l'appel d'André et de Pierre, et quelques discours du Seigneur. Il atténua quelques-uns des caractères samaritains du Document C, mais identifia les adversaires de Jésus comme « Juifs ». Il développa encore plus l'usage apologétique des miracles pour susciter la foi en Jésus, le Prophète par excellence, mais introduisit en même temps, la christologie de la Sagesse. L'emploi qu'il faisait du chiasme et de l'incompréhension, révélait un esprit littéraire créateur.

Troisième étape : Jean II finit par quitter la Palestine et s'établir à Éphèse, capitale de la province d'Asie. Là, il prit contact avec des groupes esséniens et avec l'Église paulinienne. Ce fut là qu'il découvrit les œuvres de Matthieu, Marc et Luc, il y rencontra également des problèmes nouveaux, en particulier l'opposition des judéo-chrétiens qui exacerbait les tensions au cœur de la communauté, et le problème de la foi chez les chrétiens de la deuxième génération.

C'est ainsi que, dans la dernière décade du premier siècle, il décida de mettre son Évangile à jour et produisit Jean II-B, dans lequel il introduisit les nouvelles idées théologiques auxquelles il s'était trouvé affronté et essaya de répondre d'une manière plus adéquate aux besoins d'une Église très différente de celle pour laquelle avait été écrit Jean II-A. Il remplaça le cadre géographique du document C par un schéma de huit semaines au cours desquelles les fêtes juives jouèrent un rôle primordial. Comme il n'y avait plus de miracles pour faire naître la foi, il changea les rapports ; on demandait un miracle parce qu'on avait la foi, fondée sur la parole de Jésus. En outre, les récits de miracles n'étaient que des fragments parmi de longs discours de Jésus. La christologie reflétait les vues profondes qui se développaient dans l'Église et présentait Jésus comme un personnage préexistant. Une théologie sacramentelle explicite répondait aux besoins pastoraux. La polémique contre les « juifs » devenait plus violente.

Quatrième étape : Le rédacteur qui donna à l'Évangile la forme que nous lui connaissons aujourd'hui (Jean III), appartenait à l'École johannique d'Éphèse, au début du second siècle. Bien que Jean II ait laissé de côté (car ne présentant plus d'intérêt), des passages du Document C et de Jean II-A, Jean III était décidé à les conserver pour la postérité. Il le fit en les insérant dans Jean II-B, créant ainsi des doublets archaïsants. Il intervertit l'ordre premier de ce que sont aujourd'hui les chapitres 5 et 6. Il ajouta également des gloses explicatives qui obscurcissent plus d'une fois le texte au lieu de le clarifier.

Comme toutes les grandes œuvres d'avant-garde, *l'Évangile de Jean* ne fut pas reçu avec un concert de louanges. Cependant, il reçut la recension la plus rapide et la plus longue qui ait jamais été écrite. *L'imprimatur* avait été accordée le 16 juin 1977, et, en décembre de cette même année, l'équipe de F. Neirynck de l'Université de Louvain publia un compte-rendu de 115 pages[70]. Une telle rapidité ne fut possible que parce que Neirynck avait demandé et reçu les épreuves du livre et n'avait donc pas eu à attendre qu'il paraisse en librairie[71]. Il ne faut pas laisser passer une telle générosité sans la relever, car Neirynck avait critiqué sévèrement les deux premiers volumes de la *Synopse*[72] et Boismard n'avait aucune raison de s'attendre à un traitement meilleur, sachant le refus de Neirynck d'abandonner des positions une fois qu'il les a adoptées.

Cependant, comme lui et Lamouille le soulignaient dans leur préface, nul n'avait plus qu'eux conscience du caractère hypothétique de leurs conclusions. Ils admettaient volontiers que, même eux, étaient mécontents de certaines de leurs notes, en particulier de celles se rapportant au dernier discours de Jésus. Ils ne prétendaient pas avoir apporté une réponse définitive au problème johannique. À leurs yeux, ils ne faisaient qu'apporter une innovation constructive à un débat en cours. Leur ouverture d'esprit courageuse se heurta, cependant, à une certitude défensive.

Au lieu d'essayer sérieusement de renouveler leur regard sur l'Évangile, ce qui est l'essence d'un véritable dialogue, l'équipe de Neirynck se retrancha derrière une barrière de détails minuscules. Le ton de leur critique est parfaitement rendu par le manque de profondeur de leur conclusion : « Nous avons beaucoup appris à sa lecture, mais nous avons aussi jugé utile de le replacer à la suite des œuvres précédentes de Boismard et de montrer en quoi les positions de ce dernier ont évolué. Le Commentaire

---

70. « L'Évangile de Jean. Examen critique du commentaire de M.-E. Boismard et A. Lamouille », *ETL* 53 (1977) pp. 363-478. Il battait ainsi de deux pages et d'environ deux ans la recension record par J. Strugnell (*RevQ* 7 [1970] pp. 163-276) de J. Allegro, *Qumran Cave 4, 1 (4Q158-4Q186)* (DJD, 5), Oxford, Clarendon, 1968. Par contraste avec ce que nous considérons en ce moment, la recension de Strugnell était beaucoup plus intelligente et constructive que le livre d'Allegro.

71. Dans la première note de l'article auquel nous nous référons dans la note précédente, nous lisons : « Nous remercions l'auteur et le R.P. F.-R. Refoulé, des Éditions du Cerf, qui ont eu l'amabilité de mettre l'ouvrage à notre disposition dès son achèvement ». L'ambivalence délibérée du dernier mot est à remarquer, comme la disparition de cette expression de gratitude dans l'édition augmentée de cette recension, publiée comme livre en 1979 (voir *supra*).

72. Cf. les articles repris dans *Examen critique de l'exégèse de M.- É. Boismard*, pp. 289-387.

lui-même n'en informe pas assez ses lecteurs, ni d'ailleurs des opinions de ses prédécesseurs ; s'il s'y réfère, c'est de façon trop générale et sans spécifier ce qu'il doit à chacun. Quant aux arguments de critique interne et à l'utilisation des caractéristiques stylistiques, nous avons vérifié que leur application exige plus de nuances que n'en met Boismard et qu'il faut tenir compte chez Jean d'un nombre de variations et de synonymes. L'apport du commentaire réside surtout selon nous, dans l'inventaire très détaillé des caractéristiques de la langue et du style de Jean. Nous avons complété ces observations en y ajoutant celles d'autres auteurs dont il a trop peu tenu compte. Nous avons marqué nos réticences face à la théorie littéraire et nous avons proposé pour maints passages, une exégèse qui s'en écarte. L'examen que nous lui avons consacré nous a permis de mettre au point et d'expliciter notre approche personnelle du quatrième Évangile[73] ».

Il n'est pas vraiment surprenant que ces gens, si attachés à l'exactitude des détails, aient omis le nom de Lamouille, qui avait eu une responsabilité particulière dans la préparation de la liste des traits stylistiques johanniques. En 286 pages — le livre avait développé l'article de *ETL* — il n'y a pas un seul geste de gratitude ou d'encouragement généreux, chaleureux ou humain.

On comprend, par conséquent, que Xavier-Léon Dufour, s.j., ait trouvé nécessaire de mettre en lumière une présupposition (sous-entendue dans la dernière phrase de la citation ci-dessus) et d'exprimer un avertissement : « En effet, ce dernier [Neirynck] se refuse à distinguer divers niveaux dans la rédaction johannique, estimant qu'il est beaucoup trop compliqué de le faire. Il se targue même d'expliquer tout par la dépendance littéraire immédiate de Jean par rapport aux Synoptiques. De ce point de vue, que j'estime erroné, je pense qu'il serait abusif d'apprécier l'ouvrage monumental de Boismard, d'après les seules études minutieuses de Neirynck[74] ».

Ceci ne signifie pas cependant que Léon-Dufour était d'accord avec Boismard-Lamouille. Au contraire, il mettait en question la légitimité même de la critique des sources : « Peut-on prétendre à une objectivité assurée dans le détail des sources et du texte[75] ? ». Si l'objectivité garantie servait de critère à la publication de théories exégétiques, il n'y aurait pas de livres et certainement pas de recensions de livres ! Néanmoins, Léon-Dufour finissait sur une note positive : « L'apport majeur de Boismard va à nuancer la description de la communauté johannique telle que la proposent J.L. Martin et R.E. Brown[76] ».

73. *Examen critique de l'exégèse de M.-É. Boismard*, pp. 285-286.

74. *RSR* 68 (1980) p. 284.

75. *RSR* 68 (1980) p. 282.

76. *RSR* 68 (1980) p. 283.

Léon-Dufour fait ici allusion au *The Community of the Beloved Disciple* de ce dernier (1979) dont il faisait la recension dans le même numéro. Ce livre développe une large hypothèse en quatre étapes pour expliquer l'évolution de l'Église johannique. Léon-Dufour la trouvait séduisante, mais il se demandait : « Est-elle conforme à la réalité ? Beaucoup, sans doute, estimeront peu solides les étais historiques sur lesquels elle repose. En fin de compte, le panorama est reconstitué à partir de quelques rares textes comme 5, 18 ou 9, 22 ; 12, 42 ; 16, 2[77] ».

C'est justement ici que nous commençons à saisir la véritable différence entre Boismard-Lamouille et leurs contemporains. La différence la plus marquante est la complexité de leur théorie. Selon R. Kysar, « la proposition est d'une complexité inutile[78] ». R.E. Brown était plus brutal : « La théorie de la composition johannique, comme la théorie précédente sur les rapports entre les synoptiques est si détaillée, si compliquée et tellement idiosyncrétique que je soupçonne qu'elle aura peu d'influence[79] ». Il est difficile de comprendre pourquoi Brown considère cette remarque comme une objection valable alors que sa propre théorie comprend au moins cinq étapes, une de plus que Boismard et Lamouille[80] ! Répondant à des critiques, après avoir fait remarquer que l'on ne peut pas trouver grand'chose dans les études néo-testamentaires, Brown avait dit : « Je soutiendrais que la théorie véritablement convaincante au sujet du quatrième Évangile est celle qui rend compte, de la manière la plus plausible de l'Évangile actuel et qui présente au moins quelque précédent dans la composition biblique, telle que nous la connaissons d'après l'Ancien ou le Nouveau Testament. (Je m'amuse des critiques qui réfutaient ma théorie personnelle des cinq niveaux de composition alors que cinq niveaux similaires sont largement acceptés par des spécialistes de l'Ancien Testament lorsqu'ils discutent de la composition de Jérémie !)[81] ».

Comme Brown le reconnaît lorsqu'il s'agit de son œuvre à lui, on juge d'une hypothèse non selon sa simplicité, mais selon qu'elle paraît plausible. La complexité, à elle seule, ne rejette pas Boismard et Lamouille hors de la ligne générale des études johanniques, comme certains critiques ont tenté

---

77. *RSR* 68 (1980) p. 287. Boismard parvint exactement à la même conclusion dans sa recension. « Brown nous avait habitués à plus de rigueur dans l'argumentation. Je doute que son livre emporte la conviction de ceux qui chercheront des preuves pour étayer les affirmations de son auteur » (*RB* [1981] p. 471).

78. *JBL* 98 (1979) p. 607.

79. *CBQ* 40 (1978) p. 627.

80. *The Gospel according to John (I-XII)* (AB 29), Garden City, Doubleday, 1966, pp. xxxiv-xxxix.

81. *JBL* 96 (1977) p. 146.

de le suggérer. Ce qui les sépare vraiment de leurs contemporains (à l'exception du R.T. Fortna), est leur volonté d'être absolument spécifiques.

Tout en se rendant pleinement compte du caractère artificiel de leur entreprise, ils présentent des reconstitutions détaillées des sources et des rédactions successives afin que leurs lecteurs n'aient aucun doute sur ce qu'ils veulent dire exactement. Ce faisant, bien sûr, ils tentent leur chance ! On peut prouver qu'ils ont tort sur certains détails ou dans l'ensemble. Ce côté chevaleresque est malheureusement un affront pour ceux qui comptent sur leur situation ou sur leur réputation pour soutenir de vagues généralisations qui seraient repoussées comme fantaisistes si elles étaient proposées par des savants moins éminents. Ainsi se raidissent-ils d'une manière défensive tout en bêlant que l'on éviterait toutes les complications des diverses rédactions de l'Évangile de Jean si l'on accordait un rôle plus important à la tradition orale[82].

Essayer de coincer ces théories est comme « essayer d'attraper de la fumée » ce qui est malheureusement tout le problème. Les hypothèses sont si fluides que l'on ne peut leur opposer les contre-épreuves et elles échappent ainsi à une discussion sérieuse. Même si l'on n'accepte pas la proposition de Boismard-Lamouille, sa simple existence sert d'aiguillon à la conscience professionnelle par sa rigueur et son caractère d'achèvement. Elle apporte une mesure nouvelle pour la clarté rigoureuse selon laquelle une hypothèse devrait être présentée et, en outre, il s'agit d'un commentaire théologique de grande valeur[83].

Un doctorat à Louvain

L'attitude intellectuelle de l'équipe de Neirynck envers les idées de Boismard et Lamouille n'allait pas jusqu'à leurs personnes. Afin d'honorer Boismard pour sa grande contribution à la science néo-testamentaire, ils proposèrent de lui conférer le grade de docteur *honoris causa*, ce qui fut fait à Louvain le 25 octobre 1988. À cette occasion, la *laudatio* fut prononcée par Neirynck et sa magnanimité était égale aux exigences du genre littéraire. Avec grâce et esprit, il expliqua pourquoi Louvain était si prompte à critiquer. Après avoir fait mention du nombre de fois où Boismard avait fait des conférences à Louvain, il continua : « On a presque l'impression que le Professeur Boismard, pour chacune de ses grandes publications, a voulu venir

---

82. Cf. en particulier E. COTHENET, « L'Évangile de Jean » *RThom* (1978) p. 629, mais aussi A. JAUBERT, *RHR* 196 (1979) p. 98, et R. KYSAR, *JBL* 98 (1979) p. 607.

83. Il a fallu un commentateur allemand pour relever que l'*Évangile de Jean* est le premier grand commentaire français de Jean, qui ait paru depuis celui de Lagrange en 1925. (J. HAINZ, *MTS* 31 [1980] p. 92).

à Louvain pour nous offrir un avant-goût. En réponse à ces primeurs accordées à Louvain, nous avons essayé de lui offrir chaque fois l'antidote d'un premier examen critique de ses hypothèses ». La cérémonie du doctorat se doublait également d'une petite fête pour lancer le dernier livre de Boismard *Moïse ou Jésus. Essai de christologie johannique*, qui venait d'être publié dans la collection la plus prestigieuse de la Faculté de Théologie. Dans cet ouvrage, Boismard expliquait les thèmes majeurs de la christologie johannique, Jésus Prophète, Sagesse, Verbe et Fils Unique, et ils les réunissait en une synthèse nouvelle.

Les Actes des Apôtres

Après les Synoptiques et Jean, il ne restait qu'une seule montagne littéraire à gravir. Elle était d'autant plus attirante que Boismard n'en avait encore jamais même approché les premières pentes. Les Actes des Apôtres étaient le seul sujet sur lequel il n'avait jamais écrit d'article. En outre, ce texte était une des sources principales de l'histoire de l'Église primitive. Il existait cependant certains points où elles divergeaient des données des lettres pauliniennes. Il fallait donc absolument découvrir les sources dont Luc s'était inspiré et voir comment il les avait traitées. Mais quel texte fallait-il analyser : le long texte occidental ou le texte alexandrin, plus court ?

a) Critique Textuelle

Au début de l'étude critique des Actes des Apôtres, on n'a senti aucune nécessité de faire un choix entre le texte occidental et le texte alexandrin. Des savants éminents étaient convaincus que les deux textes étaient dûs à la plume de Luc qui avait révisé son propre travail. S'il y avait quelque dispute, elle ne concernait que le problème de savoir quel texte était le plus ancien. Au XXe siècle, le problème des deux rédactions de Luc fut abandonné. Pendant un temps assez bref, le texte occidental fut considéré comme le texte authentique, mais il fut bientôt supprimé par le texte alexandrin qui sert aujourd'hui de base à la vingt-sixième édition de Nestle-Aland, l'édition critique classique du Nouveau Testament.

Bien entendu, un choix aussi simpliste suscita de l'opposition et un nombre considérable de spécialistes refusa d'accorder une préférence automatique à l'un des deux textes. Bien qu'en théorie, ils insistaient sur un éclectisme consistant, il était clair qu'en pratique, leurs choix étaient dictés par une préférence secrète pour le texte alexandrin.

Boismard et Lamouille virent immédiatement le caractère fallacieux de cette réaction. Il est facile de parler d'une distinction entre le style d'un auteur et son imitation par quelqu'un d'autre, mais c'est tout. Développer des critères qui démontreraient cette distinction serait d'une difficulté telle qu'elle serait impossible. Par conséquent, il ne faut pas tenir compte de l'hypothèse de l'imitation, car on ne saurait la vérifier. La question du style lucanien du texte occidental devint alors d'une importance primordiale et Boismard et Lamouille virent qu'il leur faudrait résoudre le problème fondamental avant d'entreprendre une analyse littéraire des Actes, quelle qu'elle soit. Ils consacrèrent les cinq années suivantes (1978-83) à ce travail et les fruits de leurs efforts parurent en 1984 sous le titre : *Le texte occidental des Actes des Apôtres. Reconstitution et réhabilitation.*

Le premier problème consistait à trouver le texte occidental. Le principal témoin en est le Codex Bezae (D), mais il leur fut facile de confirmer ses faiblesses. Toute leur extraordinaire érudition fut mise en œuvre en une vaste interrogation d'autres témoins, en grec, en latin, en copte, en éthiopie, en syriaque, en arménien, en arabe, sans parler de textes moins connus, tels que les traductions médiévales en provençal, en flamand, en allemand, en bohémien. Cette quête fournit un immense maquis de lectures possibles. Comment allaient-ils faire un choix parmi elles ?

Partant d'un texte alexandrin purifié et du troisième Évangile, Lamouille surtout dressa une liste de près d'un millier de traits caractéristiques du style lucanien, allant de simples mots à des expressions complexes. Il y a là un extraordinaire travail d'exégèse qui, tant par l'étendue que par les détails, dépasse de loin tous les efforts antérieurs pour analyser et organiser le style de Luc. Il sera désormais indispensable à l'étude critique de l'Évangile de Luc et des Actes des Apôtres. Étant données l'étendue et la complexité de la tâche il serait surprenant que ces listes soient exemptes d'erreurs. On a, en fait, suggéré certaines corrections et certaines améliorations[84], mais elles sont si minimes qu'elles en deviennent un hommage fort convaincant au soin et à la rigueur de Boismard et Lamouille. Leur travail servira de toise dans les études lucaniennes et sera un modèle pour l'analyse stylistique d'autres auteurs sacrés.

Ces points de repère stylistiques leur permirent de se frayer un chemin à travers la jungle des lectures diverses de l'Eldorado du texte occidental originel. Le texte qu'ils ont reconstitué est, sans aucun doute, authentiquement lucanien. On le voit clairement dans les longs passages où la cohésion du style rend l'hypothèse d'un imitateur peu vraisemblable. Encore plus remarquable est le fait que, lorsque le texte occidental est parallèle au texte alexandrin, celui-là est toujours plus court que celui-ci.

Ceci sera probablement l'aspect le plus contesté de leur travail, car en certains cas, les lectures adoptées ne sont attestées que par un nombre très

---

84. F. Neirynck avec F. Van Segbroeck, « Le texte des Actes des Apôtres et les caractéristiques stylistiques lucaniennes », *ETL* 61 (1985) pp. 304-339.

limité des témoins. On peut discuter du choix qu'ils ont fait d'un texte archi-court d'Actes 27-28, en s'appuyant sur deux manuscrits éthiopiens du XIVe et XVe siècle et sur le palimpseste latin de Fleury. En général, on ne tenait pas compte de ces témoins, parce que l'on supposait que les traducteurs ne pouvaient comprendre les termes maritimes hautement techniques employés dans le récit du voyage par mer de Paul vers Rome et l'on en avait simple-ment omis des passages entiers. Tel qu'il est reconstitué par Boismard et Lamouille, cependant, le texte a une cohérence qui ne saurait être celle d'un document tronqué. Le style en est parfois manifestement lucanien.

Une fois de plus, Boismard et Lamouille vont probablement agacer leurs collègues par la clarté et la fermeté de leur reconstitution du texte occiden-tal, mais ils ne prétendent nullement en avoir établi la forme définitive. « Disons plutôt que nous avons voulu présenter aux spécialistes un texte "expérimental" dont nous avons volontairement accentué les traits au maxi-mum et qui devra être soumis à une critique serrée[85] ».

D'après les compte-rendus, on voit bien que les spécialistes ne savent pas trop comment relever de défi. J.C. Haelewyck a mis le doigt sur la dif-ficulté : « Il serait impossible de vérifier chaque chose. Toutefois faire sim-plement des sondages ne serait pas digne d'un ouvrage d'une telle grandeur[86] » et il borna donc ses remarques à quelques commentaires impor-tants sur l'emploi des versions latines. « Un tel trésor de versions occiden-tales n'avait pas été accessible jusqu'à présent et c'est un monument d'impor-tance durable, sans tenir compte du jugement que l'on porte sur le texte de Boismard et Lamouille[87] ». Telle est l'affirmation de J.K. Eliott, mais il ne se compromet pas jusqu'à porter lui-même un jugement sur leur texte. En fait, il serait très difficile de le faire, car il est rare que leurs conclusions s'appuient sur le nombre et la date des témoignages. Dans un nombre impor-tant de cas, ils peuvent montrer que les textes courts qu'ils ont préférés pro-curent l'explication la plus probable des inversions que l'on trouve dans l'un ou l'autre regroupement de témoignages mieux connus ou plus généralement acceptés.

La seule critique sera cependant de produire une meilleure explication d'ensembles de données extrêmement complexes. Le défi est une incitation vis-à-vis de la science de la critique textuelle, mais si des spécialistes l'accep-tent et font encore mieux, ce sera sûrement dû, pour une grande part, au

---

85. *Le texte occidental des Actes des Apôtres* (Synthèse 17), Paris, Éditions Recherche sur les Civilisations, 1984 (= 1985), I, p. x.

86. « Le texte occidental des Actes des Apôtres. À propos de la reconstitution de M.-É. Boismard et A. Lamouille », *RTL* 19 (1988) pp. 342-353, ici 343.

87. *NT* 29 (1987) pp. 285-288, ici 287.

vaste ensemble de preuves si commodément assemblées par Boismard et Lamouille et aux instruments critiques qu'ils se sont donnés pour les analyser.

La publication des résultats de leur étude du texte des Actes des Apôtres fut aussitôt pour eux le point de départ d'une nouvelle analyse littéraire de ce document, si important pour l'histoire de l'église primitive. Cinq ans plus tard (1990) cette analyse fut publiée en trois volumes dans la collection « Études Bibliques » sous le titre *Les Actes des Deux Apôtres*.

b) Critique littéraire

Comme on pouvait s'y attendre après leur travail sur les Synoptiques et sur Jean, l'analyse des Actes des Apôtres par Boismard et Lamouille est complexe, davantage cependant par le peu de relations que par le nombre de documents qu'ils y décèlent.

Au niveau le plus primitif, ils supposent trois documents :

Le Document Pétrinien était la suite d'un Évangile qui avait servi de source à Luc et à Jean, à savoir le document C dans la théorie synoptique de Boismard et Lamouille. La place prépondérante accordée à Pierre laisserait entendre qu'il pourrait s'agit des « Souvenirs de Pierre », mentionnés par Origène. Ce texte fut écrit aux environs de l'an 50, dans une communauté de Juifs convertis. Le *Document Johannite* pour sa part, était une élaboration de thèmes qui apparaissent dans le « Benedictus » (Luc 1, 68-79). Écrit dans un groupe dépendant de Jean-Baptiste, il décrivait ce dernier comme celui qui allait restaurer le royaume d'Israël. Enfin, il y avait un *Journal de voyage* qui fut écrit par un compagnon de Paul, probablement Silas. Il faisait le récit d'un voyage par mer, du port d'Antioche, en passant par Troas, pour revenir à Césarée maritime, suivi d'un second voyage de Césarée à Rome en passant par Malte[88].

Le premier rédacteur, appelé Act I, ne voulait pas faire de l'histoire. Il divisa le *document J* en trois parties qu'il incorpora aux discours-clés de Pierre (Actes 3), d'Étienne (Actes 7) et de Paul (Actes 13), mais il réagit contre sa thèse fondamentale. Il se servit du *document P* qui mettait l'accent sur l'importance de la Résurrection pour montrer que c'était Jésus et non Jean le Baptiste qui était le nouvel Élie, qui reviendrait pour restaurer la royauté d'Israël. Ce document lui fournit tous les éléments de la section pétrine (Actes 1 à 12, moins 9, 1-35). Quelquefois, il le citait textuellement, mais il arrivait qu'il en tirât simplement une inspiration pour ses propres compositions. Dans la partie paulinienne (Actes 13-28), il se servit du *Journal de voyage* pour encadrer le ministère de Paul et pour se procurer des idées pour ses propres histoires maritimes. Act I ne s'intéresse pas à Paul en tant qu'apôtre des Gentils, il y est représenté exclusivement comme envoyé

---

88. Justin Taylor a apporté une importante contribution à la découverte et à la reconstitution de la source du journal de voyage.

aux Juifs qui ne cessèrent de refuser sa prédication. Par conséquent, pensait Actes I, Dieu les punirait en détruisant Jérusalem.

Le second auteur, Act II, ne connaissait pas seulement l'œuvre d'Act I, mais également deux de ses sources, le *document P* et *le Journal de Voyage*. Le résultat inévitable fut un certain nombre de doublets (par exemple, la double présentation de l'Ascension et du don de l'Esprit). Idéologiquement, il s'opposait aussi à Act I. Selon lui, l'idée que le royaume d'Israël allait être restauré était périmée. Le royaume était déjà là, dans le don du Saint-Esprit qui est donné à toute l'humanité. L'horizon d'Act II s'étend bien au-delà du peuple juif. De la sorte, l'auteur corrigeait également le portrait de Paul. Même s'il prêcha aux Juifs, son ministère était dirigé avant tout vers les Gentils. En outre, Act II s'intéressait à Paul en tant que personne. Il s'inspira des lettres pauliniennes, notamment de celle aux Galates, mais aussi de la correspondance avec les Corinthiens, pour fournir des détails biographiques sur l'Apôtre. Enfin, Act II insistait sur l'importance de l'organisation de l'Église et sur sa vie sacramentelle. Ce texte était contemporain de la rédaction des Épîtres Pastorales et était l'œuvre de Luc, sans doute aux environs de l'an 80.

Le rédacteur final, Act III, à qui nous devons le livre des Actes dans sa forme actuelle, s'inspira parfois d'Actes I et parfois d'Actes II dont il améliora le style.

Comme le livre de Boismard et Lamouille est paru peu de temps avant cette vue d'ensemble sur leurs travaux, il est trop tôt pour parler de l'effet qu'il produira. Une chose est certaine, il ouvre une perspective nouvelle dans l'étude des Actes des Apôtres, parce que c'est la première analyse systématique des sources basée sur l'analyse détaillée de l'œuvre tout entière.

Si nombreux que soient ses lauriers, Boismard n'a pas l'intention de s'y reposer. Une fois les épreuves lues et le volume publié, il a l'intention de commencer une étude approfondie de critique textuelle de l'Évangile de Jean.

CHAPITRE V

JÉRÔME MURPHY-O'CONNOR, o.p.

par Justin TAYLOR, s.m.

Le premier enseignant non-francophone nommé à l'École Biblique fut Jérôme Murphy-O'Connor. Il est né à Cork, en Irlande, le 10 avril 1935. Il était l'aîné des quatre enfants de Kerry Murphy-O'Connor, négociant en vins et spiritueux, et de sa femme Mary McCrohan. Il alla à l'école chez les Frères Chrétiens Irlandais à Cork, puis chez les Lazaristes à Castleknock College, à Dublin, où il fut pensionnaire. Avant la fin de sa scolarité, il avait déjà décidé d'entrer dans l'Ordre dominicain et ses parents lui permirent, au cours de sa dernière année, d'être externe et d'habiter à la maison. Il quitta l'école en 1953, muni d'un certificat de fin d'études avec mention.

Si l'on veut porter une appréciation sur Murphy-O'Connor, savant et écrivain, il est bon de savoir quelque chose de l'homme. Il est grand et fort et, toute sa vie, il a aimé les longues randonnées à pied. Il a appliqué son énergie et sa détermination au travail intellectuel, mais il ne s'est jamais lassé de parcourir la Terre Sainte avec une curiosité qui est toujours capable de découvrir quelque chose de neuf. Il aime « le rire et l'affection entre amis » et a trouvé dans leur compagnie et leur conversation l'émulation de points de vue nouveaux et maintes questions auxquelles il a essayé de répondre dans ses articles et dans ses livres. Il importe aussi de tenir compte du côté irlandais de Murphy-O'Connor. Il possède la gaîté caractéristique des Irlandais dans les jeux de l'esprit et du langage, dans le don de raconter des histoires et dans les discussions passionnées. Il a également partagé le destin de tant de ses compatriotes, celui de vivre hors de son pays natal.

Formation

Dans l'Irlande de 1950, nul ne se serait étonné de ce que le jeune Murphy-O'Connor ait décidé de devenir prêtre. Plusieurs de ses oncles et cousins étaient prêtres séculiers, mais il n'était pas attiré par le sacerdoce diocésain. Il pourrait dire qu'il craignait de vivre seul et qu'il trouvait donc instinctivement qu'une vie communautaire lui conviendrait mieux. Plus tard, il allait trouver que la « communauté » ne donnait pas seulement accès à la vie religieuse, mais qu'elle permettait également de comprendre la théologie de saint Paul. Quant aux Dominicains, il connaissait leur Ordre, car il allait aux offices chez eux, à l'église Sainte-Marie de Cork. Il ne se rendait pas compte qu'ils avaient une tradition intellectuelle et, l'eut-il su, cela ne l'aurait guère intéressé à cette époque-là.

Murphy-O'Connor entra au noviciat de Cork en septembre 1953. Son nom de baptême, Jacques, fut remplacé par celui de Jérôme. Le choix du saint patron des études bibliques en Occident était purement fortuit et n'indiquait aucune intention, chez lui ou ses supérieurs, de faire de ces études le travail de toute sa vie. Mais, en ces cas précis, *nomen est omen*. Il resta à Cork pendant sa première année de philosophie, puis alla au couvent d'études dominicain à Tallaght, près de Dublin, pour sa seconde et sa troisième année de philosophie et ses deux premières années de théologie.

Il se rendit compte alors qu'il y avait trop de prêtres en Irlande et que, par conséquent, il y aurait trop peu de travail pour des religieux dans les paroisses. Il se dit qu'il aimerait devenir professeur et enseigner au couvent d'études. Il choisit l'Écriture Sainte, parce que c'était là que se faisait à cette époque tout le travail original. Son imagination était surtout stimulée par les recherches de l'École Biblique.

Durant l'été 1959, Murphy-O'Connor eut un coup de chance. Quand les étudiants en philosophie arrivèrent de Cork, on se rendit compte qu'il n'y aurait pas place pour tout le monde à Tallaght, aussi, dix des aînés furent-ils éparpillés à travers l'Europe. Murphy-O'Connor fut envoyé à Fribourg, en Suisse, où il passa trois ans, de 1959 à 1962. Il y fut ordonné prêtre le 10 juillet 1960 et reçu à la licence et au lectorat en théologie en 1961.

Le Provincial d'Irlande, le P. Coffey, lui demanda alors de rester un an de plus à Fribourg pour obtenir, si possible, un doctorat. À cette époque, personne n'aurait pensé à mettre en doute la sagesse d'une telle décision et, en tout cas, Murphy-O'Connor avait l'impression d'être déjà bien parti dans cette direction. Pour le lectorat, il avait écrit une thèse de 100 pages qui lui avait valu la mention *Summa cum Laude* de la part de la Faculté. Le sujet en était *Saint Paul's Conception of Preaching*, indiquant par là ce qui allait être l'intérêt de toute une vie pour saint Paul, mais aussi que cet intérêt ne serait pas seulement intellectuel, mais resterait proche des besoins et des soucis du ministère pastoral.

Le travail qu'il avait fait pour cette première dissertation fit voir à Murphy-O'Connor quelles autres questions attendaient des réponses et il comprit comment il pourrait en élargir le sujet et en faire une thèse de doctorat. De plus, il voulait continuer à travailler avec le grand spécialiste paulinien, le Père Ceslas Spicq, o.p., qui avait dirigé ses premières recherches et il savait que Spicq lisait vite et corrigeait très sérieusement. La thèse fut acceptée *Summa cum Laude*, le 9 juillet 1962, sous le titre de *The Activity of an Apostle. A Study of Saint Paul's Conception of Missionary Preaching*.

Au cours de son année à Fribourg, Murphy-O'Connor avait fait la connaissance d'un certain nombre de Sœurs Dominicaines qui poursuivaient les mêmes études que lui. L'une d'entre elles était la sœur Kaye Ashe, o.p., de la Congrégation de Sinsinawa, qui devint une amie pour toute la vie. Murphy-O'Connor lui a exprimé la gratitude qu'il lui doit pour son aide et son encouragement en lui dédiant plusieurs de ses livres.

Il passa l'année 1962-63 à Rome pour y préparer le Baccalauréat es Sciences Bibliques à la Commission Biblique Pontificale. Puis, il s'en fut à Jérusalem en bateau, comme auraient pu le faire les contemporains de Saint Paul, de Naples à Beyrouth, en passant par Alexandrie, mais alors que les voyageurs d'autrefois auraient parcouru le trajet à pied à partir de Beyrouth, ou à dos d'âne ou de chameau, en 1963, il prit un taxi-service ($ 3). C'est ainsi que Jérôme Murphy-O'Connor arriva à l'École Biblique, qui avait enflammé son enthousiasme lorsqu'il était étudiant en Irlande. Il ne s'en rendait pas compte alors, mais il avait trouvé sa vocation.

Au cours de sa première année d'études à l'École Biblique, la thèse de doctorat qu'il avait passée à Fribourg fut publiée sous le titre *Paul on Preaching*[1]. Murphy-O'Connor y disait son intention de s'appliquer au problème pastoral dans l'Église d'aujourd'hui : comment rendre vie à la prédication, considérée, d'un commun accord, comme généralement médiocre ? Quand on en lit l'introduction, on est replongé dans l'atmosphère enivrante des années qui précédèrent et accompagnèrent le Concile Vatican II. « L'expérience de l'apostolat des laïcs et du mouvement liturgique a montré qu'un renouvellement au niveau de la technique seule n'est pas, en réalité, un renouvellement. Dans la pratique il n'est ni efficace ni durable. Le vrai renouvellement doit commencer par une étude approfondie de la nature même de la prédication... La prédication alors serait un événement de salut, non un simple exercice d'éloquence ; seule la réflexion théologique sur la révélation divine peut nous amener à comprendre ceci » (p. 8).

Paul ne nous donne, bien sûr, nulle part de théorie élaborée sur la prédication ou les prédicateurs. On doit retrouver sa pensée à partir des remarques dispersées ici ou là, à travers ses lettres et d'après la ligne générale de sa théologie. Plus d'un recenseur trouvait que la manière de procéder de Murphy-O'Connor s'apparentait à celle d'un détective. La synthèse qu'il en tirait des vues profondes de Paul était, comme le disait un recenseur protestant : « une noble vision de la prédication » qui se résume ainsi, p. 25 :

---

1. *Paul on Preaching*, London-New York, Sheed and Ward, 1964.

« Il s'ensuit que ce n'est pas la prédication en elle-même, mais la prédication en tant qu'annonce d'un choix fait de toute éternité en Jésus-Christ
(Éph 1, 4) qui est le point de contact entre l'ordre objectif et l'ordre subjectif de la Redemption. Elle ne met les individus en contact des mérites de
la passion du Christ que si elle exprime vraiment l'appel éternel qui leur est
adressé ». Le livre examine d'abord la place de la prédication dans le plan
du salut, puis le ministère prophétique avec une étude des différents titres
que Paul donne au prédicateur. Il en ressort que, pour saint Paul, la prédication n'est, ni plus ni moins, que la continuation du ministère du Christ.
Vient ensuite une étude sur la puissance de la parole, idée qui devait être
relativement peu familière aux catholiques de l'époque, mais qui allait bientôt
être enchâssée dans les documents de Vatican II. Murphy-O'Connor traite
également de la présentation de la parole par le prédicateur et de son acceptation ou de son refus par l'auditeur. Enfin, il discute de la prédication en
tant qu'« acte liturgique ».

Quand on relit *La prédication selon saint Paul* après les écrits plus
récents de Murphy-O'Connor, on reconnaît beaucoup de choses familières.
C'est une œuvre de théologie biblique, riche, exaltante et cependant fondée
sur une solide exégèse. Elle ne fut pas écrite d'abord pour d'autres exégètes, mais pour des non-spécialistes, dans ce cas précis, pour des prédicateurs, et dans l'espoir de les aider dans leur ministère. Le livre est sur saint
Paul et il contient beaucoup de thèmes pauliniens qui seront développés plus
tard. D'autre part, il appartient par bien des côtés, à un monde révolu. Les
catégories théologiques par lesquelles s'exprime la pensée sont scholastiques.
L'auteur n'avait pas encore acquis une grande fluidité de style, ni l'art
d'écrire ce que le lecteur a besoin de savoir et qui n'est pas nécessairement
ce que sait l'auteur. Dans la table des matières, on cherche en vain le
mot *communauté*. Il n'a pas encore trouvé place dans la pensée de
Murphy-O'Connor.

Le livre fut largement recensé des deux côtés de l'Atlantique, dans les
périodiques et les revues de langue anglaise. Les protestants l'accueillirent
chaleureusement, quoique parfois avec quelque condescendance. Les catholiques furent en général plus déférents. La plupart louaient la science de
l'auteur, mais certains trouvaient qu'elle entravait par moments son message. La recension la plus importante fut celle du Père Benoit[2] qui félicitait
l'auteur « d'avoir su tirer d'un travail scolaire une œuvre fortement théologique, spirituelle et apostolique ». Lui aussi notait que le livre avait un peu
trop l'aspect d'une dissertation doctorale, mais il était sûr qu'il y avait là
tout ce qu'il fallait « pour que cet excellent travail apporte lumière et pro-

2. *RB* 71 (1964) pp. 465-466.

fit, tant aux biblistes et aux théologiens qu'à la vaste audience de tous ceux à qui Dieu continue d'adresser sa parole ».

Benoit veilla à ce que le livre soit traduit en français et publié en 1966 dans les *Cahiers de la Revue biblique*[3]. Dans l'ensemble, le livre fut pris plus au sérieux en français qu'en anglais et fut recensé dans les principales revues françaises, allemandes et suisses, ainsi que dans le *Catholic Biblical Quarterly* dont le recenseur pensait qu'il « mérite d'être bientôt publié en anglais ». (La même revue avait déjà rendu compte de la version anglaise !). Les critiques, dans l'ensemble, étaient favorables : Ch. Matagne, s.j., dans la *Nouvelle Revue Théologique*, décrivait le livre comme "une belle étude enrichissante et opportune". Pour Joachim Gnilka, dans la *Theologische Revue* : « Cette œuvre est doublement stimulante : elle touche à un problème central dans la théologie paulinienne et elle peut apporter beaucoup à tout théologien et prédicateur pastoral ». Selon François Bovon, dans *Theologische Zeitschrift*, le livre présente une solide exégèse des différents textes de Paul sur la prédication et une bonne synthèse de théologie biblique sur ce sujet ; mais il regrettait que « l'auteur ne tienne pas compte de ce qui a été publié en Allemagne et n'entre pas en dialogue avec les théologiens contemporains de la Parole de Dieu (Barth, Bultmann, Ebeling, pour ne nommer que ceux-là) ». Une version allemande de *Paul on Preaching* parut en 1968[4].

C'était un bon début. Au cours de sa première année à l'École, Murphy-O'Connor écrivit un essai sur « La vérité chez saint Paul et à Qumran » qui reçut la *mention très honorable* et fut publié dans la *Revue Biblique* en 1965. Le choix du sujet montrait qu'il continuait dans la ligne des études pauliniennes, mais annonçait en même temps un nouveau sujet d'intérêt, Qumran. L'article tient pour acquis que l'on trouve des traces d'influence essénienne dans le corpus paulinien, traces que l'on ne peut attribuer simplement à un fonds commun vétéro-testamentaire, et essaie de cerner sur un point la portée précise et la forme de cette influence. Le concept de *vérité* fut choisi comme terme de comparaison, parce qu'il tient une place importante à la fois dans le corpus paulinien ou le mot *aletheia* apparaît 44 fois et dans la littérature de Qumran, où ce thème est mentionné au moins à 120 reprises. Murphy-O'Connor conclut que les points de rencontre entre Paul et Qumran, en ce qui touche aux aspects variés du concept de vérité, ne se trouvent pas dispersés à travers le corpus paulinien, mais groupés selon les grandes divisions des écrits de Paul. Ceci laissait entendre, soit que Paul

---

3. *La Prédication selon saint Paul* (Cahiers de la *RB*), Paris, Gabalda, 1966.

4. *Neubelebung der Predigt. Die Predigt bei Paulus, dem Verkünder*, Luzern and München, Rex-Verlag, 1968.

ait mis l'accent à des moments différents sur tel ou tel aspect de cette notion en réaction contre Qunram, soit que ceux qui écrivirent les épîtres en son nom aient été influencés d'une manière ou d'une autre par le concept essénien. C'est cette dernière hypothèse que Murphy-O'Connor allait choisir dans le cas de l'Épître aux Éphésiens. Il en tira les éléments d'un article de vulgarisation, dans lequel il s'efforça de prouver que le rédacteur de cette épître était un ancien Essénien, disciple de Paul[5].

Il était clair que le Père Benoit avait l'œil sur ce jeune dominicain talentueux qui avait déjà produit des écrits de grande qualité. L'avenir de l'École dépendait du recrutement régulier de nouveaux professeurs. Bien que l'identité de l'École Biblique ait été purement française et qu'elle n'ait recruté jusque-là ses professeurs que dans les Provinces françaises de l'Ordre Dominicain, il n'y avait aucune obligation légale imposée par l'Ordre ou par la République Française, selon laquelle elle ne pouvait en recruter ailleurs. On ne pouvait certes pas soupçonner le Père Benoit de nier ou d'essayer d'affaiblir la tradition française de l'École. Pourtant, il lui semblait que le temps était venu d'élargir le champ de recrutement des nouveaux professeurs et Murphy-O'Connor lui paraissait être le candidat dont on avait besoin. Déjà, Benoit avait discrètement dirigé sa carrière dans la direction qui lui semblait être la bonne.

Au cours de l'année 1964, il demanda à Murphy-O'Connor s'il voudrait rester à l'École comme professeur, celui-ci refusa. Il ne pensait pas être suffisamment qualifié pour enseigner à ce niveau-là. Il trouvait que la créativité nécessaire à la recherche authentique lui faisait défaut. Et puis, il n'avait pas envie de passer le reste de sa vie à Saint-Étienne. Benoit ne tint pas compte de son refus et s'adressa directement au Maître Général de l'Ordre, le Père Michaël Brown. Celui-ci était Irlandais et savait que la Province d'Irlande était bien pourvue en exégètes. Il était donc armé contre les objections auxquelles on pouvait s'attendre de la part du Provincial irlandais. Aussi, accéda-t-il immédiatement à la demande du Père Benoit et Murphy-O'Connor se trouva assigné comme professeur à l'École Biblique.

La seconde année d'études de Murphy-O'Connor à l'École Biblique (1964-65) fut principalement consacrée à la préparation de la licence devant la Commission Biblique Pontificale. C'est cependant au cours de cette année que le Père Benoit lui demanda d'écrire l'article sur l'Épître aux Philippiens, pour le *Supplément au Dictionnaire de la Bible*, car lui-même commençait à manquer de temps et voulait se concentrer sur Colossiens et Éphésiens. On ne demande généralement pas une chose pareille à un étudiant qui prépare un examen officiel, mais il était difficile à Murphy-O'Connor de refu-

---

5. « Who Wrote Ephesians ? », *Bible Today*, Avril 1965, pp. 1201-1209.

ser, d'autant que cela prouvait que Benoit et d'autres sans doute, le considéraient comme leur collègue confirmé en exégèse. Dans son article[6] Murphy-O'Connor soutenait que Philippiens était la compilation de trois lettres qu'il datait — conte l'opinion de Benoit — de la période des grandes Épîtres. Il passa également sa licence.

Benoit voulait que Murphy-O'Connor se charge de l'enseignement de la littérature intertestamentaire, qui ne faisait pas alors partie des cours assurés par l'École. Comme il n'avait pu encore sérieusement aborder ce sujet, Murphy-O'Connor demanda un congé d'études pour s'y préparer. Il fit donc deux années de recherches post-doctorales en Allemagne (1965-1967).

Les manuscrits de la mer Morte étaient les documents intertestamentaires dont on parlait le plus à cette époque et le travail le plus important se faisait sous la direction de Karl Georg Kuhn, à l'Université de Heidelberg. Ce fut donc à Heidelberg qu'alla Murphy-O'Connor en 1965. Là, outre son travail avec l'équipe de Karl Georg Kuhn à la Qumranforschungsstelle, il suivit les conférences de Dieter Georgi, Hans von Campenhausen, et Gerhard von Rad.

Au cours de l'année qu'il passa à Heidelberg (1965-1966), Murphy-O'Connor rassembla aussi les éléments de ce qui allait devenir *Paul and Qumram. Studies in New Testament Exegesis* (Chapman 1968). Le but de ce recueil d'articles traduits qui avaient tous paru séparément en français ou en allemand, était d'aider à combler le fossé entre les spécialistes qui travaillaient sur les manuscrits de la mer Morte depuis vingt ans et un public motivé qui n'avait pas directement accès aux résultats de leurs recherches. Tout le monde savait que les textes de Qumrân avaient quelque rapport avec l'étude du Nouveau Testament et les origines chrétiennes et, en l'absence de documents faciles à se procurer, rumeurs et spéculations allaient bon train. Le « Pan-Qumranisme » était florissant et certains écrivains cherchaient à faire croire à leurs lecteurs que tout dans le christianisme primitif, y compris Jésus lui-même, provenait en réalité du mouvement essénien. Plusieurs feignaient de croire que si l'on tardait tant à publier les manuscrits, c'était parce qu'on avait quelque chose à cacher. C'était pour remettre les choses en place que Benoit avait fait part de ses réflexions dans la conférence qu'il donna à la séance de clôture de la session du SNTS à Aarhus, en 1960 et il convenait que ce texte serve de premier chapitre au recueil. Venaient ensuite huit études des divers points de comparaison entre Paul et Qumrân. Le tout se terminait par « La Vérité : Paul et Qumrân » de Murphy-O'Connor lui-même. Avaient également participé à ce recueil, Joseph A. Fitzmyer, Joachim Gnilka, Mathias Delcor, Walter Grundmann, Karl Georg Kuhn, Joseph Coppens et Franz Mussner. *Paul et Qumrân* allait fort bien de pair avec *The Scrolls and the New Testament* publié par Krister Stendahl en 1957.

6. « Philippiens (Épître aux) », *DBS* 7 (1966) cols. 1211-1233.

Pendant le semestre d'été le Prof. Kuhn eut une crise cardiaque. Il semblait peu probable qu'il enseigne à Heidelberg l'année suivante. Murphy-O'Connor, que rien ne pressait de rentrer à Jérusalem, décida de partir pour Tübingen. C'est là qu'en 1966-67 il combla les lacunes qu'avait notées Bovon dans sa connaissance de l'allemand et, plus spécifiquement, de l'exégèse et de la théologie allemandes. Murphy-O'Connor assista à tous les cours et séminaires de Ernst Käsemann et apprit de lui une manière vraiment critique d'aborder le Nouveau Testament.

Au cours de l'été 1966, Murphy-O'Connor lut une communication sur « Sin and Community in the New Testament », à l'École d'Été de Maynooth, en Irlande. Le thème central en était *Péché et Repentir*[7]. L'année suivante, il le donna comme conférence dans le Ausländerkolloquium de Käsemann à Tübingen, puis le publia en français[8]. Il est intéressant de voir pour la première fois dans un titre, le mot *communauté* qui allait devenir un mot-clé pour Murphy-O'Connor ; il est intéressant aussi que, dans un article, il mette un rapport entre le péché et la communauté, comme il allait le faire si fréquemment dans ses écrits ultérieurs. Certains autres thèmes qui deviendront familiers paraissent pour la première fois. Par ailleurs, le lecteur se rend compte que la façon de voir et le péché et la communauté, dans cet article, n'est pas encore celle qu'aura et que développera Murphy-O'Connor dans ses œuvres suivantes. Plusieurs des traits caractéristiques de sa pensée font encore défaut.

Un de ces traits apparut lorsqu'il était à Heidelberg. On ne pouvait étudier la théologie en Allemagne dans les années 60, sans entrer en contact avec la pensée de Rudolf Bultmann et, pour comprendre Bultmann, il fallait savoir ce qu'était l'existentialisme. Pour éclairer sa lanterne, Murphy-O'Connor s'en fut acheter *An Existentialist Theology. A Comparison of Heidegger and Bultmann* de John Macquarrie, livre dont la première édition datait de 1955. Dans cet ouvrage, il trouva la meilleure présentation alors publiée en anglais de la théologie de R. Bultmann et de la philosophie de Martin Heidegger qui avait fourni à Bultmann le principe d'herméneutique sous-jacent à son interprétation du Nouveau Testament. De Bultmann — transmis et critiqué par Macquarrie — il apprit une nouvelle manière de comprendre les écrits néo-testamentaires et particulièrement ceux de saint Paul. Quand Paul parle de *vie* et de *mort*, il semble faire allusion à ce que les penseurs existentialistes appelaient l'existence *authentique* ou l'existence *inauthentique*. Le péché nous sépare de Dieu et de notre moi véritable ;

---

7. « Sin and Community in the New Testament », in *Sin and Repentance*, ed. Denis O'Callaghan, Dublin, Gill, 1967, pp. 18-50.

8. « Péché et Communauté dans le Nouveau Testament », *RB* (1967) pp. 161-193.

le Christ est l'être pleinement authentique ; le salut apporté par le Christ est la possibilité, non seulement théorique ou « ontologique », mais réelle ou « ontique », de mener une existence authentiquement humaine. Cette existence humaine ne peut être vécue que dans une communauté où chacun réalise cet « être-avec-les-autres » » qui paraissait impossible à Heidegger.

Ces idées apportèrent à Murphy-O'Connor une sorte de révélation. Elles éclairaient d'un jour nouveau les aspects de la pensée de Paul qu'il avait étudiés jusqu'alors et lui permirent de les assembler et de les présenter en une synthèse nouvelle. La théologie de Murphy-O'Connor avait enfin trouvé son vocabulaire particulier et ses idées maîtresses. Désormais, il n'avait pas seulement une vision théologique, il éprouvait également le besoin de la communiquer. Il était convaincu que Paul avait un message pour les gens d'aujourd'hui, qu'il répondait à leur état et parlait un langage qui leur était accessible. L'affinement et l'approfondissement de cette pensée théologique et l'effort fait pour la communiquer à ceux qui en avaient besoin allaient devenir sa principale préoccupation.

Murphy-O'Connor n'a pas été influencé seulement par des livres ou par des collègues ; il l'a été aussi de manière importante par ses contacts avec des gens très divers dans plusieurs pays et surtout en Amérique. Durant l'été de 1966, il fut invité à faire des conférences aux États-Unis ; ces invitations étaient dues aux Sœurs Dominicaines avec lesquelles il s'était trouvé à Fribourg. Il donna des cours sur l'Évangile selon saint Matthieu, au Collège du Rosaire à Chicago et il n'a cessé de retourner aux États-Unis chaque été. On l'invita ensuite à enseigner dans d'autres institutions américaines. La plupart du temps, il s'agissait de cours d'été, mais de janvier à juin 1984, il fut le professeur de Nouveau Testament, à l'Université de Notre-Dame en Indiana. Il donna aussi des conférences en Australie et en Nouvelle-Zélande, aux Philippines, au Japon, au Canada et en Amérique du Sud. Les prophètes sont souvent d'autant mieux acceptés qu'ils sont loin de leur propre pays : Murphy-O'Connor n'a enseigné que deux fois en Grande-Bretagne et deux fois en Irlande.

Ses collègues ont parfois du mal à comprendre tous ces voyages qui, à leurs yeux, le détournent de l'essentiel : le travail de recherche. À Murphy-O'Connor pourtant, ils procurent ce dont il a grand besoin, la possibilité d'une activité pastorale qui, à Jérusalem, est limitée, et lui permettent d'échapper aux tensions qui règnent dans cette ville. Ils ont également sur lui, en tant qu'homme et en tant que savant, une influence profondément formatrice. Aux États-Unis et ailleurs, il est sans cesse confronté à des expériences nouvelles et à des points de vue différents. Il est aussi régulièrement en contact avec l'Église américaine, tandis qu'elle cherche sa manière à elle d'être catholique. Et surtout, au cours de ses voyages, il parle la plupart du temps à des non-spécialistes, des religieux, des laïcs, des prêtres engagés

dans le ministère pastoral, des missionnaires. Ce sont eux, pense-t-il, qui
détiennent les questions auxquelles les universitaires ont le temps d'essayer
de répondre. Autrement dit, les programmes de la recherche académique
ne devraient pas être fixés par les professeurs ; les priorités de l'Université
ne sont pas nécessairement celles de l'Église.

Les Manuscrits de la mer Morte

En octobre 1967, Jérôme Murphy-O'Connor retourna à l'École Biblique pour reprendre son poste de professeur. La Jérusalem qu'il avait quit-
tée en 1965 avait à présent beaucoup changé. Après la Guerre des Six-Jours,
on ne pouvait plus arriver dans la Cité Sainte en taxi depuis Beyrouth et
Amman ; Jérusalem-Est était sous contrôle israélien. Les membres de l'École
pouvaient désormais circuler librement en Israël, aussi bien que sur la rive
ouest du Jourdain (et pendant un certain temps dans le Sinaï) ainsi que des
deux côtés de ce qui avait été le « no man's land » qui divisait la cité. Par
contre, il devenait beaucoup plus difficile d'aller dans les pays arabes. Le
temps où la « caravane » de l'École pouvait parcourir facilement le Proche-
Orient était révolu.

Le premier cours de Murphy-O'Connor traitait des *Testaments des
douze patriarches* et il publia un article sur ce document l'année suivante
dans le *Bibel-Lexicon* de Herbert Haag. L'année d'après, il passa aux manuscrits de la mer Morte et, de 1968 à 1975, assura un cours dont le titre était
Qumrân et le Nouveau Testament ; il y analysait le Manuel de Discipline
(1QS) et le Document de Damas (CD). Il fut le premier à appliquer systématiquement la critique des sources à ces documents. Dans une série d'articles, surtout dans la *Revue Biblique*, il présenta ses découvertes au monde
scientifique[9]. Ils firent de lui un des premiers spécialistes de Qumrân.

En 1972-73, Murphy-O'Connor assura un cours : *Commentaires bibliques de Qumrân* ; il y prêtait une attention particulière aux allusions historiques contenues dans les manuscrits[10]. Pendant un certain temps, il s'inté-
ressa à l'histoire des Esséniens et aux problèmes soulevés par le rapport entre
le témoignage des manuscrits et des fouilles faites à Qumrân et celui des

---

9. « La Genèse littéraire de la Règle de la Communauté », *RB* 76 (1969) pp. 528-549 ;
« An Essene Missionary Document ? CD 2, 14-6, 1 », *RB* 77 (1970) pp. 210-229 ; « A Lite-
rary Analysis of Damascus Document 6, 2-8, 3 », *RB* 78 (1971) pp. 210-232 ; « The Original
Text of CD 7, 9-8, 2 », *HTR* 64 (1971) pp. 379-386 ; « The Translation of Damascus Docu-
ment 6, 11-14 », *RevQ* 7 (1971) 553-556 ; « The Critique of the Princes of Judah (CD 8, 3-19) »,
RB 79 (1972) pp. 200-216 ; « A Literary Analysis of Damascus Document, 19, 33-20, 34 »,
RB 79 (1972) pp. 544-546.

10. Cf, son « Demetrius I and the Teacher of Righteousness (1 Macc 10, 25-45) », *RB*
83 (1976) pp. 400-420.

auteurs anciens, surtout Philon, Josèphe et Pline l'Ancien, qui faisaient allusion à cette secte. En 1973, il donna une synthèse magistrale à Dublin, dans le cadre prestigieux de la « Boylan Lecture[11] ». Cette étude s'écartait sur plusieurs points importants de l'opinion générale sur l'histoire des Esséniens, en faisant en particulier, remonter leurs origines à Babylone plutôt qu'à la Palestine.

Après 1975, Murphy-O'Connor cessa son enseignement sur Qumrân. Il ne lui restait alors plus rien à tirer des documents de la secte qui seuls l'intéressaient. Le manque d'éditions critiques de la plupart des textes l'empêchait de pousser plus avant son travail critique sur d'autres écrits intertestamentaires et lui-même ne possédait pas la connaissance du vaste éventail de langues dont il aurait eu besoin pour entreprendre la critique textuelle nécessaire. Il continua à publier sur Qumrân, pour ses collègues, autant que pour un public plus large[12].

Dans « Qumran and the New Testament[13] », Murphy-O'Connor jette un coup d'œil d'ensemble sur les productions scientifiques d'études bibliques des trente dernières années, surtout sur celles traitant des passages les plus importants du Nouveau Testament dont on pense qu'ils ont été inspirés par les manuscrits de la mer Morte. À l'intérieur de la Palestine, ces passages sont en araméen palestinien, sur Jean-Baptiste, Jésus et l'Église primitive. Sur ces trois derniers points, Murphy-O'Connor ne trouve qu'assez peu de contacts entre l'Essénisme et le Christianisme naissant : « On a vu de nombreuses analogies entre le vocabulaire, les pratiques et l'organisation de l'Église en Palestine et ceux des Esséniens. Peu d'entre elles, à supposer qu'il y en ait, tiennent devant un examen attentif, et les spécialistes deviennent de plus en plus prudents lorsqu'il s'agit d'affirmer qu'il y a eu une influence essénienne directe dans l'Église primitive ». D'autre part, les ressemblances les plus fortes avec les doctrines esséniennes se trouvent dans des documents chrétiens composés en dehors de la Palestine et Murphy-O'Connor examine les résultats des comparaisons faites sur la littérature paulinienne et johannique et sur l'Épître aux Hébreux.

En conclusion, Murphy-O'Connor présente un certain nombre d'observations méthodologiques qui expriment son jugement personnel sur ce sec-

11. « The Essenes and their History », *RB* 81 (1974) pp. 215-244.

12. « Judah the Essene and the Teacher of Righteousness », *RevQ* 10 (1981) pp. 579-585 ; « The Damascus Document Revisited », *RB* 82 (1985) pp. 223-246 ; « The Manuscripts of the Judean Desert », dans *Early Judaism and Its Modern Interpreters*, ed. G. Nickelsburg et R. Kraft, Atlanta, Scholars Press, 1986, pp. 125-165 ; « The Essenes in Palestine », *BA* 40 (1977) pp. 100-124.

13. *The New Testament and Its Modern Interpreters*, ed. J. Epp et G. Macrea, Atlanta, Scholars Press, 1989, pp. 55-71.

teur de la recherche. Avec le Père Benoit, il soutient que l'influence de Qumrân sur le Nouveau Testament ne devient possible que là où le parallélisme
proposé ne peut s'expliquer par des sources communes vétéro-testamentaires
et dans le Judaïsme de l'époque du second Temple. Par ailleurs, il ne faut
pas confondre ce qui est plausible et ce qui est probable et il faut démontrer
que la dépendance de tel document par rapport à tel autre est l'explication
la plus probable d'un parallélisme. Ici, beaucoup de travail s'est trouvé vidé
par un abord non critique des documents de Qumrân que l'on a traités
comme un bloc de littérature homogène, sans tenir aucun compte des tensions internes et des indices de développement, d'une manière qui aurait été
jugée naïve et précritique, ou même fondamentaliste, si on l'avait appliquée
aux documents néo-testamentaires.

Les Évangiles Synoptiques

Murphy-O'Connor voulait s'engager dans le courant principal des études néo-testamentaires où il trouverait beaucoup plus l'occasion d'appliquer
son travail exégétique à la pastorale qu'avec les manuscrits de la mer Morte.
Il fallait aussi trouver un successeur au Père Benoit qui approchait de l'âge
de la retraite. En vérité, Murphy-O'Connor n'avait jamais cessé de s'occuper du Nouveau Testament. D'une part, il y avait son enseignement chaque
été aux États-Unis, d'autre part, à Jérusalem, il donnait chaque mercredi
soir des cours qui étaient suivis par nombre de religieux et de laïcs. (Ils cessèrent en 1981, lorsqu'il devint évident que le besoin d'un tel enseignement
était rempli ailleurs).

En 1969, on inaugura des séminaires à l'École Biblique pour compléter
le « cours magistral » et, depuis lors, Murphy-O'Connor dirige un séminaire sur la critique des Évangiles synoptiques. Il y a introduit la méthode
classique de la critique des sources, telle qu'on l'applique aux Synoptiques.
Il a également communiqué à plusieurs générations d'étudiants ses critères
personnels d'argumentation rigoureuse. Pour lui, de simples possibilités ne
suffisent pas ; il faut des probabilités. Une hypothèse n'est jamais rien de
plus qu'une explication possible ; pour qu'il y ait vraiment probabilité, il
faut absolument démontrer qu'une hypothèse est plus plausible que toutes
les autres explications du même phénomène. Il insiste aussi sur la nécessité
de se déclarer clairement en faveur d'une thèse. Il ne supporte pas l'attitude
timorée des savants qui veulent à tout prix se couvrir contre le risque d'être
trouvés dans leur tort. C'est la qualité opposée — celle qui consiste à être
prêt à assumer une opinion en s'exposant au feu de l'ennemi — qu'il admire
particulièrement chez Boismard et chez Käsemann. Ceci, bien sûr, ne signifie pas que l'on doive être dogmatique ou surévaluer son point de vue. Il
faut que toutes les nuances soient insinuées, mais il faut quand même savoir

être affirmatif, sinon, on fait perdre son temps au lecteur. Dans ses séminaires, Murphy-O'Connor ne fait pas de concessions à ses étudiants, mais il leur fait l'honneur de les traiter en égaux — expérience que tous ne trouvent pas très agréable.

Il est surprenant que, malgré de nombreuses années de travail sur les Synoptiques, Murphy-O'Connor n'ait produit que trois articles les concernant. Dans l'un[14], il examinait la structure de la section narrative dans l'Évangile de Matthieu, séparant le discours en paraboles (Ch. 13) et le discours communautaire (Ch. 18). Il s'attachait particulièrement aux problèmes méthodologiques que l'on y rencontre, en particulier au rapport entre la critique rédactionnelle et la critique des sources et à l'importance qu'il y a à s'appliquer aux détails. Ces problèmes se présentent avec le plus d'unité dans la partie de Matthieu où les épisodes suivent le même ordre que chez Marc 8-9.

M.-É. Boismard avait déjà suggéré dans la *Synopse II* que le récit de Luc sur la Transfiguration contient les éléments évangéliques les plus anciens se rapportant à cet épisode. Murphy-O'Connor reprit cette idée et chercha à cerner l'événement historique qui a donné naissance aux récits sur la Transfiguration[15]. Il publia aussi un article de vulgarisation dans lequel il expliquait au lecteur moyen la critique de la rédaction[16].

Les Lettres aux Corinthiens

Murphy-O'Connor est surtout reconnu comme spécialiste des études pauliniennes. Au cours de l'année d'études 1975-1976, il commença à enseigner les *lettres aux Corinthiens* et n'a cessé de le faire régulièrement depuis. Cela veut dire qu'il lui faut débroussailler les deux épîtres aux Corinthiens et s'attaquer à chaque problème exégétique à mesure qu'il se présente. Tandis qu'il étudiait la correspondance corinthienne, il a peu à peu élaboré ses propres idées sur les situations historiques dans lesquelles furent écrites les lettres de Paul aux chrétiens de Corinthe et sur les questions qui s'y rattachent. Ce travail exégétique fondamental sur les textes de Paul a servi de soubassement à son analyse de problèmes plus généraux.

De ses travaux sur 1 et 2 Corinthiens, il a tiré une longue série d'articles qui apportent, chacun, une réponse nouvelle à un problème ancien[17].

---

14. « The Structure of Matthew XIV-XVII », *RB* 82 (1975) pp. 360-384.

15. « What Really Happened at the Transfiguration ? », *Biblical Review* 3/3 (1987) pp. 8-21.

16. « What is Redaction-Criticism ? », *Scripture in Church* 5 (974-75) pp. 78-92.

17. « The Non-Pauline Character of 1 Corinthians 11, 2-16 ? », *JBL* 95 (1976) pp. 615-621 ; « 1 Corinthians 5, 3-5 », *RB* 84 (1977) pp. 239-245; Works without Faith in

La plupart d'entre eux traitent de points précis dans l'interprétation de textes. Dans ses articles sur la seconde Épître aux Corinthiens, Murphy-O'Connor a développé son point de vue sur les *pneumatikoi* à Corinthe. Il s'agissait, selon lui, d'un groupe qui avait subi l'influence de Philon et qui ne le comprenaient pas mieux qu'ils ne comprenaient Paul. Ils avaient formé un certain groupe d'opposition à Paul à Corinthe et, dans la première Épître aux Corinthiens, il avait cherché à les exclure comme prônant une « sagesse » qui n'avait rien à voir avec la folie de la croix. Par la suite, il changea de tactique. C'était, en partie, parce qu'il reconnaissait le mal que faisaient les *pneumatikoi* en assurant à Corinthe une ouverture aux judaïsants. En outre, les contacts qu'il avait eus à Éphèse avec Apollos lui avaient permis de connaître les termes et les concepts de Philon. Aussi, dans 2 Corinthiens 3, 6-17, Paul discute avec les *pneumatikoi* sur leur propre terrain pour défendre son Évangile et contre la tentative des judaïsants de présenter la Loi comme la Sagesse suprême.

Trois articles parlent de 1 Cor 11, 2-16, passage qui a souvent servi à affirmer que Paul considérait les femmes comme inférieures aux hommes et voulait que cette infériorité se retrouve dans le culte chrétien. Murphy-O'Connor se rendait bien compte de la difficulté de ce passage que bien des chrétiens trouvent gênant à notre époque où l'on a fait reconnaître l'égalité entre femmes et hommes. Pourtant, dans « The Non-Pauline Character of 1 Corinthians 11, 2-16 ? » il ne pouvait accepter la « chirurgie radicale » proposée par Wm. O.Walker, Jr, qui déclarait : (a) que le passage entier était une interpolation, (b) qu'il se compose de trois textes qui étaient d'abord séparés et (c) qu'aucun de ces textes n'est de la main de Paul. Dans « Sex and Logic in 1 Corinthians 11, 2-16 », Murphy-O'Connor montrait la cohé-

1 Corinthians, 7, 14 », *RB* 84, pp. 349-361 ; "Corinthian Slogans in 1 Corinthians 6, 12-20", *CBQ* 40 (1978) pp. 391-396 ; « 1 Corinthians 8, 6-Cosmology or Soteriology ? », *RB* 85 (1978) pp. 253-267 ; « Freedom or the Ghetto ? (1 Cor 8, 1-13 ; 10, 23-11, 1) », *RB* 85 (1978) pp. 543-574 ; « Food and Spiritual Gifts in 1 Corinthians 8, 8 », *CBQ* 41 (1979) pp. 292-298 ; « Sex and Logic in 1 Cor 11, 2-16 », *CBQ* 42 (1980) pp. 482-500 ; « Tradition and Redaction 1 Cor 15, 3-7 », *CBQ* 43 (1981) pp. 582-589 ; « The Divorced Woman in 1 Cor 7, 10-11 », *JBL* 100 (1981) pp. 601-606 ; « 'Baptized for the Dead' (1 Cor 15, 29), A Corinthian Slogan ? », *RB* 88 (1981) pp. 532-543 ; « Paul and Macedonia : The Connection between 2 Cor 2, 13 and 14 », *JSNT* 25 (1985) pp. 99-103 ; « Interpolations in 1 Corinthians », *CBQ* 48 (1986) pp. 81-94 ; « 'Being at home in the body we are in exile from the Lord' (2 Cor 5, 6b) », *RB* 93 (1986) pp. 214-221 ; « Relating 2 Cor 6, 14-7, 1 to its Context », *NTS* 33 (1987) pp. 272-275 ; « Pneumatikoi and Judaizers in 2 Cor 2, 14-4, 6 », *AusBR* 34 (1986) pp. 42-58 ; « A Ministry beyond the Letter (2 Cor 3, 1-6) », *Paolo Ministro del Nuovo Testamento* (2 Cor 2, 14-4-6), éd. L. De Lorenzi, Roma, Benedictina Editrice, 1987, pp. 104-157 ; « Pneumatikoi in 2 Corinthians », *PIBA* 11 (1988) pp. 59-68 ; « Philo and 2 Cor 6, 14-7, 1 », *RB* 95 (1988) pp. 55-69 ; « 1 Corinthians 11, 2-16. Once Again », *CBQ* 50 (1988) pp. 265-274 ; « Faith and Resurrection in 2 Cor 4, 13-14 », *RB* 95 (1988) pp. 543-550.

rence interne du passage. Pour saisir la logique de Paul, on doit comprendre le problème auquel il se trouvait affronté. En comparant le langage à celui d'un certain nombre d'auteurs anciens, Murphy-O'Connor a pu démontrer que le problème était celui d'hommes portant des cheveux longs, ce qui leur donnait un aspect féminin, et de femmes dont les longs cheveux n'étaient pas nattés et enroulés autour de la tête selon la coutume féminine traditionnelle. Les chrétiens de Corinthe brouillaient ainsi la distinction entre les sexes dans l'effort qu'ils faisaient pour prouver qu'ils étaient libérés des conventions. Paul était sans doute ennuyé à l'idée que cette conduite puisse choquer les gens du dehors et nuire à la réputation de la communauté ; il se peut aussi qu'il ait craint de voir naître un problème d'homosexualité masculine parmi ses convertis.

L'apôtre réagit à cette situation en déclarant qu'il fallait que les hommes aient l'air d'être des hommes et les femmes des femmes. Il essaya d'en apporter la preuve d'après l'ordre de la création (v. 3, 7-12), l'enseignement de la nature (v. 13-15) et la coutume des Églises (v. 16). C'est le premier de ces arguments qui crée le plus de difficultés et particulièrement le verset 3 qui déclare que « l'homme est la tête de la femme ». Murphy-O'Connor montra que « tête », ici, ne veut pas dire autorité, mais « source ». Le reste de l'argumentation compliquée de Paul présuppose l'égalité et la complémentarité des sexes dans l'ordre de la nature et « dans le Seigneur ». Paul tient aussi comme allant de soi que les femmes aient le même rôle que les hommes dans la vie cultuelle chrétienne : les uns et les autres prient et prophétisent. Dans « 1 Corinthians 11, 2-16 Once Again », Murphy-O'Connor répondit aux critiques de Joël Delobel et mit au clair ses arguments précédents, surtout ceux qui se rapportaient aux versets 7-12.

L'invitation de Michel Glazier à écrire le commentaire sur la Première Épître aux Corinthiens dans les Cahiers du populaire *New Testament Message*, donna à Murphy-O'Connor l'occasion de présenter son interprétation de cette Épître à un cercle de lecteurs plus élargi. Cela lui permit aussi de formuler son point de vue d'ensemble sur cette lettre dont les détails l'occupaient depuis si longtemps. Il n'y a pas un mot de trop dans ce livre de 162 pages[18] (un des recenseurs le décrivit comme « concis et musclé »), où l'on voit Paul essayer de maintenir en une seule communauté chrétienne les éléments disparates de Corinthe, avec réalisme, humour et une grande force de persuasion. Murphy-O'Connor, quant à lui, présente la première aux Corinthiens comme « peut-être le plus grand exemple d'une pédagogie de l'amour ».

---

18. *The First Epistle to the Corinthians* (New Testament Message, 10), Wilmington, Glazier, 1977, revue et augmentée 1982.

L'étude attentive, pendant des années, des lettres aux Corinthiens avait éveillé l'intérêt de Murphy-O'Connor pour la ville des convertis de Paul et lui fit sentir que lire les lettres dans le contexte de l'ancienne Corinthe n'en ferait pas seulement des textes vivants mais ouvrirait également la voie à la solution de plus d'un problème exégétique. Il commença à rassembler des documents sur Corinthe chez des auteurs de l'antiquité et dans des rapports archéologiques, et à les présenter dans un cours où ils pouvaient éclairer d'un jour nouveau le texte paulinien que l'on était en train de discuter. C'était, bien sûr, dans la meilleure tradition de l'École *Pratique* d'Études Bibliques de rassembler ainsi texte et monument et de faire une exégèse étroitement en contact avec l'archéologie, l'histoire et la topographie. Il se rendit compte que les lecteurs aimeraient que ces documents leur soient rendus accessibles. Il en résultaa : *Saint Paul's Corinth. Texts and Archaeology* (Glazier 1983).

Dans la première partie, *Les Textes anciens*, Murphy-O'Connor rassemble vingt et un auteurs grecs et romains, du premier siècle avant notre ère au second siècle après, qui décrivent ou mentionnent la Corinthe que saint Paul a connue. Les extraits de leurs œuvres sont traduits en anglais et accompagnés de commentaires destinés à clarifier le sens de ce qui est dit et d'en mettre en lumière l'importance ou les implications. Les témoignages littéraires sont également confrontés aux résultats des fouilles de Corinthe, d'Isthmia et de Cenchreae. La deuxième partie, *Quand Paul était-il à Corinthe ?*, étudie deux problèmes de chronologie paulinienne qui se rapportent au ministère de Paul à Corinthe, à savoir, l'expulsion des Juifs de Rome par Claude et le proconsulat de Gallion. Dans ces deux cas, il n'a pas de nouvelle hypothèse à offrir mais il présente et discute les textes significatifs, notamment l'inscription de Gallion trouvée à Delphes. La troisième partie, *Archéologie*, ne traite pas de l'archéologie à Corinthe, prise en son ensemble, mais de la lumière jetée par les fouilles sur certains passages des Épîtres aux Corinthiens : salles à manger dans des maisons particulières ; salles à manger publiques, attenantes à des temples ; ateliers près de l'agora ; inscriptions honorifiques. Ce livre a reçu un accueil très favorable ; on le considère comme une aide précieuse pour l'étude des lettres aux Corinthiens (bien que tous n'aient pas été convaincus par la suggestion que la vue des ex-votos anatomiques présentés dans le temple d'Esculape ait inspiré à Paul sa fameuse comparaison entre l'Église et le corps humain). Il fut bientôt traduit en français[19]. Murphy-O'Connor publia également un article rassemblant tous les témoignages se rapportant à la fabrication des fameux

---

19. *Corinthe au temps de saint Paul d'après les textes et l'archéologie*, Paris, Cerf, 1986.

« bronzes corinthiens » — la seule œuvre de « pure érudition », dirait-il, qu'il ait jamais produite[20].

Études Pauliniennes

À part Qumrân, c'est saint Paul qui a fait connaître Murphy-O'Connor au plan international. Outre son œuvre sur les Épîtres aux Corinthiens, il a aussi publié sur celles aux Philippiens, aux Colossiens, à Philémon et la 1re à Timothée[21]. L'intérêt qu'il porte aux problèmes historiques et chronologiques posés par la reconstitution d'une biographie de saint Paul, l'a poussé à écrire sur les missions pauliniennes avant le Concile de Jérusalem[22] et sur les voyages et le transport en Méditarranée et sur son pourtour, au Ier siècle de notre ère[23].

En 1969, Murphy-O'Connor avait déjà écrit plusieurs articles sur des points particuliers de la théologie de saint Paul[24]. Il n'était cependant pas encore prêt à écrire une étude développée sur la théologie paulinienne. Il était revenu d'Allemagne nanti d'une herméneutique existentialiste pour interpréter Paul, et son travail minutieux sur les lettres aux Corinthiens était en train de lui donner une connaissance intime de la pensée de l'Apôtre. Il lui fallait encore une idée centrale autour de laquelle il pourrait construire une synthèse originale. Il finit par la trouver dans la notion de *communauté*.

Pour comprendre comment il y parvint, il faut connaître la part qu'il prit dans le débat sur la vie religieuse qui suivit Vatican II. À la fin des années 60 et au début des années 70, les religieux se trouvaient affrontés à une double crise de confiance. L'un des aspects en était théologique : étant donné l'insistance du Concile sur l'appel universel à la sainteté, en quoi se justifiait la vie religieuse ? Par ailleurs, les Ordres et les Congrégations voyaient fréquemment leurs fonctions traditionnelles d'enseignement ou de soin des malades, reprises par d'autres. Quelle était alors leur raison d'être ?

20. « Corinthian Bronze », *RB* 90 (1983) pp. 80-93.

21. « Christological Anthropology in Philippians 2, 6-11 », *RB* 83 (1976) pp. 25-50 ; l'article sur les Philippiens dans *DBS* a déjà été noté ; contributions sur « Colossiens » et « Philémon », dans *A New Catholic Commentary on Holy Scripture*, 2e éd. London, Nelson, 1969 ; « Colossians » et « Philippians » dans *Scripture Discussion Commentary*, XI, London, Sheed and Ward, 1971 ; « Community and Apostolate : Reflexions on 1 Tim 2, 1-7 », *Bible Today*, octobre 1973, pp. 1260-1266 ; « Redactional Angels in 1 Tim 3, 16 », *RB* 91 (1984) pp. 178-187.

22. « Pauline Missions before the Jerusalem Conference », *RB* 89 (1982) pp. 71-91.

23. « On the Road and on the Sea with saint Paul », *Bible Review* 1 (Summer 1985) pp. 38-47.

24. « The Presence of God trough Christ and in the World », *Concilium* 10 (1969) pp. 54-59 ; « The Christian and Society in saint Paul », *New Blackfiars* 50 (1969) pp. 174-182 ; « Letter and Spirit : Saint Paul », *New Blackriars* 50 (1969) pp. 453-460.

Murphy-O'Connor pensait qu'il avait quelque chose à dire et, en 1967, il publia un article dans la revue dominicaine irlandaise *Doctrine and Life* sur « Religious Life as Witness ».

Cet article lui valut une invitation à prêcher une retraite aux Sœurs dominicaines de Sinsinawa, dans le Wisconsin. Au cours de cette retraite qu'il prêcha en août 1972, Murphy-O'Connor tenta de repenser les structures de la vie religieuse selon les termes du concept néo-testamentaire de communauté. L'année suivante, le texte de cette retraite fut publié dans un numéro entier du *Supplément to Doctrine and Life* (1973) sous le titre de *What is Religious Life ? Ask the Scriptures*. Il fut rapidement traduit en portugais au Brésil[25]. Pour Murphy-O'Connor, la raison d'être de la vie religieuse était de témoigner de la possibilité de mener une vie communautaire chrétienne vivante. « Ce qui importe, c'est que les religieux reconnaissent que le service essentiel qu'ils rendent à l'Église et au monde, est le témoignage de leur vie en communauté » (p. 14).

Ce point de vue sur la vie religieuse s'appuyait sur une théologie du salut, du péché et de la grâce, que Murphy-O'Connor trouvait dans le Nouveau Testament et particulièrement chez saint Paul. Le salut apporté par le Christ consiste à délivrer les hommes du contexte général d'égoïsme destructeur et de cupidité (le Péché) et à les établir en une communauté où ils peuvent croître en amour et en liberté. Telle est la communauté décrite dans les premiers chapitres des Actes des Apôtres. Où trouve-t-on une telle communauté aujourd'hui ? Théoriquement dans l'Église locale. Mais le diocèse, ou même la paroisse, sont trop vastes pour former une communauté véritable au sens de celles décrites dans le Nouveau Testament. En vérité, seules les familles et la communauté religieuse peuvent être les témoins vivants des valeurs de la communauté chrétienne. Des deux, la communauté religieuse est la plus évidente, parce qu'elle est moins ambiguë. Chez elle, on ne peut rendre compte de l'unité et de l'amour désintéressé par l'attrait sexuel et l'affection naturelle. « En termes d'amour altruiste, de partage mutuel des biens et de soumission à l'appel de Dieu en Jésus-Christ, la communauté religieuse accomplit ce que le diocèse et la paroisse sont appelés à devenir » (p. 12).

Plusieurs conséquences dérivent logiquement de cette façon de voir. La véritable raison d'être de la vie religieuse ne réside pas dans un service comme l'enseignement ou les soins hospitaliers. La crise à laquelle tant de congrégations actives eurent à faire face lorsqu'elles virent disparaître leurs activités traditionnelles fut en réalité une « bénédiction cachée » puisqu'elle les obligea à considérer plus profondément la nature et l'objet de la vie religieuse. Il apparut également que la communauté est pour l'individu et non l'inverse.

---

25. *Os religiosos na Igreja Particular*, Sao Paolo, Ediçoes Paulinas, 1974.

Dans des chapitres ultérieurs, Murphy-O'Connor réévalue quelques-unes des institutions religieuses les plus importantes à la lumière de sa vision personnelle de la vie religieuse, comme témoignage de la possibilité d'une communauté. L'autorité devrait être celle de l'exemple plutôt que du commandement. Les membres de la communauté doivent normalement prier les uns pour les autres. La pauvreté est dans le partage des ressources, tant psychologiques et spirituelles que matérielles. Le célibat doit être vécu dans l'amour mutuel au sein de la communauté. À la fin, une discussion sur *tension et communauté* affirme la valeur d'une certaine tension saine entre l'idéal et la réalité, l'individu et la communauté et parmi les individus au sein de la communauté.

Une façon si radicale de repenser la vie religieuse ne pouvait aller sans rencontrer d'opposition. Une série d'articles dans le *Supplement to Doctrine and Life* donna à certains de ceux qui critiquent Murphy-O'Connor l'occasion de présenter leurs objections auxquelles il avait l'autorisation de répondre. En gros, le ton du débat fut courtois et positif, de part et d'autre. Murphy-O'Connor loua E.J. Fox pour son « effort de compréhension bienveillante, pour le soin mis à admettre certains points et le raisonnement clair et rigoureux par lequel s'exprime un point de vue divergent », et il remercia ses critiques à plusieurs reprises de l'avoir obligé à réexprimer ses opinions d'une manière plus adéquate ou à corriger un manque d'équilibre dans leur présentation. Il est à noter qu'aucune femme ne prit part au débat. Quelques années plus tard, les articles originaux furent publiés à nouveau en Irlande et aux États-Unis, en même temps que ceux qui avaient alimenté le débat de part et d'autre sous le titre de *What is Religious Life ? A Critical Appraisal*[26].

Sa longue réflexion sur la théologie de la vie religieuse renforça chez Murphy-O'Connor la conviction que la *communauté* était la clef qui permettait de comprendre correctement la théologie de saint Paul. Il en fut totalement convaincu après avoir travaillé avec des missionnaires irlandais au Brésil, durant l'été de 1974. Ils avaient vu combien l'idée qu'il avait de la communauté religieuse s'accordait à leur travail d'animation de communautés chrétiennes de base. À présent, à travers leur regard, Murphy-O'Connor pouvait voir fonctionner une Église paulinienne et la communauté en était l'élément fondamental.

Entre-temps, Murphy-O'Connor écrivait un livre qu'il intitula *Moral Imperatives in saint Paul* et qui fut publié en fin de compte en français sous le titre de *l'Existence chrétienne selon saint Paul* (Cerf, 1974). Il en parla

---

26. Dublin, Dominican Publications, 1976 and Wilmington, Glazier, 1977, with an Introduction by Sr Kathleen Ashee, o.p.

comme « d'un essai de répondre à la question suivante : quelle valeur exacte Paul donne-t-il aux impératifs moraux que l'on trouve partout dans ses Épîtres ? » (Avant-propos). La question et sa réponse provenaient d'une session sur la théologie morale à Stonehill College, North Easton, Mass, en 1970. Il y avait participé avec Raymond E. Brown, Charles Curran, et Richard A. McCormick. Il continua à approfondir ses opinions dans une série d'articles dans *Doctrine and Life* en 1971 et dans des conférences qu'il donna à Milltown Park (1973), la faculté de théologie fondée par un groupement d'ordres religieux à Dublin.

Dans la première partie du livre, Murphy-O'Connor analyse en détail la théologie de saint Paul, dont il avait déjà traité plus brièvement dans *What is Religious Life ?* Il insiste particulièrement sur la place centrale occupée par la communauté chrétienne. « Paul pense que la communauté constitue la personne dans son authenticité » (p. 18). Telle est la seule affirmation importante du livre et tout le reste ne fait qu'en découler. La communauté est ou devrait être un milieu ou nul ne pèche, où chacun est authentique. Le Péché, par contre, est une force sociale engendrée par le caractère inauthentique des individus dans le courant de l'histoire. C'est à l'intérieur de la communauté et par elle, que l'individu est sauvé et l'une de ses fonctions fondamentales est de protéger l'individu contre les forces hostiles qui l'environnent. D'autre part, la liberté qu'ont les individus d'accomplir leurs possibilités humaines est déterminée par l'authenticité des autres membres de la communauté.

Si les humains sont libérés du Péché, ils sont, selon saint Paul, également affranchis de la loi. Cela ne veut pas dire, explique Murphy-O'Connor, que des directives morales concrètes n'ont plus d'intérêt pour l'être humain authentique. La loi dont les humains sont émancipés est une structure d'existence inauthentique, non à cause de son contenu, mais du fait qu'elle est imposée par un contexte inauthentique. Murphy-O'Connor pouvait dire que « l'enseignement de Paul ne contient pas simplement la racine de l'opposition à la loi, comme certains l'ont suggéré, il est fondamentalement antinomique » (p. 127).

Alors, où y a-t-il place dans les lettres de Paul pour les impératifs de la morale, et quelle est leur force ? Murphy-O'Connor se réfère à la situation véritable du chrétien qui chemine sans arrêt, mais ne cesse d'être menacé par l'environnement hostile du monde. Dans certains cas, Paul donna des directives spécifiques comme remèdes à la maladie morale qui s'était déclarée dans une communauté particulière. Dans d'autres cas, ses préceptes moraux ont pour but d'aider à former un jugement éthique de convertis récents et ont, par conséquent, une fonction essentiellement pédagogique. Il ne les imposait en aucun cas comme absolument obligatoires. Si Paul voyait le chrétien comme affranchi de la Loi de Moïse, il ne pouvait considérer ses propres préceptes comme contraignants. Il n'avait recours à son autorité personnelle qu'afin d'apporter une solution à des problèmes pratiques urgents.

Lorsqu'on les examine, on voit que les directives morales de Paul sont tirées indifféremment des textes sacrés de son propre peuple, des maximes morales du monde grec et de l'enseignement de Jésus-Christ reçu par la tradition. Il ne semble pas avoir accordé plus d'importance à l'une de ces sources plutôt qu'aux autres. On peut en déduire qu'il les considérait toutes comme des indications montrant comment se comporte l'être humain authentique. Elles ne constituent pas un ensemble de lois contraignantes ou de préceptes éthiques absolus. Au cœur de la vison de Paul se dresse la personne du Christ qui, seul, manifeste l'humanité voulue par Dieu. Le Christ donne aux hommes la possibilité, à présent restituée, d'une vie véritablement humaine, dont lui-même accomplit les exigences.

Paul était-il donc « situationniste » ? La réponse de Murphy-O'Connor est prudemment nuancée. Dans la mesure où Paul considérait que l'exigence de Dieu se manifeste dans des situations concrètes, il était situationniste. Par ailleurs, la conception que Paul se faisait du sujet moral différait grandement de celle professée par les tenants modernes de *l'éthique de situation*. Pour eux, le sujet moral est l'individu isolé ; pour Paul, c'est l'individu-dans-la-société. Son sujet moral est constitué par sa relation à la communauté. La liberté de l'individu n'est donc pas absolue, mais est conditionnée par les exigences d'une existence authentique au sein de la communauté. Le discernement spirituel de la volonté de Dieu passe par la communauté, non sous la forme de directives inspirées, mais par le partage d'une existence remplie par l'Esprit Saint. La recherche par l'individu d'une réponse adéquate à chaque situation, doit être entreprise en toute liberté, mais sa réflexion sur les éléments du problème est aiguisée et encouragée par la conscience morale de la communauté.

Ce livre, Murphy-O'Connor avait voulu l'écrire, et il était déçu de ce que ses efforts répétés pour trouver un éditeur de langue anglaise aient échoué. Cependant l'ouvrage parut, non seulement en France, mais aussi, une fois de plus, au Brésil[27]. Les discussions avec le public, qui eurent lieu plus tard, en Irlande et aux États-Unis, au Pérou et au Brésil, en Australie et en Nouvelle-Zélande, montrèrent que la première partie du livre, celle qui traitait de ce que signifie « être humain » et des structures de l'existence authentique ou inauthentique, s'appliquait beaucoup plus à la situation actuelle de l'Église que la discussion sur les impératifs moraux de saint Paul. Murphy-O'Connor décida de développer cette question plus tard et de la

27. *Homem Novo*, Sao Paolo, Ediçoes Paulinas, 1975.

publier séparément « dans l'espoir que cela rendrait quelques services à ceux qui essaient de bâtir l'Église dans le monde moderne ». Le résultat en fut *Becoming Human Together* publié aux États-Unis et en Irlande en 1977 et qui connut une seconde édition révisée en 1982[28]. Ce dernier livre, d'autres avaient voulu qu'il l'écrive et peut-être est-ce pour cela qu'il est meilleur que le précédent. Murphy-O'Connor lui-même le considère comme son œuvre la plus importante.

Devenir humains tous ensemble

Le titre *Becoming Human Together* n'indique pas immédiatement le sujet du livre. En 1970, il aurait pu s'agir d'un ouvrage sur la dynamique de groupes et, dans un journal irlandais, on en rendit compte avec grande perplexité, comme d'un livre sur le mariage. Quand on a lu le livre, cependant, son titre semble en décrire parfaitement le contour.

La première partie, intitulée *L'Être humain* analyse ce que signifie être pleinement humain selon le projet de Dieu. Ce projet, on le voit dans le Christ qui est le critère, d'après le chapitre 2. Murphy-O'Connor n'est pas d'accord avec ceux qui cherchent à découvrir la signification de l'humanité du Christ en observant les qualités de l'humanité en général. L'humanité de Jésus se trouve plutôt dans l'accomplissement, par lui, de la vocation originelle de l'être humain, celle d'être « l'image de Dieu ». Être l'image de Dieu signifie participer à la créativité de Dieu, et pour les hommes, ceci veut dire « offrir aux autres une nouvelle possibilité d'existence » (p. 36). Murphy-O'Connor encadre son étude du Christ, l'être pleinement humain, par le chapitre 1 où il discute de ce que Paul savait de Jésus, et le chapitre 3, où il se demande comment Paul voyait le rapport entre le Christ et Dieu. Ces deux chapitres furent considérablement développés dans la seconde édition. Un quatrième chapitre interprète à grands traits les concepts pauliniens fondamentaux de *Vie* et de *Mort*, selon les termes heideggériens d'existence authentique ou inauthentique. Le point de départ de Murphy-O'Connor est toujours *An Existentialist Theology* de Macquarrie, qu'il avait découvert en 1965 à Heidelberg, mais ses idées s'expriment maintenant avec plus d'aisance et son langage est visiblement plus personnel. Une longue fréquentation des catégories existentialistes et ses efforts répétés, oralement et par écrit, pour les rattacher à la pensée de Paul et à la situation contemporaine, lui avaient permis de les intégrer.

La deuxième partie du livre : *La Société* décrit l'échec des humains, laissés à leur misère, dans les efforts qu'ils font pour exploiter la possibilité

---

28. *Becoming Human Together. The Pastoral Anthropology of saint Paul* (Good News Studies, 2), Wilmington, Glazier/Dublin, Veritas, 1977, 2ᵉ éd. rév. 1982.

de participer à l'activité créatrice de Dieu. Le Péché — avec une majuscule et personnifié — bloque les potentialités de l'homme en le poussant à se protéger soi-même et à se mettre en avant au détriment du prochain.

Ceci mène à s'appuyer sur la loi (humaine, divine ou ecclésiastique) pour y trouver sécurité et succès dans un monde plein de divisions, de méfiance et de concurrence destructrice. La description que faisait Paul de la société à laquelle il avait à faire, pourrait s'appliquer à la nôtre. Un peu plus loin dans le livre, Murphy-O'Connor montre clairement que, sur bien des points, elle pourrait également s'appliquer à l'Église d'aujourd'hui. « Le système de valeurs selon lequel vivent véritablement les chrétiens est celui du ''Monde''. À l'intérieur de l'Église et à l'extérieur, nous trouvons le même manque de souci des pauvres et des faibles, le même désir de possessions matérielles, la même agressivité et la même amertume » (pp. 171-172).

Par opposition à cette image de liberté dévoyée, Murphy-O'Connor met en avant les idées de Paul sur la *Communauté* (3e partie). Être chrétien veut dire « faire siennes, par le témoignage et par la prédication, les attitudes altruistes et aimantes de Jésus ». Mais personne ne peut y parvenir sans le témoignage et le soutien d'une communauté. Être « dans le Christ » ou « dans l'Esprit » (ces expressions sont presque toujours synonymes chez Paul), signifie être dans la communauté. Au contraire d'un club sportif qui est suscité par ses membres, la communauté chrétienne fait naître ses membres à une humanité authentique douée de créativité et de liberté. Le chrétien d'aujourd'hui ne doit pas s'imaginer qu'il est dans une telle communauté, du simple fait qu'il appartient à l'Église. « Les chrétiens ne peuvent pas penser tout simplement qu'ils sont libres. Les magnifiques affirmations de saint Paul ont été réduites à l'état de promesses parce que l'on a perdu de vue l'idée qu'il avait de la véritable nature de la communauté chrétienne » (p. 172). Nous revenons ici au point où Murphy-O'Connor avait commencé ses réflexions sur la vie religieuse dix ans auparavant.

De nombreux passages sur l'enseignement moral de saint Paul qui avaient paru dans l'*Existence Chrétienne selon saint Paul*, se retrouvent dans *Becoming Human Together* mais d'une manière à présent beaucoup plus succincte. Le chrétien n'est pas soumis à la loi, bien que des directions morales aient leur place comme lignes de conduite. Par ailleurs, le chrétien n'est pas un individu isolé et autonome, il est *avec* et *pour* les autres.

Le choix moral du chrétien est tellement orienté vers le prochain qu'on ne peut le comprendre qu'en tant que bâtisseur ou destructeur de la communauté. Le livre se termine sur un portrait finement tracé du « modèle de la décision authentique », à savoir celui de saint Paul lui-même dans Phil 1, 20-25, où il se demande s'il devrait vouloir mourir pour être avec le Christ ou vivre et rester avec ses convertis : « Paul se décide en faveur de la complexité du réel et participe ainsi pleinement à « l'esprit du Christ » dont le critère nous est donné par le sacrifice de la croix qui doit sa profondeur à l'accumulation d'expériences communautaires vécues et dont la clarté est affinée par le partage continu de l'amour » (p. 217).

Becoming Human Together fut reconnu généralement comme une synthèse profonde et stimulante de la théologie de saint Paul. Il menait à son terme la longue maturation d'une pensée où se mêlaient la théologie existentialiste, une exégèse minutieuse et le contact et les discussions avec des chrétiens qui essayaient de propager l'Évangile et de construire l'Église dans de nombreuses parties du monde. Il représente un sommet de la carrière de Murphy-O'Connor comme exégète et comme théologien. On voit que bien des aspects de sa vie et de son travail l'y avaient déjà préparé.

Ses fréquentes visites aux États-Unis et l'influence de K. Ashe avaient fait sentir à Murphy-O'Connor l'importance du *problème des femmes dans l'Église*. Sa sensibilité envers un langage d'exclusion ou d'inclusion s'en trouva aiguisée. On peut suivre le cheminement de sa pensée sur ce sujet en lisant les livres qu'il écrivit en vingt ans. Il est significatif de noter qu'une des modifications qu'il apporta entre la première et la seconde édition de *Becoming Human Together* fut d'ajouter un passage sur "Women in Christ" (pp. 193-197). Ces pages suivent la partie sur "This is my Body" où il développait l'idée que, selon saint Paul, « l'égoïsme des Corinthiens est le contraire de ce qui devrait être et rend par là impossible la célébration de l'Eucharistie » (p. 190 ; cf. 1 Cor 11, 17-34). Il dit : « Dans l'Église d'aujourd'hui, il serait tout à fait inhabituel qu'une communauté tolère la discrimination ouverte quant à la nourriture et à la boisson, qui allait à l'encontre de l'Eucharistie à Corinthe. Cependant, il y a d'autres formes de discrimination qui manifestent le même manque d'amour et, seul l'amour peut transformer l'assemblée et en faire la communauté qui est le Christ ». Il continue en déclarant que « la discrimination la plus répandue dans l'Église contemporaine est évidente dans l'attitude officielle envers la participation des femmes à la liturgie ». Il reprend ici l'essentiel de son argumentation dans « Sex and Logic in 1 Corinthians 11, 2-16 ». Murphy-O'Connor ne prenait pas sur lui d'approuver l'ordination des femmes — en fait, il n'en parle pas expressément — mais il est hors de doute que ceux qui faisaient campagne pour l'ordination des femmes auraient tiré de ses remarques aide et réconfort. Vers la même époque, il fit une longue recension favorable, bien que non dénuée de critique, du livre d'Elizabeth Schüssler Fiorenza *In Memory of Her. A Feminist Theological Reconstruction of Christian Origins*[29] ».

En 1970, Murphy-O'Connor commença à guider des visites archéolo-

---

29. *RB* 91 (1984) pp. 287-294 ; « A Feminist Re-reads the New Testament », *Doctrine and Life* 34 (1984) pp. 398-404, 495-499.

giques et à faire des conférences pour l'Organisation des Nations-Unies chargée de surveiller le cessez-le-feu et devint, en 1971, le chef du groupe dominical des amis de différentes nationalités et de professions diverses qui aimaient faire de la marche et des explorations. Ceci le prépara à reprendre les excursions de l'École lorsque le P. François Lemoine mourut en mai 1975 et il en eut la responsabilité jusqu'à ce que Marcel Beaudry en soit chargé au début de l'année scolaire 1982-1983.

C'était à cause de cette connaissance pratique du terrain que le chanoine John Wilkinson, alors Directeur du Collège Saint-Georges à Jérusalem, proposa le nom de Murphy-O'Connor quand, en 1977, les éditions d'Oxford University Press cherchaient quelqu'un pour écrire un guide archéologique de la Terre Sainte. Les négociations traînèrent en longueur jusqu'à l'été 1978. À ce moment-là, fermement engagé par les O.U.P. et avec Alice Sancey, (femme d'un coopérant mis à la disposition de l'École par le gouvernement français) pour réaliser les dessins, il se mit au travail et termina le livre à Pâques 1979. L'ouvrage fut publié en 1980 et traduit en allemand (1981) et en français (1982). Une seconde édition, revue et augmentée avec l'aide de Marcel Beaudry et de nouveaux dessins faits par Caroline Florimont, parut en 1986[30]. Il ne s'agissait pas du premier guide de Terre Sainte produit par un professeur de l'École. Il a eu un précédent : la troisième édition du Guide bleu de Palestine qui fut l'œuvre du P. Abel. *The Holy Land* fut reçu avec enthousiasme et maints touristes ont obéi à l'injonction de l'un de ses commentateurs selon lesquels « il devrait se trouver dans les bagages de tout visiteur de Terre Sainte ».

Ayant dépassé la cinquantaine, Murphy-O'Connor est arrivé à l'âge où les exégètes parviennent généralement à la maturité. Nanti d'une bonne santé, il peut encore compter sur de nombreuses années de vie productive. Que pouvons-nous attendre de lui ? Il a épuisé le filon qu'il exploitait dans la trilogie : *What is Religious Life ? L'Existence chrétienne selon saint Paul* et *Becoming Human Together*. Il n'a pas écrit de commentaire capital sur les Épîtres aux Corinthiens et ne manifeste aucune envie de le faire. Nous pouvons penser qu'il lui faudra trouver un autre grand sujet. Si nous nous fions à son œuvre passée, ce ne sera pas un sujet dicté par le seul intérêt académique, mais par le besoin pastoral et qui se développera en un dialogue, non seulement avec des textes et d'autres spécialistes, mais également avec des chrétiens activement engagés dans divers coins du monde.

---

30. *The Holy Land. An Archeological Guide from Earliest Times to 1700*, London, Oxford University Press, 1980, 2ᵉ éd. 1986.

Chapitre VI

FRANÇOIS-PAUL DREYFUS, o.p.

Tous les prédécesseurs de François-Paul Dreyfus à la Faculté ont commencé leur carrière à l'École Biblique. Lui avait déjà 50 ans quand il devint membre du corps professoral et une vie bien remplie derrière lui.

Il naquit le 9 août 1918 dans une famille juive de Mulhouse, en Alsace. Ses parents, Jules, industriel, et Emma, ne pratiquaient pas leur religion, à part l'observance de quelques traditions fondamentales. Par conséquent, il avait 14 ou 15 ans lorsqu'il découvrit la Bible. L'indifférence de sa famille provoqua une réaction qui eut des conséquences importantes. Il prit l'Écriture au sérieux et, comme la Bible dont il disposait était chrétienne, il passa tout simplement au Nouveau Testament quand il eut fini l'Ancien. Il fut profondément impressionné par l'enseignement moral des Évangiles, y voyant l'accomplissement admirable de ce qui n'était qu'ébauché dans les Écritures juives. Le grain qui avait été semé ainsi allait rester enfoui pendant plusieurs années.

Après le baccalauréat (latin, grec, philosophie), il passa deux ans à préparer le dur concours d'entrée à l'École Polytechnique. Il fut reçu et en ressortit avec succès en 1939, juste à temps pour être expédié dans l'armée française, au début de la Seconde Guerre mondiale, comme officier du Génie. Surpris par l'avance allemande en 1940, il se retrouva prisonnier de guerre dans un camp. En juillet de cette même année, les officiers juifs du camp furent invités à se déclarer. Il leva la main, on en prit note et il retourna à son baraquement, s'attendant au pire. Pour faire passer le temps, il emprunta une Bible au commandant de sa compagnie qui, par hasard, était dominicain. Il relut ses passages préférés, Lévitique 19 et le Sermon sur la Montagne. Comme les Allemands ne donnèrent pas suite à l'information selon laquelle il était juif, il fut catéchisé et baptisé au camp, en 1941.

Il resta prisonnier jusqu'à la fin de la guerre, en 1945, mais lui et ses compagnons étaient traités en officiers et pouvaient se livrer à une vie intellectuelle intense. Les discussions étaient lancées à partir des conférences faites par les érudits de la stature de M.-H. Vicaire, o.p., professeur d'Histoire de l'Église à l'Université de Fribourg et du théologien Yves Congar, o.p., connu dans le monde entier. Dreyfus aida celui-ci à perfectionner son hébreu et les liens ainsi tissés entre eux au cours de leur captivité ne sont nulle part mieux illustrés que dans les paroles dont se servit Congar pour dédier au Père Dreyfus sa traduction de l'*Unité du Nouveau Testament* de A.M. Hunter : « Au Père Paul Dreyfus, mon camarade, mon frère, mon disciple, mon maître ! »

Dès son baptême, Dreyfus s'était senti attiré par la vie religieuse et, étant donnés les contacts qui avaient pu l'influencer, il n'est pas étonnant qu'il soit entré dans l'Ordre Dominicain en 1947, après avoir travaillé pendant deux ans comme ingénieur des Ponts-et-Chaussées. Lorsqu'il reçut l'habit, au noviciat de Saint-Jacques à Paris, le nom de Paul fut ajouté à son prénom. Ses études philosophiques et théologiques au Saulchoir (1948-54) furent dirigées par certains des esprits les plus brillants de France. Les professeurs dominicains étaient parmi les plus éminents théologiens dont l'ouverture d'esprit et le sens du progrès préparaient la voie au Concile Vatican II.

En dépit du don pour les études bibliques manifesté dans sa thèse de lectorat, *Le Reste d'Israël dans le Nouveau Testament*[1], le Père Avril, Provincial de la Province de Paris, le destinait à être fondateur, avec Bruno Hussar, o.p., de la Maison Saint Isaïe, à Jérusalem Ouest. En fait, il alla à Jérusalem en 1954, mais pour une tâche différente.

Quand Ceslas Spicq, o.p., partit pour l'Université de Fribourg, en 1953, afin d'y remplacer Boismard, sa place au Saulchoir fut prise par André Viard, o.p. Malgré ses compétences intellectuelles, il devint bientôt évident que Viard n'allait pas réussir en tant que professeur. Le nouveau Provincial, le Père Ducatillon, désigna Dreyfus pour être son successeur. Il passa ainsi deux ans (1954-1956) comme étudiant à l'École Biblique. À cette époque-là, l'École était dans la partie arabe de Jérusalem et les souvenirs de la débâcle de 1948 étaient encore vivaces. S'appeler Dreyfus était un sûr moyen de créer des difficultés, par conséquent, pour la durée de son séjour, il devint le Père Trévoux[2].

L'année qui suivit son retour au Saulchoir, il termina sa thèse de doctorat qui était une version très élargie de celle de son lectorat. La partie qui en fut publiée révélait un talent inhabituel[3]. Ce travail lui fut très utile au

---

1. Ce travail lui fournit la matière de son premier article « La doctrine du Reste d'Israël chez le prophète Isaïe » *RSPT* 39 (1955) pp. 361-386.

2. Dreyfus est considéré comme étant la forme juive médiévale du nom de villes appelées aujourd'hui Trier, Troyes, et Trévoux.

3. « Le thème de l'héritage dans l'Ancien Testament », *RSPT* 42 (1958) pp. 3-49. Ce ne fut que beaucoup plus tard qu'il publia une étude plus complète : « Reste d'Israël », *DBS* 7 (1966), col. 414-437.

cours des dix années suivantes qu'il passa comme professeur de Nouveau Testament au Saulchoir ; durant cette période, il publia deux articles importants[4].

Au milieu des années 60, Benoit et Boismard étaient tous deux extrêmement occupés, le premier était pris par les affaires de Vatican II et le second, débordé par la préparation et la rédaction du commentaire littéraire de la *Synopse* en français. Il en résultait un terrible retard dans les recensions de livres. Or, on ne pouvait négliger ce travail parce que l'École avait besoin de la bienveillance des éditeurs. Les livres qui arrivaient gratuitement pour être analysés, représentaient une économie importante pour le budget destiné aux acquisitions de la bibliothèque. En 1967, Benoit invita donc Dreyfus à venir à Jérusalem pour assurer la recension des livres. Cette fois-ci, il n'eut pas à changer de nom, puisqu'Israël s'était emparé de Jérusalem Est pendant la Guerre des Six Jours. Au cours des deux années suivantes, il passa ses semestres alternativement à l'École Biblique et au Saulchoir et analysa 150 livres. À la suite de quoi, il fut invité à rester à l'École Biblique comme professeur de théologie biblique (1969), à la place de Jean-Paul Audet, o.p., qui venait du Canada six mois par an depuis 1959 et trouvait que ce système morcelait beaucoup trop son enseignement à Ottawa et à Montréal[5].

Exégèse en Sorbonne, exégèse en Église

La nomination de Dreyfus lui donnait la possibilité de fouiller aussi bien l'Ancien que le Nouveau Testament. Son projet spécifique, cependant, le rendait particulièrement sensible au problème de la communication. Des livres tels que *The Bible in Human Transformation. Toward a New Paradigm for Biblical Studies* (Philadelphie, Fortress 1973) de Walter Wink et des articles comme celui de François Refoulé « L'exégèse en question » (*Vie Spirituelle, Supplément* 111 [1974] pp. 391-423), soutenaient que la méthode historico-critique avait failli. Elle avait certes sa valeur ; il y avait encore des secteurs qu'elle pouvait explorer mais elle ne réalisait pas à ce à quoi s'attendaient ceux qui lisaient les publications des experts. Elle ne rendait

---

4. « L'argument scripturaire de Jésus en faveur de la résurrection des morts (Marc III, 26-27) », *RB* 66 (1959) pp. 213-224 ; « Maintenant, la foi, l'espérance et la charité demeurent toutes les trois. 1 Cor 13, 13 », *SPC*, I, pp. 403-412.

5. AUDET était surtout connu pour son *La Didaché. Instructions des Apôtres* (ÉB) Paris, Gabalda, 1959 et, tandis qu'il était à l'École, il publia un certain nombre d'articles se rapportant au Nouveau Testament. « 'De son ventre couleront des fleuves d'eau' — La soif, l'eau et la parole », *RB* 66 (1959) pp. 379-386 ; « Qumran et la notice de Pline sur les Esséniens », *RB* 68 (1961) pp. 346-387 ; « l'hypothèse des Testimonia. Remarques autour d'un livre récent [P. PRIGENT, *Les Testimonia dans le christianisme primitif*] » *RB* 70 (1963) pp. 381-405.

pas la Bible vivante de manière à nourrir la foi et à illuminer le présent et l'avenir.

On dira que les auteurs savaient mieux que quiconque ce qu'ils avaient à faire. Après tout, c'étaient eux les spécialistes qualifiés ! Comme exégètes, dont le rôle était théologique, Dreyfus n'était pas disposé à les suivre dans cette voie ; il faisait remarquer, non sans raison, que si les consommateurs ne veulent plus acheter, les producteurs seront au chômage. Si les consommateurs ont l'impression que les exégètes n'écrivent pas pour eux, mais pour un petit cercle de collègues, il y a quelque chose qui ne va pas. Si les consommateurs s'aperçoivent que les exégètes ne s'intéressent exclusivement qu'au passé et qu'ils se servent d'un jargon inintelligible, cela n'est pas sain. De 1975 à 1979, Dreyfus écrivit une série de cinq articles importants pour essayer de clarifier ce problème et pour suggérer comment on pourrait tenter d'y remédier.

Il commença par faire la distinction entre exégèse savante et exégèse pastorale[6]. Celle-là est une discipline professionnelle reconnue qui traite de la Bible comme elle le ferait de l'étude critique de tout autre ensemble littéraire. Elle n'a rien à voir avec l'engagement religieux, quel qu'il soit, du professeur ou de l'étudiant. Elle traite le texte biblique comme un document historique, ne différant en rien de n'importe quel autre document de la même époque et l'étudie sous tous les aspects possibles, à l'aide de toutes les ressources scientifiques dont elle peut disposer. Seules sont considérées comme légitimes, les méthodes apportant des connaissances vérifiables et le savoir qui en résulte est apprécié comme se suffisant à lui-même. Qu'il soit utile à quelqu'un, en dehors du monde de l'érudition ne présente aucun intérêt.

L'exégèse pastorale, par contre, traite le texte biblique comme un document sacré unique, dont la signification est vitale pour une communauté religieuse. Il s'agit, par conséquent, d'un ministère ecclésial, voué au service du peuple de Dieu dans son pèlerinage vers le Royaume. Ceux qui y travaillent doivent se consacrer entièrement à la finalité du texte. Une attitude froidement objective est exclue. On se sert des mêmes techniques d'interprétation que dans l'exégèse savante, mais, ici, il s'agit de moyens et non de fins et l'on ne refuse pas une connaissance non-rationnelle. Cette exégèse, à certains moments, fait appel à la foi.

Alors que l'exégèse savante peut traiter le texte biblique comme s'il était polyvalent, c'est-à-dire porteur de diverses interprétations dont aucune n'est privilégiée par rapport aux autres, pour l'exégèse pastorale, le texte biblique est destiné à communiquer certaines convictions et à promouvoir un

---

6. « Exégèse en Sorbonne, exégèse en Église », *RB* 82 (1975) pp. 321-359.

type de conduite particulier. Par conséquent, savoir ce que l'auteur a voulu dire est extrêmement important et devrait être le souci primordial de l'exégète pastoral. Il ne peut cependant se contenter de chercher simplement le sens du texte, il doit présenter celui-ci à un monde très différent, de manière à libérer la puissance vivifiante qu'il contient.

Mais, comment donner vie et force aujourd'hui à la Parole de Dieu qui fut adressée autrefois à un peuple différent, dans un milieu culturel tout autre ? Pour répondre à cette question, Dreyfus se tourna d'abord vers la Bible[7]. Elle rapporte une histoire de plus de 2 000 ans, et la manière dont la Parole de Dieu fut gardée vivante à travers les générations successives, devrait fournir la base d'une méthodologie qui puisse contrôler, stimuler et guider l'exégète pastoral.

À l'intérieur de la Bible, la vitalité permanente de la Parole de Dieu s'enracine dans l'unité organique du Peuple de Dieu, que ce soit celui de l'Ancien ou du Nouveau Testament. Les hommes de chaque génération se voient comme vitalement concernés par ce qui est arrivé à leurs prédécesseurs ; ce passé est un élément constitutif de leur présent. C'est en vertu de cette unité que la Parole de Dieu adressée à une génération vaut aussi pour la succesion des âges.

Ce qu'il faut rendre vivant n'est pas d'abord un texte écrit, mais une tradition qui raconte un événement lié (dans sa préparation et par ses conséquences) à l'action salvatrice de Dieu en faveur de son peuple. Le lieu privilégié de cette vitalisation est la célébration cultuelle des événements du salut. Cela peut se faire ailleurs, mais, dans l'acte cultuel, l'événement est, pour ainsi dire, fixé dans le présent.

Il y a deux modes importants de vitalisation. Le plus fondamental se situe dans et à travers l'événement. Dans l'Ancien Testament, les situations nouvelles remettaient en cause les interprétations reçues et révélaient des virtualités non encore décelées. Pour les chrétiens, la résurrection de Jésus interprétait l'Écriture, tout en étant par ailleurs interprétée par elle. C'était le prisme qui réfractait et la loupe qui recentrait la Parole millénaire de Dieu et lui donnait de toucher un monde nouveau. Une telle vivification ne falsifie pas le message originel. Il se peut qu'elle en développe un aspect secondaire, ou qu'elle mette en valeur une de ses dimensions cachées, ou qu'elle en réordonne les éléments, mais toute contradiction est exclue, du fait que l'auteur et l'interprète sont, l'un et l'autre, des cellules à l'intérieur de la même unité organique, la personnalité collective du peuple de Dieu.

L'étape finale de la démonstration de Dreyfus consistait à appliquer cette méthode à l'exégèse pastorale de la Bible dans la situation

7. « L'actualisation à l'intérieur de la Bible », *RB* 83 (1976) pp. 161-202.

d'aujourd'hui[8]. La personnalité collective qui rendait possible le don de la vie dans la Bible est devenue le Corps du Christ ; les croyants sont ses membres à Lui et membres les uns des autres. Ce qui est rendu vivant désormais, n'est plus un événement, mais une personne, le Christ crucifié et ressuscité, qui vit dans l'Église. En tant qu'incarnation du Verbe éternel, il est l'unique et parfaite Parole de Dieu, à laquelle se rapportent, pour trouver leur sens véritable, toutes les autres expressions imparfaites (événements ou textes).

Dans l'eucharistie, Jésus devient vraiment présent au cœur de la communauté, faisant ainsi de l'assemblée liturgique le lieu privilégié où s'accomplit le don de la vie. Par conséquent, l'homélie sur les textes scripturaires est le but principal de l'exégèse pastorale. Si elle doit préparer la communauté à participer pleinement à l'eucharistie, sa tâche fondamentale sera de rapporter les lectures au mystère pascal. Elle accomplit cela de manière typologique, en soulignant les ressemblances entre « autrefois » et « maintenant ». Ces similitudes sont rendues possibles par la constance de Dieu dans l'élaboration de son plan de salut et par l'immutabilité fondamentale de la nature humaine dans ses manifestations individuelles et sociales. Elles sont rendues légitimes par des précédents dans la tradition vivifiante de la Bible et de l'Église.

La Bible elle-même et la tradition patristique, insistent sur le rôle essentiel joué par le Saint-Esprit dans la compréhension véritable des Écritures. L'Esprit, qui a fait naître les Écritures, doit être à l'œuvre chez ceux qui désirent en saisir le sens profond. Ceci suppose une écoute dans la prière de la voix de l'Esprit, qui se fait entendre dans le passé et le présent de l'Église, dans la tradition de ses coutumes, et dans les déclarations du Magistère.

Le nombre de textes dont le sens a été défini par le Magistère est très limité, mais cela ne veut pas dire que l'Église ait négligé le devoir qu'elle a de faire connaître la signification authentique de l'Écriture. Elle le fait indirectement et beaucoup plus fréquemment, en déterminant une réalité qui se rapporte à un ou à plusieurs textes. Ainsi, par exemple, quand le Concile de Trente a défini le rapport du célibat au mariage, il montrait en même temps la façon dont l'Église interprète 1 Cor 7, 25-40.

Ce résumé ne rend pas assez compte de la pensée de Dreyfus. Il n'évoque pas non plus l'intense ferveur pastorale dont était remplie toute cette série d'articles. Comme nous l'avons laissé entendre au début, il s'agissait d'un effort fait pour permettre à l'exégèse universitaire d'échapper à

---

8. « L'actualisation de l'Écriture. I. Du texte à la vie » *RB* 86 (1979) pp. 5-58 ; II « L'action de l'Esprit » *RB* 86 (1979) pp. 161-193 ; III « La place de la Tradition » *RB* 86 (1979) pp. 321-384.

l'impasse dans laquelle elle se trouvait. Mais, tandis que se poursuivait la publication de ces articles, on se rendait mieux compte que Dreyfus cherchait également à jeter un pont sur ce que beaucoup considéraient comme une séparation de plus en plus profonde entre les résultats de l'exégèse critique et l'enseignement traditionnel de l'Église.

Dreyfus insiste d'une part, sur le caractère hypothétique de toutes les conclusions littéraires, si rigoureuse que soit la méthode employée, si complètes qu'en soient les données et, d'autre part, il met en lumière la certitude de l'interprétation que donne l'Église des réalités sous-jacentes aux Écritures, certitude qui se manifeste par le *sensus fideiium* et qui est finalement énoncée par le Magistère. Dans l'exégèse pastorale, la dimension de la foi doit suppléer à ce qui manque à la méthode de la critique historique, parce que, seule une interprétation claire et sans ambiguïté peut libérer la puissance vivifiante d'un texte biblique.

Jésus savait-il qu'il était Dieu ?

Ces réflexions sur un problème contemporain d'importance vitale ne suscitèrent pas l'attention qu'elles méritaient. Comme les articles ne furent jamais réunis en un livre, aucun critique ne fut contraint d'affronter le défi qu'elles posaient. Ceci n'est certainement pas vrai de la publication suivante de Dreyfus. Celle-ci fut non seulement traduite dans les langues principales, mais un de ceux qui en firent la recension (J. Galot, s.j.) l'étudia au moins à trois occasions différentes.

Le sujet en était la connaissance que Jésus avait de sa divinité. Dreyfus le posait en ces termes : « Supposons que Jésus de Nazareth, au cours de sa vie terrestre, ait eu entre les mains notre Évangile selon saint Jean. Comment aurait-il réagi devant les paroles que lui attribue l'évangéliste ? « Non que personne ait vu le Père, sinon celui qui vient de Dieu, celui-là a vu le Père » ; « Avant qu'Abraham fut, je suis » ; « Père, glorifie-moi de la gloire que j'avais auprès de toi avant que le monde fût » (6, 45 ; 8, 58 ; 10, 30 ; 17, 5). Jésus aurait-il reconnu dans ces affirmations des paroles, sinon qu'il aurait dites, du moins qu'il aurait pu dire, parce qu'elles correspondaient à ce qu'il pensait de lui-même, de sa personne et de son mystère ? Ou bien, aurait-il crié au blasphème et approuvé ceux qui, selon l'évangéliste, voulaient le lapider, précisément après l'une de ces déclarations ? Leur reproche est clair : « parce que, n'étant qu'un homme, tu te fais Dieu » (10, 33)[9].

Dreyfus continue alors en disant que, jusqu'au milieu du siècle dernier, les chrétiens de toutes confessions auraient répondu par l'affirmative à la première question et par la négative à la seconde, alors que, plus récem-

---

9. *Jésus savait-il qu'il était Dieu ?* Paris, Cerf, 1984, p. 7.

ment, les réponses auraient été inversées. Cette affirmation est certainement juste et le changement peut s'expliquer de bien des manières. Dreyfus, quant à lui, y voyait un exemple archi-typique de l'écart entre les conclusions minimisantes de l'exégèse universitaire et la foi traditionnelle de l'Église.

Son expérience de conférencier, s'adressant à un public de non spécialistes, lui avait montré que cette tension créait un grave problème pastoral. Il écrivit donc un livre pour montrer aux non-initiés qu'il n'était pas nécessaire de réinterpréter l'enseignement traditionnel, car les arguments mis en avant par l'Église étaient plus forts que ceux employés par l'exégèse universitaire.

Son premier souci était de confirmer la position de l'Église et sa conclusion est sans ambiguïté : « l'affirmation que Jésus savait qu'il était Dieu fait partie du dépôt de la foi de l'Église[10] ». Il admet que cela n'a pas été formellement défini, mais il insiste sur le fait que cela n'a cessé dêtre enseigné par le magistère ordinaire depuis le premier siècle et que cet enseignement n'était pas une simple répétition non réfléchie, mais un choix délibéré, en réponse à des négations formelles. Le maillon le plus important dans cet enchaînement dogmatique est le premier : « Face à ceux qui niaient le mystère de l'Incarnation, Jean écrit son Évangile, pour montrer que Jésus est le Fils de Dieu, Dieu lui-même et que cette conviction a pour source l'enseignement de Jésus lui-même, dont la vérité est attestée par les miracles, les "signes", les "œuvres" que Jésus a faites[11] ».

Pour soutenir ce point de vue, Dreyfus montre que Jean voulait faire un portrait véritablement historique de Jésus et qu'il n'aurait pas osé mettre dans la bouche de celui-ci des mots affirmant sa divinité, à moins d'être absolument convaincu que Jésus avait vraiment dit ces paroles-là, ou d'autres similaires. Et Jésus ne pouvait être un menteur, parce que Dieu lui accordait les miracles qui confirmaient son enseignement.

Ainsi, selon Dreyfus, l'exégète croyant doit partir de la conviction que l'Église n'exige pas seulement qu'il croie que Jésus était Dieu, mais qu'il croie également que Jésus savait qu'il était Dieu. Dans la deuxième partie du livre, Dreyfus transforme cette croyance en une sorte d'hypothèse de travail que tout historien pourrait accepter ; il examine ensuite le Nouveau Testament pour y chercher quelque donnée qui risquerait d'indiquer que l'hypothèse est inadéquate. C'est précisément de cette manière que n'importe quel érudit sérieux traiterait la prétention de nombreux empereurs romains à la divinité.

Si Jésus était convaincu qu'il était divin, demande Dreyfus, comment

10. *Jésus savait-il qu'il était Dieu ?* p. 38.
11. *Jésus savait-il qu'il était Dieu ?* p. 37.

aurait-il pu communiquer cette connaissance de lui-même ? Il est évident que, s'il avait dit clairement : « Je suis Dieu », on l'aurait immédiatement rejeté comme fou. Tous ceux qui cherchent sérieusement à communiquer adaptent leurs paroles à ce que peut comprendre leur auditoire et c'est ce qu'a fait Jésus. Dreyfus distingue trois catégories parmi ceux qui entendirent Jésus parler.

Quand Jésus prêchait à la première catégorie : les foules, il ne disait pas tout ce qu'on pouvait dire. Il se limitait à ce qui pouvait être accepté et assimilé sans erreur, étant donnée la mentalité courante. Il essaya pourtant de les élever au-delà de leurs attentes, ce qui le fit accuser de blasphème.

Certains sortaient des foules et passaient dans la seconde catégorie. Ils se mettaient à suivre Jésus. À ceux qui l'acceptaient comme leur chef, Jésus pouvait révéler davantage de l'intimité de son rapport avec Dieu, par exemple, il appelait Dieu *Abba*, ce qui exprimait une intimité à laquelle nul autre être humain n'avait jamais aspiré. Il se peut que ces disciples n'aient pas saisi pleinement ce que Jésus essayait de leur communiquer, mais ils retenaient ses formules dont ils allaient peu à peu comprendre la signification.

Parmi les disciples, il y avait un cercle privilégié, plus restreint, composé de Pierre, Jacques et Jean. À ceux-ci, Jésus parlait beaucoup plus ouvertement. Il n'y a pas de preuve explicite qu'il leur ait parlé de sa divinité. Dreyfus, pourtant, pense qu'il a dû le faire. Très tôt, à un moment représenté par les Épîtres pauliniennes, (Phil 2, 6-11 ; 1 Cor 8, 9), les chrétiens croyaient à la divinité et à la préexistence du Christ. Ces idées ne leur venaient pas du paganisme, et il était impossible qu'ils les aient reçues du judaïsme. Par conséquent, dit Dreyfus, ils ont dû les recevoir de Jésus lui-même.

En d'autres termes, Jésus faisait ce que la condescendance divine avait fait par la révélation progressive de l'Ancien Testament. Il adaptait son message aux capacités diverses de ceux à qui il s'adressait. Ce qu'il communiquait, même à ceux qui étaient le plus capables de comprendre, était limité par l'impossibilité qu'a l'esprit humain de percevoir clairement la connaissance intuitive par laquelle Jésus saisissait la vision béatifique. La connaissance que le mystique a de Dieu n'est que le pâle reflet de la conscience que Jésus avait de sa propre personne.

Après avoir ainsi établi que son hypothèse de travail était l'explication la meilleure possible de la véracité du Nouveau Testament, Dreyfus se tourne vers les objections faites à sa position. Elles s'appuient sur des textes qui laissent paraître de l'ignorance de la part de Jésus : il attribuait à David un psaume que celui-ci n'a pas écrit (Mc 12, 36) ; il considérait le séjour de Jonas dans le ventre de la baleine comme un fait historique (Matt 12, 39-41) ; il disait ne pas connaître la date du jugement dernier (Mc 13, 32) ; il avait peur de la mort (Mc 14, 32-42) et, sur la croix, il fit l'expérience de l'ultime déréliction (Mc 15, 34).

Dans chacun de ces cas, Dreyfus donne la même réponse fondamentale. Quand nous les situons dans le cadre de ce que Jésus savait de sa divinité, ces textes « permettaient de comprendre beaucoup plus profondément la psychologie de Jésus, assumant, pour nous sauver, non le péché lui-même, mais ses conséquences les plus douloureuses[12] ». De là, Dreyfus conclut : « Si Jésus, au cours de sa vie terrestre, avait eu entre les mains le quatrième Évangile, il aurait dit : C'est bien moi[13] ».

Critiques et approbations

Dans les jours qui suivirent sa publication, le livre connut le succès. En l'espace de neuf mois, il fut ré-édité deux fois, ce qui est très inhabituel pour un livre religieux en France, et il fut couronné par l'Académie Française, l'Institution la plus prestigieuse du pays. D'une part, il agaçait, d'autre part, il répondait à un besoin profond.

Il y eut des jugements négatifs qui n'exprimaient rien que l'extrême irritation du recenseur[14], tandis que d'autres saluaient le livre comme « réconfortant et lumineux pour la foi[15] ».

Jacques Gallot, s.j., expliquait cette dernière réaction : « Il s'agit d'une saine et heureuse réaction à la tendance d'œuvres récentes de réduire les affirmations de la foi chrétienne par une réinterprétation de l'Écriture ou des Conciles[16] ». À quoi Christophe Schonborn, o.p., ajouta : « La surprise de beaucoup de chrétiens de voir et d'entendre poser cette question (touchant à la divinité du Christ) par des théologiens y apportant souvent des réponses négatives ou du moins hésitantes, explique en grande partie le succès de ce livre[17] ».

Ces deux citations résument un large ensemble de recensions. Le livre fut accueilli chaleureusement par ceux qui ressentaient les hésitations loyales d'érudits comme un problème pastoral. Les fidèles ne recevaient pas les réponses brèves et directes que leur piété et leur manque de connaissances théologiques compliquées exigeaient. Vu sous cet angle, le livre de Dreyfus apparaissait comme une manne tombée du ciel. C'était un exemple parfait dont les pasteurs avaient besoin pour endiguer le flot montant d'incertitude parmi les ouailles. « Un souffle d'air frais qui dissipe les brumes du doute »,

---

12. *Jésus savait-il qu'il était Dieu ?* p. 128.

13. *Jésus savait-il qu'il était Dieu ?* p. 129.

14. Par exemple, E. Trocmé, de l'Université de Strasbourg dans *RHPR* 66 (1986) pp. 226-227.

15. L.A. Erchinger, *Église en Alsace*, n° 84, p. 50.

16. *Esprit et Vie*, 94 (1984) p. 627.

17. *Sources* 11 (sept.-oct. 1985) p. 228.

tel était le cliché que l'on trouvait régulièrement dans les comptes-rendus du livre.

Sur un plan plus académique, l'ouvrage fut accueilli avec le sentiment de soulagement caractéristique que l'on éprouve à l'arrivée d'un dissident d'en face, dans un moment critique du combat. Ceux qui étaient attachés à l'immutabilité des déclarations de l'Église avaient toujours considéré les exégètes comme subversifs et destructeurs[18]. S'ils étaient capables de changer la signification de la Bible, que ne feraient-ils pas aux décrets conciliaires et aux déclarations papales ? Par conséquent, nombre de ceux qui recensèrent son livre, louèrent le courage de Dreyfus : « Nous ne pouvons qu'applaudir au courage de cet exégète qui n'a craint d'enfreindre le code de la tribu[19] » en jetant « cette bombe exégético-théologique, ce livre qui est tellement à contre-courant[20] ». À leurs yeux, il anéantissait le mythe de l'exégèse scientifique en révélant le côté subjectif de ses théories préconçues et la précarité de sa logique. De la sorte, il gagna à Dreyfus le soutien chaleureux de Jean Guitton : « Je vois en lui une sorte d'Amos, je veux dire, un petit prophète, qui annonce au ciel à Jérusalem, les théologiens-exégètes de l'avenir[21] ».

Tous les critiques ne furent pas aussi élogieux. Certains étaient tellement déconcertés qu'ils se contentèrent d'un simple résumé sans un seul mot de commentaire[22]. La plupart étaient très sévères dans leur critique. Ils faisaient remarquer que l'ouvrage négligeait les Synoptiques, et ils insistaient sur la distance qui séparait Dreyfus de l'ensemble des exégètes du Nouveau Testament, ce dont lui-même avait, bien sûr, parfaitement conscience[23].

La critique exégétique la plus sérieuse vint de son collègue à l'École Biblique, M.-É. Boismard[24]. Il s'attaquait à deux points essentiels de la démonstration de Dreyfus, à savoir, l'affirmation que *Fils de Dieu* avait une valeur transcendante en Jn 20, 31, et l'idée que les lettres pauliniennes révélaient la croyance en la divinité du Christ.

---

18. B. BRO, o.p., était loin d'être une exception lorsqu'il écrivait : « Sous prétexte que, s'il avait su être Fils de Dieu, le Christ aurait été un peu moins homme, la réponse des exégètes a subrepticement et habilement jeté le doute et envahi de manière négative la pensée courante » (*France Catholique, Ecclesia*, 27 avril 1984, p. 16).

19. D. OLS, o.p., *Angelicum* 62 (1985) p. 338.

20. B. de MARGERIE, s.j., *Science et Esprit* 36 (1984) p. 381.

21. *France Catholique. Ecclesia*, 11 mai 1984, B. de Margerie était lui aussi, enthousiaste : « Le Père Dreyfus a écrit... le livre que saint Thomas aimerait nous donner s'il était encore parmi nous » (article cité note 387, p. 381).

22. Par exemple S. LÉGASSE, *BLE* 87 (1986) pp. 144-145.

23. Par exemple N. McELENEY, *CBQ* 48 (1986) pp. 137-138 ; T. HAUBST, *TRev* 81 (1985) pp. 43-44 ; W. TILLMANNS, *Bijdragen* 46 (1985) p. 9.

24. *RB* 91 (1984) pp. 591-601.

L'ensemble des passages où apparaît *Fils de Dieu* dans le quatrième Évangile indique, selon Boismard, que l'expression signifie soit le Roi-Messie, soit le Juste protégé par Dieu, sauf en 10, 36 et 19, 7, où elle est employée par les Juifs dans un sens transcendant parce qu'ils accusent Jésus de blasphème. La mise au point faite par Jésus en réponse à de telles accusations est que *Fils de Dieu* n'a pas nécessairement cette signification, ce qui diminue la valeur probative de Jn 20, 31.

Quant au second point, Boismard dit que, dans les Épîtres pauliniennes, pré-existence ne se rapporte pas à l'expression *Fils de Dieu*, mais à la Sagesse, comme dans la littérature sapientielle. C'est par conséquent, un concept juif et, en tant que tel, il ne peut impliquer qu'un être, autre que Dieu, soit divin. En outre, dans Col 1, 15, il est dit de manière explicite que le Christ est une créature. Boismard n'accepte donc pas que le fléchissement des genoux, en Phil 2, 6-11, soit un salut à la divinité, ou que le nom donné là à Jésus soit Yahweh. Le nom est *Seigneur*, qui n'a de valeur qu'en tant que fonction. Par conséquence, Boismard nie qu'il y ait une preuve quelconque montrant qu'on ait vu très tôt que le Christ était Dieu. Sans cette croyance, il n'y a pas lieu de croire que Jésus ait jamais parlé de sa divinité à un groupe de disciples.

Dans une Faculté normale, on ne pourrait publier dans le Bulletin de l'École une critique aussi violente, écrite par un des professeurs, contre le livre d'un collègue. Même si les gens sont très irrités par ce livre, les exigences d'une coexistence destinée à durer font en sorte qu'il soit ignoré, ou qu'on en fasse faire le compte-rendu par quelqu'un de l'extérieur. L'École Biblique, cependant, n'est pas qu'une Faculté. Les liens qui unissent ses membres sont d'un ordre très différent des arrangements contractuels propres à une Université. Ils sont membres d'une communauté religieuse dont l'engagement mutuel est total et définitif.

Pour qu'un tel groupe puisse durer d'une manière saine, la franchise est absolument nécessaire, mais elle doit procéder d'une charité semblable à celle du Christ, ce qui garantit que la critique intellectuelle ne comporte aucun mépris de la personne. La critique de Dreyfus par Boismard avait connu un précédent, la réfutation par Benoit de la localisation du Prétoire fixée par Vincent et elle fut reçue exactement dans le même esprit.

Un an plus tard, Boismard demanda à la communauté de lui accorder des subsides afin de maintenir le prix de son livre sur le texte occidental des Actes des Apôtres dans des limites raisonnables. Au cours de la discussion sur le moyen de se procurer l'argent, Dreyfus suggéra que les bénéfices rapportés par son livre à lui, soient employés pour aider Boismard !

La critique de Boismard s'était concentrée sur ce qu'il considérait comme les points faibles de l'argumentation de Dreyfus. Il conclut que celui-ci n'avait pas prouvé sa théorie et ce fut tout. D'autres recenseurs, cependant, virent que la réaction négative à la thèse de Dreyfus comportait l'obligation de fournir une réponse alternative à la question : « Qui Jésus pensait-il être ? ». Ainsi. R. Rochais présenta quelques brèves réflexions sur la conscience que Jésus avait d'une relation fidèle à Dieu avant de conclure : « L'exégète n'a aucun mal à conclure que la communauté primitive en appelant Jésus "Fils" a traduit adéquatement la particularité de son unité avec Dieu. Arrivé là, il peut passer la main au dogmaticien[25] ». Il est difficile d'imaginer une façon plus inélégante d'éluder le problème.

On ne peut porter la même accusation contre R.E. Brown qui apporta la réponse la plus réfléchie à la provocation de Dreyfus[26]. Faisant remarquer que Dreyfus ne discutait pas de « comment les Juifs du Ier siècle auraient compris la divinité[27] », Brown suggère que, pour eux, cela aurait voulu dire : « Jésus savait-il qu'il était le Père dans les cieux ? » Cela n'aurait pu que faire naître obscurité et confusion. Ce fut la théologie chrétienne qui finit par élargir le sens du mot *Dieu*, de façon à ce qu'il puisse inclure le Fils sur la terre aussi bien que le Père dans les cieux.

En ceci, la Résurrection joue un rôle dont Dreyfus a minimisé à tort l'importance, mais Brown s'accorde avec lui pour dire que la rapidité et l'extension de la tendance chrétienne à accorder les honneurs divins à Jésus, doivent avoir, en fin de compte, trouvé leur origine dans la personnalité de ce dernier. Tout en disant avec Dreyfus que Jésus n'était pas seulement Dieu, mais qu'il connaissait son identité, Brown refuse d'admettre qu'il l'aurait exprimé selon les termes du quatrième Évangile.

Dreyfus semblait penser que l'identité du moi était affaire de connaissance conceptuelle, alors qu'en fait, il s'agit d'une appréciation intuitive directe qu'il est pratiquement impossible d'exprimer d'une manière conceptuelle. Par conséquent, Brown répondait à la question de Dreyfus de la façon suivante : « La connaissance intuitive que Jésus avait de son identité personnelle aurait été la connaissance de ce que nous appelons, dans la foi, être Dieu et être homme et une telle connaissance de soi, peut certainement n'avoir pas été plus difficile à exprimer que celle que nous avons, nous, d'être humains. Je pense que le mot Dieu appliqué à Jésus est une formulation des chrétiens de la seconde moitié du Ier siècle, qui cherchaient à exprimer une identité que Jésus connaissait mieux qu'eux et que le terme "Dieu" ne

---

25. « Jésus savait-il qu'il était Dieu ? Réflexions critiques à propos d'un livre récent », *SR* 14 (1985) p. 106.

26. « Did Jesus know that he was God ? », *BTB* 15 (1985) pp. 74-79.

27. La perspective ahistorique de Dreyfus est reprise dans la première proposition du document de la Commission théologique Internationale : « La conscience que Jésus avait de lui-même et de sa mission. Quatre propositions avec commentaire », *Gregorianum* 67 (1986) pp. 417-418.

recouvre qu'à peine. Cependant, si je trouve la question *Jésus savait-il qu'il était Dieu ?* d'une obscurité peu satisfaisante, je suis plus déconcerté lorsque des chrétiens y répondent par la négative. Certains de ceux qui donnent cette réponse pensent qu'ils sont ouverts au problème historique ; selon moi, leur négation est plus contraire au témoignage historique de la conscience de soi qu'avait Jésus, que la réponse affirmative. Il se peut que celle-ci soit fausse au plan linguistique si elle suppose que Jésus devait pouvoir exprimer son identité ; la réponse négative peut être fausse elle aussi d'une autre manière, si elle suppose que Jésus n'avait pas conscience de son identité personnelle, ou pensait n'être qu'un nouvel envoyé prophétique[28] ».

Si l'on en juge par la quantité et la variété des comptes-rendus, Dreyfus a certainement réussi à attirer l'attention sur un problème que les exégètes auraient préféré garder sous le manteau. Même ceux qui n'étaient pas d'accord avec lui, reconnaissaient la valeur qu'il y avait à être forcé de réfléchir sur les préjugés conscients ou inconscients avec lesquels on aborde des questions aussi fondamentales[29].

Bien qu'il ait atteint l'âge de la retraite en 1988, Dreyfus continue à enseigner. Il travaille à un livre sur l'Enfer, qui risque de faire autant d'étincelles que celui sur Jésus.

---

28. « Did Jesus know that he was God ? », p. 78.
29. L. LEGRAND, *Indian Theological Studies* 22 (1985) pp. 117-118.

Chapitre VII

LA NOUVELLE GÉNÉRATION

Les deux derniers venus à la Faculté comme spécialistes du Nouveau Testament ont beaucoup de choses en commun, bien qu'ils viennent d'extrémités opposées de la terre. Tous deux ont l'anglais comme langue maternelle, mais sont capables d'enseigner en français et le font volontiers. Tous deux sont d'anciens élèves de l'École Biblique et ont acquis des doctorats de haut niveau dans des Universités laïques prestigieuses. Tous deux ont enseigné pendant plusieurs années au niveau des séminaires et des Universités avant de retourner à Jérusalem et de s'y fixer.

Benedict T. Viviano, o.p.

Le hasard d'une rencontre lors d'une réunion biblique à l'Université de Louvain au cours de l'été 1982, amena le premier professeur américain à l'École Biblique. Benoit avait considérablement étayé le département du Nouveau Testament en y adjoignant Boismard, Murphy-O'Connor et Dreyfus, mais il restait une lacune importante à remplir. Personne ne se spécialisait dans l'étude des Évangiles synoptiques que Benoit lui-même avait enseignés jusqu'à la retraite. Ainsi, lorsqu'il tomba sur Benedict Viviano, dominicain de la Province de Chicago, qui avait passé une thèse de doctorat appréciée sur Matthieu et qui venait de commencer une année sabbatique en Allemagne, durant laquelle il avait l'intention d'étudier particulièrement cet Évangile, Benoit lui demanda spontanément s'il aimerait enseigner à l'École Biblique. La réponse affirmative de Viviano mit en branle toute une série d'instances officielles bienveillantes qui aboutirent à son assignation à l'École au moment où commençait l'année universitaire 1984-85.

Né à Saint-Louis le 22 janvier 1940, il était l'aîné des trois enfants de Frank Gaetano Viviano, importateur de vins et spiritueux, et de Carmeline M. Chaeppetta. Avant d'avoir terminé ses études secondaires en 1957, il avait compris que, s'il voulait accomplir au mieux sa vocation d'enseignant chrétien, le cadre d'un Ordre religieux intellectuel lui conviendrait particulièrement. Les bénédictins étaient exclus à cause de leur manque de mobilité, de même que les jésuites, à cause de leur discipline sévère et de leur spiritualité peu liturgique. Restaient les dominicains, et, après deux années obligatoires d'études plus poussées (à Loras College, Dubuque, Iowa), il entra au noviciat du Middle-West à Winona, au Minnesota, où on lui donna le nom de Benedict.

De 1960 à 1963, il étudia la philosophie à la Maison d'études Dominicaines, à River Forest, dans l'Illinois. Il passa sa maîtrise et une licence pontificale en philosophie avec une thèse sur *John Stuart Mill's Concept of Liberty*. Les trois années suivantes, à l'Aquinas Institute of Theology, à Dubuque, Iowa, couronnées par une maîtrise en théologie, révélèrent qu'il était capable de pousser ses études encore plus loin. On l'assigna donc à la Faculté pontificale de l'Immaculée Conception à Washington, DC, pour l'année universitaire 1966-67 ; ceci lui permit de passer la licence en Théologie sacrée avec une thèse sur *The Righteousness of God in Paul according to Ernst Käsemann*. Le sujet montrait qu'il était destiné à se spécialiser en Écriture Sainte. Une année d'étude des langues bibliques à l'Université de Harward (1967-1968) le prépara à entrer à l'Institut Pontifical Biblique à Rome qui lui accorda le baccalauréat en Écriture Sainte en 1969.

À l'automne de cette année-là, il suivit le programme du doctorat en études religieuses à Duke University, à Durham, en Caroline du Nord. Au cours de ses études précédentes, il avait été fortement influencé par J. Jeremias, B. Gerhardsson et R. Le Déaut qui, tous s'étaient servis de la littérature juive pour éclairer les Évangiles. Le meilleur expert de langue anglaise sur le fond rabbinique du Nouveau Testament était W.D. Davies, de Duke, et c'était avec lui que Viviano voulait travailler. Il passa deux ans à Duke comme assistant de recherche de Davies et, après avoir passé des examens de doctorat, il reçut la bourse du "James A. Montgomery Fellowship" des American Schools of Oriental Research, ce qui lui permit de passer l'année universitaire 1971-72 à Jérusalem. Tout en participant aux activités de l'École américaine, il logeait et étudiait à l'École Biblique où il commença à travailler sur sa thèse. La réalité s'affirma à l'automne de 1972 quand il fut nommé à l'Aquinas Institute of Theology à Dubuque (Iowa) pour y enseigner le Nouveau Testament. Il acheva cependant en trois ans son travail sur *Aboth and the New Testament* et le Ph. D. lui fut octroyé en 1976.

Comme la plupart des thèses, celle-ci se justifiait du fait qu'aucune étude n'avait encore été faite sur ce sujet, mais, dans l'esprit de Viviano, elle avait également une dimension pastorale qui, pensait-il, était importante pour l'Église catholique en Amérique. *Study as Worship. Aboth and the New Testament*, le titre de la version publiée en 1978, mettait en lumière la conviction pharisaïque, exprimée par Aboth, que l'étude était la pré-condition essentielle du progrès en sainteté. Une telle attitude était diamétralement opposée à l'anti-intellectualisme des catholiques américains qui avaient tendance à mettre sur le même plan une simplicité sans problèmes et une authentique piété[1]. Viviano, espérait que son travail universitaire pourrait, par la bande, fournir les éléments en faveur d'une justification, basée sur la Bible, de la valeur sanctifiante des études, ce qui était aussi l'idéal dominicain.

Bien sûr, cette dimension n'était pas explicitement développée dans le texte qui s'en tenait strictement au plan historique. Les pharisiens élevaient l'étude au niveau du culte parce que l'observance exacte de toutes les prescriptions de la Loi — unique voie vers la sainteté — n'était possible que lorsqu'on les comprenait parfaitement. Les pharisiens cependant n'avaient pas inventé ce point de vue. Ils l'avaient simplement rendu plus fort. Viviano montrait que l'identification en fait de la loi à la Sagesse, que l'idéal des Juifs en tant que peuple de lettrés, remontaient à la plus haute antiquité et étaient si généralisés qu'ils avaient dû former en partie les présupposés religieux de Jésus.

Jésus se serait senti plus près des Pharisiens que de tout autre groupe juif, précisément à cause de son amour et de son respect pour la Loi et pour les grandes réalités sacrées auxquelles elle donnait accès. Mais, Viviano faisait effort pour le noter, Jésus s'opposait à l'atomisation dégradante de la Loi, due à un juridisme encore plus compliqué. Cela marginalisait tous ceux qui étaient incapables de consacrer leur vie entière à l'étude de la Loi ou ceux qui n'en avaient pas le désir.

La familiarité de Jésus avec la Loi témoignait de la valeur qu'il lui accordait, mais il ne voulait pas que l'étude de cette Loi soit considérée comme critère de sainteté ou condition de salut. Au lieu de cela, il prit la responsabilité d'élaborer une nouvelle halacha pour permettre aux gens enfoncés dans les complexités de la lutte pour l'existence, de mener une vie religieuse authentique. Son attitude envers l'observance du sabbat rend bien compte de sa position.

Les réactions des milieux universitaires à *Study and Worship* furent, dans l'ensemble, favorables. Un critique, cependant, releva que le livre ne répondait pas tout à fait à la promesse de son sous-titre. Il ne traitait pas vraiment de *Aboth et le Nouveau Testament* mais de « Aboth et Matthieu[2] ». Il y avait là un penchant en faveur du 1er Évangile qui, en fait, devint, pour Viviano, un terrain de spécialisation préféré.

---

1. Ceci était l'objet d'un débat intense à l'époque, à cause de la violente critique de John Tracy ELLIS, *American Catholics and the Intellectual Life*, Chicago, Heritage, 1956. La discussion est rapportée dans *American Catholics and the Intellectual Ideal*, ed. F.L. Christ et G.E. Sherry, New York, Appleton-Century-Corfts, 1961.

2. M.J. COOK, *JBL* 99 (1980) p. 637. Dans sa préface, Viviano avait clairement indiqué que, pour que l'étude soit maintenue dans les limites du raisonnable, il a fallu renoncer à traiter à fond l'apport de Paul et de Jean (p. x).

Son premier article scientifique avait pour titre : « Where was the Gospel according to Matthew Written ?[3] ». La plupart aurait répondu à Antioche-sur-l'Oronte, à l'ouest de la Syrie, mais un nombre surprenant de spécialistes ne s'engagea pas. D'après plusieurs études récentes, Viviano avait trouvé des indications qui désignaient la Palestine comme lieu d'origine du texte. Par conséquent, il laissait entendre que Césarée Maritime remplissait toutes les conditions requises pour expliquer la genèse du 1er Évangile. Comme l'a admis Alexandre Sand, cette hypothèse est difficile à réfuter[4]. Pour Viviano, cependant, il s'agissait moins de soutenir une évidence que d'exprimer la conviction que l'Église de Matthieu était en dialogue avec l'académie rabbinique de Jamnia.

Ceci, en soi, montre l'orientation fondamentale de son commentaire sur *Matthieu* dans le *New Jerome Biblical Commentary* (1989). Il s'écarte d'une tendance récente à séparer entièrement Matthieu du Judaïsme et revient à une forme enrichie de l'ancien consensus selon lequel Matthieu est un Évangile qui fut écrit pour une communauté à prédominance judéo-chrétienne, tiraillée à la fois à l'intérieur de son héritage judaïque et ouverte à la mission vers les Gentils. Le format de *NJBC* imposait une concision extrême, mais Viviano réussit à être en même temps scientifique et pastoral.

Alors qu'il était professeur à l'Aquinas Institute of Theology (1972-84), la reconnaissance par Viviano de la dimension hébraïque de Matthieu, le menait régulièrement à diriger un séminaire sur le judaïsme rabbinique et à donner un cours d'araméen.

Durant sa première année sabbatique, il obtint la licence en Écriture Sainte de la Commission Pontificale Biblique, mais il passait le plus clair de son temps à Louvain, à lire des targums. Un de ses travaux subsidiaires fut un mémoire qu'il lut, en 1978, à l'assemblée de la Society of Biblical Literature, sur l'emploi du mot *rabbi* dans le récit de la Transfiguration (Mc 9, 5). Cela l'amena à devenir rédacteur en chef (1978-81) de la *Newsletter for Targumic and Cognate Studies* ; il fait encore partie de son conseil.

Le souci pastoral évident qui inspira à Viviano le choix de son sujet de thèse doctorale continue à s'affirmer à cause, ou plutôt en dépit de son intérêt pour les paraphrases araméennes de l'Ancien Testament. Il avait besoin de trouver un lien entre ses études et les problèmes chrétiens contemporains. Au début des années 70, aux États-Unis, il semblait que le plus urgent de ces problèmes était la justice sociale, autant à l'intérieur du pays qu'à l'étranger. Il fallait changer les structures et assimiler des valeurs nouvelles. À cela, Viviano décida d'apporter sa contribution en insistant sur

---

3. *CBQ* 41 (1979) pp. 533-546.

4. *Das Evangelium mach Matthâus* (RNT), Regensburg, Putest, 1986, pp. 32-33.

l'importance du Royaume de Dieu, ce qui, bien sûr, est un des thèmes majeurs de l'Évangile de Matthieu. Pour ce faire, il donna des conférences et assista à des réunions de travail. Il ne cherchait pas seulement à exposer le sens de ce concept au Ier siècle, il s'intéressait aussi à la manière dont on s'en était servi, en bien ou en mal, tout au long de l'Histoire.

Le premier fruit de ses efforts fut un article : « The Kingdom of God in Albert and Thomas » (1980) qui s'inséra ensuite dans un livre primé : *The Kingdom of God in History* (Wilmington, Glazier, 1988)[5].

Viviano y débute par un effort succinct mais profond pour cerner le sens du concept de Royaume de Dieu dans le Nouveau Testament : « Pour essayer de définir l'indéfinissable, on pourrait dire que le Royaume de Dieu est don divin à venir, apocalyptique, non bâti directement par les hommes, mais donné en réponse à une prière d'espérance, à une lutte impatiente et hâtive. Ce Royaume est l'acte final de Dieu qui visite et rachète son peuple, le vaste aboutissement des bénédictions du salut, c'est-à-dire, de toutes les bénédictions engrangées par cet acte de Dieu[6] ».

De la fixation du canon du Nouveau Testament aux environs de l'an 1000, Viviano discerne quatre courants d'interprétation et de prise de conscience. Le premier, eschatologique, porte une authentique doctrine néo-testamentaire. Selon le second, mystico-spirituel, le Royaume s'identifie, soit à quelque bien spirituel actuel dans l'âme du croyant, soit à un état de béatitude future pour les fidèles. Le troisième, politique, voyait le Royaume s'accomplir dans une entité politique telle que le Saint Empire Romain Germanique en Occident, ou l'Empire Chrétien de Constantin en Orient. Le quatrième, ecclésial, identifiait l'Église au Royaume de Dieu sur terre.

L'intelligence du Royaume de Dieu telle qu'elle a été développée par les grands théologiens du haut Moyen Âge, se trouva compliquée par la nécessité de réagir vis-à-vis de la théologie des trois états de l'Histoire de Joachim de Flore. Bovaventure acceptait une certaine ambiguïté, afin de maintenir la cohésion de l'Ordre franciscain. Thomas d'Aquin était inhibé dans son interprétation par la controverse contre les Ordres mendiants qui menaçait l'existence même des frères et qui, par conséquent, rendait téméraire de parler d'un royaume de Dieu dont la venue annoncerait des changements sociologiques radicaux. Albert le Grand fut le moins touché par le Joachinisme, mais sa vision était celle d'une spiritualité chrétienne platonisante qui identifiait le royaume à Dieu lui-même.

La vaste culture de Viviano se déploie avec le plus d'éclat dans la façon

---

5. Il fut choisi par les éditeurs de la *New Theology Review* (1[1988] p. 74) comme le meilleur livre paru dans ce domaine en 1988.

6. *The Kingdom of God in History*, p. 29.

dont il étudie les débuts de l'époque moderne. Des visionnaires utopistes tels que Savonarole côtoient les Anabaptistes qui s'intéressaient à une révolution sociale inspirée par la promesse biblique du Royaume de Dieu. Il accorde la première place cependant, à Emmanuel Kant qui, en 1793, dans un petit livre intitulé *La Religion dans les limites de la Raison*, rappelle aux théologiens et aux philosophes, l'espoir qui est au cœur des Évangiles synoptiques, celui du Royaume de Dieu sur terre. Il y voyait une communauté éthique que l'énergie humaine suffirait à bâtir sans avoir besoin de la grâce de Dieu. Au XIXe siècle, ceci mena au mouvement évangélique social dont l'influence sur le catholicisme s'est manifestée par les mouvements ouvriers et les encycliques sociales.

Le terrain était désormais préparé pour la redécouverte de la vision eschatologique du Royaume de Dieu au XXe siècle. Avec des savants tels que J. Weiss, A. Schweitzer et Karl Bath, le Royaume redevient celui que Dieu suscite et bâtit, mais dont les hommes peuvent préparer les voies et peut-être même hâter la venue en supprimant les obstacles au règne de l'amour. L'espérance de l'humanité est centrée sur le Royaume de Dieu.

Depuis qu'il est à l'École Biblique, Viviano a rendu service comme rédacteur pour le Nouveau Testament du *Illustrated Dictionary and Concordance of the Bible* (1986) et, de son enseignement, il a tiré une série d'articles dans lesquels il examinait l'interprétation essénienne du concept du Royaume de Dieu[7], la façon dont la directive du Seigneur : « Rendez à César ce qui est à César[8] », convient à notre temps et les implications qu'entraîne l'amputation de l'oreille du serviteur du grand-prêtre sur la polémique contre le Temple chez Marc[9].

Justin Taylor, s.m.

Justin Taylor, mariste néo-zélandais, n'est pas le premier *non-dominicain* à faire partie du corps professoral de l'École Biblique. Cet honneur échut d'abord à Thomas Calmes, prêtre français de l'ordre de Picpus, qui fut appelé par le Père Lagrange en 1900 et qui fit un cours en 1901-1902. Ses supérieurs, cependant, ne lui permirent de rester qu'une seule année, ce qui est fort différent de la générosité dont fait preuve la Province mariste de Nouvelle-Zélande.

Fils de John J. Taylor, fonctionnaire et de Margaret Lilias Beard, Jus-

7. « The Kingdom of God in the Qumran Literature » dans *The Kingdom of God in 20th Century Interpretation*, éd. W. Willis, Peabody, Hendrickson, 1987, pp. 97-107.

8. « 'Render unto Caesar' : Power and Politics in the Light of the Gospel », dans *The Bible Today* 26 (1988) pp. 272-276.

9. « The High Priest's Servant's Ear : Mark 14, 47 », *RB* 96 (1989) pp. 71-80.

tin Taylor naquit le 26 août 1943 à Wellington, Nouvelle-Zélande. Il fit ses études primaires et secondaires dans sa ville natale. Il renonça à une bourse de l'Université pour entrer à la Société de Marie en 1960. Après ses études philosophiques et théologiques, au séminaire de Mount Saint Mary, près de Napier, Nouvelle-Zélande, il fut ordonné prêtre le 2 juillet 1966 et envoyé à l'Université de Cambridge en Angleterre pour y faire des études supérieures. Il n'arriva là-bas qu'au bout d'un an, parce qu'il partagea son temps entre la France et l'Allemagne pour perfectionner ses connaissances des langues de ces deux pays.

Il entra à l'Université de Cambridge en 1967 pour étudier l'Histoire Moderne menant à la maîtrise. Mais, au cours de sa première année, le Dr. W.H.C. Frend recommanda qu'on le transférât sur un travail de recherche pour le Ph. D., et la commission des Études supérieures l'accepta. Les spécialités de Frend étaient l'histoire romaine et l'archéologie, ainsi que l'histoire de l'Église primitive. Taylor s'attendait tout-à-fait à être chez lui comme étudiant, mais la Faculté d'Histoire le dirigea chez les professeur d'Histoire Ancienne, le fameux A.H.M. Jones, dont l'œuvre magistrale, *The Later Roman Empire* venait tout juste de paraître.

Le nouveau statut de Taylor fut reconnu par Downing College qui lui attribua d'abord un statut de ''Bye-Fellow'' (1969-70), puis de ''Research Fellow'' (1970-73), ce qui comportait l'obtention du M.A. et en faisait un membre du groupe dirigeant du Collège. En 1972, il obtint le doctorat pour une thèse sur *The Papacy and the Eastern Churches from 366 to 417*, dont certaines parties furent publiées dans une série d'articles[10]. Tout en travaillant à sa thèse, il faisait aussi un peu de travail de tutorat d'étudiants pour Downing et d'autres collèges et prononça une série de conférences à la Faculté d'Histoire sur *Papes et Empereurs au début de la période byzantine*.

À son retour en Nouvelle-Zélande, en 1973, il enseigna au séminaire de Mount Saint Mary et à l'Université de Massey et fit une tournée de conférences au séminaire Régional du Pacifique aux îles Fiji. Peu à peu, on reconnut que l'on avait plutôt besoin de lui comme professeur de Nouveau Testament que comme professeur d'Histoire de l'Église. À cette période appartiennent deux livres à succès : *Introducing the Bible* (1981), qui fut réédité par la Paulist Press, à New York en 1987 sous le titre de *As it was Written An Introduction to the Bible* et *Alive in the Spirit* (1984), sur l'œuvre du Saint-Esprit dans la vie chrétienne.

---

10. « Eastern Appeals to Rome in the Early Church : A Little-known Witness » *DRev* 89 (1971) pp. 142-146 ; « Saint Basil the Great and Pope saint Damasus I », *DRev* 91 (1973) pp. 187-203, 262-274 ; « The Early Papacy at Work : Gelasius I (492-6) », *JRH* 8 (1975) pp. 317-332 ; The Founding of the New Rome », *Prudentia* 7 (1975) pp. 111-116 ; « The First Council of Constantinople (381) », *Prudentia* 13 (1981) pp. 47-54 ; 91-97.

Bien que très compétent dans sa spécialité et solidement armé au plan linguistique, Taylor sentait que sa formation en études bibliques comportait certaines lacunes. Aussi, lorsqu'il eut un congé d'études en 1983-84, il vint à l'École Biblique. Il y revint encore en 1985-86. Son premier mémoire étudiait Mat 18, 3 et Jn 3, 3, avec d'autres textes qui leur étaient proches, tel que l'Évangile copte de Thomas et il concluait que tous étaient des versions convergentes d'un seul dit de Jésus sur "redevenir un enfant". Cette année-là, il publia aussi un article : « The Johannine Discourses and the Speech of Jesus : Five Views[11] ». Dans son second mémoire, il comparait différents textes du Sermon sur la Montagne à des passages correspondants dans Justin martyr et d'autres écrivains primitifs et il concluait que ces Pères s'étaient inspiré d'une tradition non canonique des dits de Jésus.

Le talent pour la critique textuelle dont il faisait preuve dans ces écrits et sa formation première d'historien l'amenèrent à participer au travail de Boismard et Lamouille sur les Actes des Apôtres. Ils l'invitèrent à revenir pour un trimestre en 1987, afin de rechercher certains points historiques qui infirmaient leur analyse littéraire des Actes des Apôtres. Ceci fit comprendre aux membres de la Faculté, l'importance qu'il y avait à à avoir parmi eux un historien spécialiste de l'époque du Nouveau Testament. On avait quelque peu oublié l'apport d'Abel et de Savignac avant la seconde guerre mondiale. Une honorable tradition se trouvait donc remise à l'honneur quand Taylor fut invité à rester à l'École Biblique de manière permanente. La comparaison avec Abel est rendue d'autant plus forte que Taylor a écrit : « Khirbet es-Samra dans l'histoire », le premier chapitre de la publication que l'École va faire paraître sur ce site en Jordanie.

Le premier cours de Taylor (1988-89) traitait du cadre historique dans lequel s'inscrit le voyage missionnaire de Paul en Actes 13-14. Les éléments de ces cours entreront en fin de compte dans le commentaire historique qui est prévu, comme volume annexe au commentaire littéraire et théologique que Boismard et Lamouille viennent d'éditer. Il a également contribué à ce travail, non seulement en traitant des problèmes historiques, mais aussi dans la conception et le développement de certaines hypothèses littéraires.

La capacité qu'il a de tirer du spirituel de la critique littéraire est bien illustrée par une communication qu'il fit sur "The Portrait of the Jerusalem Church in the Acts of the Apostles 2, 42-47 and 4, 32-35[12]" au deuxième Colloque International sur l'Étude de l'Histoire et de la Spiritualité Maristes, qui s'est tenu à Rome en mars 1989. Sur un plan très différent, sa mémoire exceptionnelle lui permit de remarquer les ressemblances entre

11. *Scripture Bulletin* (1984) pp. 33-41.
12. *New Forum* 1 (1989), pp. 12-24.

Mat 24, 9-13 et Tacite, Annales 15, 43-44, ce qui l'amena à conclure que, dans ce passage, Matthieu se référait à la persécution ses chrétiens sous Néron en l'an 64[13]. C'était là un début de bon augure pour une nouvelle étape dans la carrière de Taylor et un signe de vitalité des études néo-testamentaires à l'École Biblique au moment où elle amorce son deuxième siècle d'existence.

Deux Directeurs

Jusqu'à tout récemment, le Directeur de l'École Biblique était choisi parmi les professeurs. Quand la charge du Père Tournay parvint à son terme, il fut décidé de chercher un directeur à l'extérieur de l'École. Du sang neuf ne pouvait qu'être bénéfique et les compétences du nouveau venu renforceraient la Faculté. Comme les deux directeurs élus par la suite ont écrit l'un et l'autre sur des sujets néo-testamentaires, il convient de terminer cette vue d'ensemble en mentionnant leur contribution, même s'ils n'ont été attachés à l'École Biblique que de façon temporaire.

François Refoulé a été élu en 1982. Il était auparavant Directeur littéraire des Éditions du Cerf et avait beaucoup écrit sur des thèmes de spiritualité biblique. Son profond *Marx et Saint Paul Libérer l'homme* (Paris, Cerf, 1973) mérite particulièrement d'être cité. Au cours de sa première année comme directeur il écrivit : *Et ainsi, tout Israël sera sauvé*, Rom 11, 25-32 ; (LD 117 ; Paris, Cerf 1984), dans lequel il soutenait que *tout Israël*, dans Rm. 11, 26a, ne s'applique pas à tout le peuple juif, mais au *reste* mentionné en Rm 9, 27. En d'autres termes, les Juifs, en tant que peuple, ne reçoivent pas une garantie de salut. La seule voie vers le Père est la foi en Jésus-Christ.

Ce thème servit de base à un cours l'année suivante (1983-84). L'année d'après, il fit des conférences sur la Loi dans l'Épître aux Romains, suivies d'articles sur Rm 10, 4 et 9, 30-33[14]. À ce moment-là, il fut rappelé à Paris pour reprendre son poste de Directeur littéraire du Cerf, son successeur n'ayant pas réussi. C'était dommage, aussi bien pour l'École que pour les études néo-testamentaires, parce qu'il aurait pu écrire un commentaire sur l'Épître aux Romains pour les Études Bibliques en remplacement de celui de Lagrange qui date à présent de plus de soixante ans.

Le successeur de Refoulé comme Directeur de l'École Biblique est Jean-Luc Vesco, o.p. (1984-90), qui venait d'achever deux mandats comme Prieur Provincial de Toulouse, une Province qui a donné à l'École un certain nom-

---

13. « 'The Love of Many will grow Cold' : Matthew 24, 9-13 and the Neronian Persecution », *RB* 96 (1989) pp. 352-357.

14. Romains X, 4 : « Encore une fois », *RB* 91 (1984) pp. 321-350 ; « Note sur Romains IX, 30-33 », *RB* 92 (1985) pp. 161-186.

bre de professeurs éminents, dont le Père Lagrange lui-même. Bien que spécialiste de l'Ancien Testament, Vesco avait écrit *En Méditerranée avec l'apôtre Paul*, (Paris, Cerf, 1972), ouvrage qui connut beaucoup de succès. Depuis
qu'il est à l'École, il a analysé la lecture du psautier selon l'Épître de Barnabé, du IIe siècle[15], annoté *Le Nouveau Testament. Une Parole qui fait
vivre* (Paris, Le Livre de Poche, 1988) et publié une étude importante sur
la théologie de Luc : *Jérusalem et son Prophète* (Paris, Cerf, 1988).

15. « La lecture du Psautier selon l'Épître de Barnabé », *RB* 93 (1986) pp. 5-37.

CHAPITRE VIII

UN DERNIER MOT

Bien que l'histoire traite de "l'unique, de ce qui ne peut se répéter, de l'imprévisible[1]" il ne serait pas très satisfaisant de terminer l'histoire de la recherche néo-testamentaire à l'École Biblique sans y ajouter quelques réflexions générales. Une étude d'ensemble qui se contenterait de noter ce qui a été observé ne serait rien de plus qu'un inventaire.

Chacune des vies dont on a parlé proclame son propre message. Forment-elles ensemble une entité collective qui donnerait à l'École une identité spécifique, au moins quant à l'étude du Nouveau Testament ? C'est là peut-être la question essentielle, et l'on peut lui donner une forme classique qui pourrait ici sembler paradoxale : l'École Biblique est-elle une École ?

Les écoles diffèrent par leurs traits distinctifs. On identifiait l'École d'Alexandrie par sa méthode allégorique d'interprétation des Écritures. L'École de l'Histoire des Religions se distingua par sa façon d'aborder le Nouveau Testament ; elle soutenait qu'on ne peut vraiment comprendre le christianisme que si on l'étudie comme un simple phénomène parmi les autres phénomènes religieux du monde gréco-romain. L'École de Tübingen tirait son identité de sa thèse fondamentale, la théorie d'un conflit intense entre le christianisme judéo-chrétien et celui des Gentils, conflit qui ne fut résolu qu'au milieu du second siècle. La caractéristique distinctive de l'École de Chicago était l'intérêt exclusif qu'elle portait aux implications sociologiques de l'Évangile.

Selon de tels critères, l'École Biblique n'est pas une École. Elle n'a ni méthodologie distincte, ni manière unique de considérer le Nouveau Testament. Elle partage ces points-là avec tous ceux qui étudient la Bible assez sérieusement pour en mesurer les difficultés. Elle ne cherche pas non plus à faire partager une thèse particulière. On voit bien, d'après ce qu'on a dit

---

1. S. NEILL, *The Interpretation of the New Testament 1861-1961*, London, OUP, 1966, p. 280.

des positions des différents professeurs, qu'on ne peut les limiter à tel point de vue particulier. Dans ce sens, si l'École Biblique suit une ligne qui lui est propre, celle-ci ne peut être définie que d'une manière négative. Elle n'a cessé de regarder et de rejeter les tendances, par exemple le structuralisme qui, en fin de compte, n'étaient que des modes passagères. Alors que l'École Biblique a toujours eu un souci pastoral, celui-ci n'a pas marqué ses publications au point d'en faire une caractéristique particulière.

Il y a eu pourtant des écoles beaucoup plus anciennes que celles dont nous avons parlé. Les spécialistes du Nouveau Testament parlent de l'école de Matthieu et de l'école Johannique. Elles furent précédées par l'Académie de Platon, le Lycée d'Aristote, le Jardin d'Épicure et la Stoa. D'après l'analyse de R. Alan Culpepper, elles présentent les dénominateurs communs suivants : « (1) Il s'agissait de groupes de disciples qui mettaient généralement l'accent sur la *philia* et la *koinonia* (l'amitié et la communauté) ; (2) Ils faisaient remonter leurs origines à un fondateur autour duquel ils se rassemblaient et qu'ils considéraient comme sage et bon ; (3) Ils respectaient l'enseignement de leur fondateur et les traditions qui se rapportaient à lui ; (4) Certains membres de ces écoles avaient été les disciples ou les étudiants du fondateur ; (5) Enseigner, apprendre, étudier et écrire, étaient des activités communes ; (6) Dans la plupart des écoles, on prenait des repas en commun, souvent en mémoire des fondateurs ; (7) Elles avaient des règles et des coutumes quant à l'admission, à l'intégration de leurs membres et à l'avancement parmi eux ; (8) Elles observaient parfois une certaine distance ou un retrait par rapport au reste de la société ; (9) Elles développaient des moyens d'organisation capables d'assurer leur pérennité. Comme la plupart des Écoles que nous venons d'étudier, ont tous ces caractères en commun, nous pouvons nous servir de cette liste de caractères pour définir ce qui constituait une 'école' ancienne[2] ».

Il n'est guère difficile d'appliquer cette définition à l'École Biblique. Elle présente en outre l'avantage supplémentaire de mettre en lumière la tradition selon laquelle la religion n'est pas l'ennemie de la science, mais sa matrice vivifiante. Cette définition ne convient que parce que la recherche à l'École Biblique est le fait de membres d'un Ordre religieux qui se caractérise par une *koinonia* beaucoup plus profonde que celle imaginée par les anciens.

Cette communauté comprend également les étudiants qui n'ont jamais été très nombreux. Ceci est dû à deux facteurs qui viennent s'ajouter au caractère particulier de l'École Biblique : elle ne décerne pas les premiers degrés

---

2. *The Johannine School An Evaluation of the Johannine School Hypothesis based on an Investigation of the Nature of Ancient Schools* (SBLDS 26), Missoula, Scholars Press, 1975, pp. 258-259.

universitaires (BA ou MA) ; pour être acceptés, les étudiants doivent être déjà formés et spécialisés. Il y a, par conséquent, peu de cours. L'accent est mis sur la recherche personnelle, portant sur des textes originaux, afin que l'étudiant devienne un savant indépendant.

Lagrange, bien sûr, n'était pas le fondateur de l'Ordre dominicain auquel appartiennent presque tous les professeurs de l'École Biblique, mais, si on le compare à d'autres qui ont été des instituts analogues, on voit bien qu'il a été beaucoup plus qu'un religieux envoyé par obéissance pour fonder une École Biblique à Jérusalem. À cette École, il a donné une méthode et un programme, mais on en trouvait également ailleurs. Ce qui importe davantage, c'est qu'il lui donna un style et un esprit communautaire particuliers, combinant liberté et obéissance, acceptation sans contestation et critique radicale. Ses étudiants, même lorsqu'ils devenaient ses collaborateurs, ou parvenaient à une grande notoriété, ailleurs dans le monde, se considéraient comme ses disciples et le vénéraient comme un homme dont la sagesse et la bonté étaient exemplaires. Ce trait était particulièrement marqué chez Benoit qui considérait Lagrange comme le type parfait du religieux savant et qui communiqua cette attitude à ses propres étudiants. Ils étaient — et ils sont — fiers de maintenir la tradition de Lagrange et trouvent en lui un modèle, non seulement quant à l'originalité et à la productivité, mais également dans la patiente opiniâtreté qui lui permit de faciliter une évolution et un développement d'importance dans l'Église catholique romaine.

C'est dans ce sens que l'on peut considérer l'École Biblique comme se maintenant à quelque distance par rapport à la société. Son érudition est d'abord destinée à l'instruction dans l'Église ; son effort est fondamentalement pastoral. Ses publications, tout en n'étant pas des œuvres de vulgarisation, sont largement accessibles. Elle tient cependant compte du monde universitaire. Des collègues de toutes nationalités et de toutes opinions sont fréquemment les hôtes de l'École Biblique et ses professeurs suivent régulièrement les rencontres nationales et internationales sur le Nouveau Testament et y participent activement. La qualité de leur formation, l'étendue de leur érudition et le niveau de leurs publications sur la recherche sont comparables à ceux des meilleures Universités. Ils n'acceptent cependant pas que leur programme soit fixé par des normes académiques, qu'il s'agisse des sujets sur lesquels ils travaillent ou des conclusions auxquelles ils parviennent.

Leurs collègues trouveraient certainement que Boismard, Dreyfus et Murphy-O'Connor sont quelque peu en marge de la majorité. L'intérêt qu'ils portent respectivement à la critique des sources, à la conscience que Jésus avait de lui-même et à la place centrale occupée par la communauté dans la pensée de saint Paul — pour ne parler que des points les plus évidents — les séparent de la ligne principale de l'érudition actuelle. Mais ce sont là des sujets d'intérêt primordial pour les membres ordinaires de l'Église qui forment la plus grande partie de leurs lecteurs. Tous les croyants s'intéressent à ce qui s'est vraiment passé au début du christianisme, à la personne du Christ et aux structures qui rendent possible d'être des disciples. On le voit bien d'après les invitations à faire des conférences qui parviennent aux membres de l'École Biblique de tous les coins du monde.

Un certain iconoclasme caractérise aussi ceux qui enseignent le Nouveau Testament à l'École. Tout consensus, sur quelque point que ce soit, risque d'être considéré par eux avec une profonde suspicion. Ils sont sceptiques dans le meilleur sens du terme, car ils reconnaissent la fragilité de l'emprise humaine sur la vérité. On ne peut la tenir de façon permanente. La quête du sens de la révélation n'est jamais achevée. C'est cette quête qu'ils mènent en commun depuis cent ans et à laquelle ils se vouent pour le futur : *vivant selon la vérité, dans la charité* (Éph 4, 15).

BIBLIOGRAPHIES

1890-1990

Ces bibliographies sont disposées dans l'ordre chronologique des premières éditions. Elles se limitent aux publications des auteurs concernant le Nouveau Testament. Leur présentation a été assurée par Regina A. Boisclair.

MARIE-JOSEPH LAGRANGE, o.p.

Livres

1. *La méthode historique, surtout à propos de l'Ancien Testament* (ÉB). Paris : Lecoffre, 1903.
   = *Historical Criticism of the Old Testament.* London : Catholic Truth Society, 1906.

2. *Éclaircissement sur la Méthode historique, à propos d'un livre du R.P. Delattre, S.J.* (Pro manuscripto). Paris : Lecoffre, 1905.

3. *Le Messianisme chez les Juifs. 150 avant Jésus-Christ à 200 après Jésus-Christ.* (ÉB). Paris : Gabalda, 1909.

4. *Quelques remarques sur l'"Orpheus" de M. S. Reinach.* Paris : Gabalda, 1910.
   = *Notes on the "Orpheus" of M. Sal. Reinach*, Oxford, 1910.

5. *Évangile selon saint Marc.* (ÉB). Paris : Lecoffre, 1911.

6. *Saint Paul. Épître aux Romains.* (ÉB). Paris : Gabalda, 1916.

7. *Saint Paul. Épître aux Galates.* (ÉB). Paris : Gabalda, 1918.

8. *Le sens du christianisme d'après l'exégèse allemande.* (ÉB). Paris : Gabalda, 1918.
   = *The Meaning of Christianity according to Luther and His Followers in Germany.* London : Longmans, 1920.

9. *Évangile selon saint Luc.* (ÉB). Paris : Gabalda, 1921.

10. *Évangile selon saint Marc*, Édition abrégée. (ÉB). Paris : Gabalda, 1922.
    = *The Gospel According to saint Mark.* London : Burns Oates, 1930.

11. *Évangile selon saint Matthieu.* (ÉB). Paris : Gabalda, 1923.

12. *La vie de Jésus d'après Renan.* Paris : Gabalda, 1923.
    = *Christ and Renan. A Commentary on Ernest Renan's.* The Life of Jesus. London : Sheed and Ward, 1928.

13. *L'Évangile selon saint Jean.* (ÉB). Paris : Gabalda, 1925.

14. *Synopsis evangelica graece* avec C. Lavergne. Barcelona : Éditions "Alpha", 1926.
    = *Synopse des quatre Évangiles en français d'après la Synopse grecque du R.P. Lagrange.* R.P. Lavergne, O.P. Paris : Gabalda, 1927.
    = *Sinopsi Evangelica, texte grec de M.J. Lagrange, O.P., versio catalana i notas.* L.L. Carreras and J.M. Llovera. Barcelona : Éditions "Alpha", 1927.

= *Sinossi dei quattro Vangeli secondo la Sinossi Graeca del P.M.-J. Lagrange*. Brescia : Morcelliana, 1931.
= *A Catholic Harmony of the Four Gospels, Being an Adaptation of the "Synopsis Evangelica" of P. Lagrange*. John Barton. London : Burns Oates and Washbourne, 1930.

15. *L'Évangile de Jésus-Christ*. (ÉB). Paris : Gabalda, 1928.
Traduit en allemand, anglais, arabe, espagnol, néerlandais, et italien.

16. *Le Judaïsme avant Jésus-Christ*. (ÉB). Paris : Gabalda, 1931.

17. *La morale de l'Évangile. Réflexions sur* Les morales de l'Évangile *de M. A. Bayet*. Paris : Grasset, 1931.

18. *Monsieur Loisy et le modernisme. A propos des "Mémoires" d'A. Loisy*. Paris : Cerf, 1932.

19. *Introduction à l'étude du Nouveau Testament:* I. *Histoire ancienne du canon du Nouveau Testament*. (ÉB). Paris : Gabalda, 1933.

20. *Introduction à l'étude du Nouveau Testament :* II. *Critique textuelle. La critique rationnelle*. (ÉB) avec R.P. Lyonnet, S.J., Paris : Gabalda, 1935.

21. *Introduction à l'étude du Nouveau Testament :* IV. *Critique historique. Les mystères : l'Orphisme*. (ÉB). Paris : Gabalda, 1937.

Articles

22. "Les sources du troisième Évangile." *RB* 4 (1895) : 5-22.

23. "Le récit de l'enfance de Jésus dans saint Luc." *RB* 4 (1895) : 160-185.

24. "Origène, la critique textuelle et la tradition topographique. " *RB* 4 (1895) : 501-524 ; 5 (1896) : 87-92.

25. "Une pensée de saint Thomas sur l'inspiration scripturaire." *RB* 4 (1895) : 563-571.

26. "Les sources du troisième Évangile." *RB* 5 (1896) : 5-38.

27. "L'inspiration des Livres Saints." *RB* 5 (1896) : 199-220.

28. "L'inspiration et les exigences de la critique." *RB* 5 (1896) : 496-518.

29. "Étienne." *Dictionnaire de la Bible*, éd. par F. Vigouroux. Vol. II, col. 2033-2035. Paris, Letouzey et Ané, 1899.

30. "La Dormition de la Sainte Vierge et la maison de Jean Marc." *RB* 8 (1899) : 589-600.

31. "L'interprétation de la Sainte Écriture par l'Église." *RB* 9 (1900) : 135-142.

32. "Projet d'un commentaire complet de L'Écriture Sainte." *RB* 9 (1900) : 414-423.

33. "Notes sur le Messianisme au temps de Jésus." *RB* 14 (1905) : 481-514.

34. "L'avènement du Fils de l'homme." *RB* 15 (1906) : 382-411, 561-574.

35. "Le décret *Lamentabili sane exitu* et la critique historique." *RB* 16 (1907) : 542-554.

36. "Le règne de Dieu dans le judaïsme." *RB* 17 (1908) : 350-367.

37. "La Paternité de Dieu dans l'Ancien Testament." *RB* 17 (1908) : 481-500.

38. "Nouveau fragment non canonique relatif à l'Évangile." *RB* 17 (1908) : 538-553.

39. "La parabole en dehors de l'Évangile." *RB* 18 (1909) : 198-212 ; 342-367.

40. "Les religions orientales et les origines du christianisme." *Le Correspondant* 104 (Juillet 25, 1910) : 209-241.

41. "Le but des paraboles d'après l'Évangile selon saint Marc." *RB* 19 (1910) : 5-35.

42. "Où en est la question du recensement de Quirinius ?" *RB* 20 (1911) : 60-84.

43. "Le catalogue des vices dans l'Épître aux Romains (I, 23-31)." *RB* 20 (1911) : 534-549.

44. "Jésus a-t-il été oint plusieurs fois et par plusieurs femmes ?" *RB* 21 (1912) : 504-532.

45. "A propos d'une critique par le R.P. Rinieri du Commentaire de saint Marc." *RB* 21 (1912) : 633-637.

46. "Une nouvelle édition du Nouveau Testament" (von Soden). *RB* 22 (1913) : 481-524.

47. "La conception surnaturelle du Christ d'après saint Luc." *RB* 23 (1914) : 60-71, 188-208.

48. "La justification d'après Paul." *RB* 23 (1914) : 481-503.

49. "Langue, style, argumentation dans l'Épître aux Romains." *RB* 24 (1915) : 216-235.

50. "Le commentaire de Luther sur l'Épître aux Romains." *RB* 24 (1915) : 456-484 ; 25 (1916) : 90-120.
    = *Luther on the Eve of His Revolt. A Criticism of Luther's Lectures on the Epistle to the Romans given at Wittenberg in 1515-1516.* New York : Cathedral Library Association, 1918.

51. "La Vulgate latine de l'Épître aux Romains et le texte grec." *RB* 25 (1916) : 225-239.

52. "La Vulgate latine de l'Épître aux Galates et le texte grec." *RB* 26 (1917) : 424-450.

53. "La revision de la Vulgate par saint Jérôme." *RB* 27 (1918) : 254-257.

54. "Les mystères d'Éleusis et le Christianisme." *RB* 28 (1919) : 157-217.

55. "Attis et le Christianisme." *RB* 28 (1919) : 419-480.

56. "Critique biblique. Réponse à l'article de la *Civiltà cattolica* : 'Venticinque anni dopo l'enciclica *Providentissimus*'." *RB* 28 (1919) : 593-600.

57. "A propos des destinataires de l'Épître aux Galates." *RApo* 30 (1920) : 393-398.

58. "L'exégèse biblique en Allemagne durant la guerre." *RB* 29 (1920) : 285-300.

59. "L'ancienne version syriaque des Évangiles." *RB* 29 (1920) : 321-352 ; 30 (1921) : 11-44.

60. "Une des paroles attribuées à Jésus." *RB* 30 (1921) : 233-237.

61. "L'Évangile selon les Hébreux." *RB* 31 (1922) : 161-181 ; 321-349.

62. "Le prétendu messianisme de Virgile." *RB* 31 (1922) : 552-572.

63. "Le Logos d'Héraclite." *RB* 32 (1923) : 96-107.

64. "Vers le Logos de saint Jean." *RB* 32 (1923) : 161-184 ; 321-371.

65. "Où en est la dissection littéraire du Quatrième Évangile ? *RB* (33) 1924 : 321-342.

66. "L'hermétisme." *RB* 33 (1924) : 481-497 ; 34 (1925) : 82-104 ; 368-396 ; 547-574 ; 35 (1926) : 240-264.

67. "L'origine de la version syro-palestinienne des Évangiles." *RB* 34 (1925) : 481-504.

68. "L'auteur du canon de Muratori." *RB* 35 (1926) : 83-88.

69. "Les prologues prétendus Marcionites." *RB* 35 (1926) : 161-173.

70. "La conception qui domine le IVe Évangile (échanges de vues avec le R.P. Olivieri). " *RB* 35 (1926) : 382-397.

72. "La gnose mandéenne et la tradition évangélique." *RB* 36 (1927) : 321-349 ; 481-515 ; 37 (1928) : 5-3.

72. "Un nouveau papyrus contenant un fragment des Actes." *RB* 36 (1927) : 549-560.

73. "L'Évangile de saint Marc n'a pas été écrit en latin." *RB* 37 (1928) : 106-116.

74. "Un nouvel Évangile de l'enfance édité par M. R. James." *RB* 37 (1928) : 544-557.

75. "La religion des Stoïciens avant Jésus-Christ." *RThom* 33 (1928) : 46-68.

76. "La divinité de Jésus." *VInt* 1 (1928) : 10-28.

77. "La régénération et la filiation divine dans les mystères d'Éleusis." *RB* 38 (1929) : 63-81 ; 201-214.

78. "Un nouveau papyrus évangélique (Pap. Michigan)." *RB* 38 (1929) : 161-177.

79. "Le groupe dit Césaréen des manuscrits des Évangiles." *RB* 38 (1929) : 481-512.

80. "Jean-Baptiste et Jésus d'après le texte slave de la Guerre des Juifs de Josèphe." *RB* 39 (1930) : 29-46.

81. "La Présentation de Jésus au Temple." *VSpir* 26 (1931) : 129-135.

82. "L'amour de Dieu, loi suprême de la morale de l'Évangile." *VSpirSup* 26 (1931) : 1-16.

83. "Saint Paul ou Marcion." *RB* 41 (1932) : 5-30.

84. "Le canon d'Hippolyte et le fragment de Muratori." *RB* 42 (1933) : 161-186.

85. "Un nouveau papyrus évangélique." *RB* 42 (1933) : 402-404.

86. "Projet de critique textuelle rationnelle du Nouveau Testament." *RB* 42 (1933) : 481-498.

87. "Les papyrus Chester Beatty pour les Évangiles." *RB* 43 (1934) : 5-41.

88. "Le papyrus Chester Beatty des Actes des Apôtres." *RB* 43 (1934) : 161-171.

89. "Les papyrus Chester Beatty pour les Épîtres de saint Paul et l'Apocalypse." *RB* 43 (1934) : 481-493.

90. "Socrate et Notre-Seigneur Jésus-Christ, d'après un livre récent." *RB* 44 (1935) : 5-21.

91. "L'histoire ancienne du canton du Nouveau Testament." *RB* 44 (1935) : 212-219.

92. "Deux nouveaux textes relatifs à l'Évangile." *RB* 44 (1935) : 321-343.

93. "La critique textuelle avant le Concile de Trente." *RThom* 29 (1935) : 400-409.

94. "La Vie de Jésus par M. François Mauriac." *RB* 45 (1936) : 321-345.

95. "Les légendes pythagoriennes et l'Évangile." *RB* 45 (1936) : 481-511 ; 46 (1937) : 5-28.

96. "Le réalisme historique de l'Évangile selon saint Jean." *RB* 46 (1937) : 321-341.

Choix de recensions

97. JÜNGST, J., *Die Quellen der Apostelgeschichte. RB* 4 (1895) : 629-630.

98. GORE, C., *Dissertations on subjects connected with the Incarnation. RB* 5 (1896) : 452-454.

99. RESCH, A., *Aussercanonische Paralleltexte zu den Evangelien* (TU). *RB* 5 (1896) : 281-282.

100. HOLTZAMANN, H.J., *Lehrbuch der neutestamentlichen Theologie. RB* 6 (1897) : 468-474.

101. SCHÜRER, E., *Geschichte des jüdischen Volkes im Zeitalter Jesu Christi. RB* 8 (1899) : 310-313.

102. ZAHN, Th., *Forschungen zur Geschichte des neutestamentlichen Kanons un der altkirchlichen Literatur.* BD VI. *RB* 9 (1900) : 616-620.

103. HARNACK, A. von, *Das Wesen des Christentums. RB* 10 (1901) : 110-123.

104. BOUSSET, W., *Die Religion des Judentums im neutestamentlichen Zeitalter. RB* 12 (1903) : 620-625.

105. LOISY, A., *L'Évangile et l'Église. RB* 12 (1903) : 292-313.

106. WREDE, W., *Das Messiasgeheimnis in den Evangelien. RB* 12 (1903) ; 625-628.

107. BUGGE, C.A., *Die Haupt-Parabeln Jesu. RB* 13 (1904) : 108-117.

108. GUNKEL, H., *Zum religionsgeschichtlichen Verständnis des Neuen Testaments. RB* 13 (1904) : 271-273.

109. LOISY, A., *Études évangéliques. RB* 13 (1904) : 108-117.

110. VOLZ, P., *Jüdische Eschatologie von Daniel bis Akiba. RB* 13 (1904) : 600-604.

111. WEISS, J., *Die Predigt Jesu vom Reiche Gottes. RB* 13 (1904) : 106-108.

112. OXFORD SOCIETY OF HISTORICAL THEOLOGY, *The New Testament in the Apostolic Fathers. RB* 14 (1905) : 615-617.

113. LOISY, A., *Morceaux d'exégèse. RB* 15 (1906) : 474-479.

114. PRESCH, C., *De Inspiratione Sacrae Scripturae. RB* 15 (1906) : 303-314.

115. LODS, A., *La croyance à la vie future et le culte des morts dans l'antiquité israélite. RB* 16 (1907) : 422-433.

116. SCHMIDT, N., *The Prophet of Nazareth. RB* 16 (1907) : 296-300.

117. HOLTZMANN H.J., *Das messianische Bewußtsein Jesu. RB* 17 (1908) : 280-293.

118. LOISY, A., *Les Évangiles synoptiques. RB* 17 (1908) : 608-620.

119. SANDAY, W., *The Life of Christ in recent research. RB* 17 (1908) : 280-293.

120. TILLMANN, F., *Der Menschensohn. RB* 17 (1908) : 280-293.

121. CLEMEN, C., *Religionsgeschichtliche Erklärung des Neuen Testaments. RB* 18 (1909) : 280-284.

122. FEINE, P., *Theologie des Neuen Testaments. RB* 19 (1910) : 583-585.

123. LEBRETON, J., *Les origines du dogme de la Trinité. RB* 19 (1910) : 585-593.

124. LEPIN, M. *La valeur historique du quatrième Évangile. RB* 19 (1910) : 269-276.

125. REINACH, S., *Orpheus. Histoire générale des religions. RB* 19 (1910) : 129-141.

126. SANDAY, W., *Christologies ancient and modern. RB* 19 (1910) : 579-583.

127. STANTON, V.H., *The Gospels as historical documents.* Vol II. *The Synoptic Gospels. RB* 19 (1910) : 266-269.

128. GOGUEL, M., *L'Évangile de Marc et ses rapports avec ceux de Matthieu et de Luc. RB* 20 (1911) : 132-135.

129. HEER, J.M., *Die Stammbäume Jesu nach Matthäus und Lukas. RB* 20 (1911) : 447-451.

130. LOISY, A., *Jésus et la tradition évangélique. RB* 20 (1911) : 294-299.

131. SCHADE. T.L., *Die Inspirationslehre des heiligen Hieronymus. RB* 20 (1911) : 602-607.

132. VOGT, P., *Der Stammbaum Christi bei den heiligen Evangelisten Matthäus und Lukas. RB* 20 (1911) : 443-447.

133. BRICOUT,J., *Où en est l'histoire des religions ? RB* 21 (1912) : 455-460.

134. PASQUIER, H., *La solution du problème synoptique. RB* 21 (1912) : 280-284.

135. SCHMIDTKE, A., *Neue Fragmente und Untersuchungen zu den Judenchristlichen Evangelien. RB* 21 (1912) : 587-596.

136. VOGELS, H.J., *Die Altsyrischen Evangelien in ihrem Verhältnis zu Tatians Diatessaron. RB* 21 (1912) : 284-294.

137. NORDEN, E., *Agnostos Theos. RB* 23 (1914) : 442-448.

138. SCHWEITZER, A., *Geschichte der paulinische Forschung von der Reformation bis auf die Gegenwart. RB* 23 (1914) : 288-292.

139. GRANDMAISON, L. de, *Jésus-Christ* (DA). *RB* 24 (1915) : 576-581.

140. LOISY, A., *L'Épître aux Galates. RB* 25 (1916) : 250-259.

141. Vosté, J.M., *Commentarius in Epistolas ad Thessalonicences*. *RB* 26 (1917) : 574-577.

142. Juster, J., *Les Juifs dans l'empire romain*. *RB* 27 (1918) : 258-267.

143. Mc Neile, A.H., *The Gospel According to saint Matthew*. *RB* 27 (1918) : 584-587.

144. Burkitt, F.C., *Jewish and Christian apocalypses*. *RB* 28 (1919) : 290-293.

145. Harnack, A. von, *Die Entstehung des neuen Testaments und die wichtigsten Folgen der neuen Schöpfung*. *RB* 28 (1919) : 255-261.

146. Windisch, H.,*Der Herbräerbrief*. *RB* 18 (1919) : 261-266.

147. Bacon, B.W., *The Fourth Gospel in Research and Debate*. *RB* 29 (1920) : 138-144.

148. Loisy, A., *Les mystères païens et le mystère chrétien*. *RB* 29 (1920) : 420-446.

149. Macler, F., *Le texte arménien de l'Évangile d'après Matthieu et Marc*. *RB* 29 (1920) : 452-456.

150. Harnack, A. von, *Marcion : Das Evangelium vom fremden Gott*. *RB* 30 (1921) : 602-611.

151. Bultmann, R., *Die Geschichte der synoptischen Tradition*. *RB* 31 (1922) : 286-292.

152. Reitzenstein, R., *Das iranische Erlösungsmysterium*. *RB* 31 (1922) : 282-286.

153. Bertram, G., *Die Leidensgeschichte Jesu un der Christuskult*. *RB* 32 (1923) : 442-445.

154. Dalman, G., *Jesus-Jeschua*. *RB* 33 (1924) : 271-273.

155. Goguel, M., *Introduction au Nouveau Testament*. Vol. II, *Le Quatrième Évangile*. *RB* 33 (1924) : 605-611.

156. Quentin, H., *Mémoire sur l'établissement du texte de la Vulgate*. *RB* 33 (1924) : 114-123.

157. Sanday, W., *Novum Testamentum sancti Irenaei episcopi Lugdunensis*. *RB* 33 (1924) : 260-263.

158. Vogels, H.J., *Beiträge zur Geschichte des Diatessaron im Abendland*. *RB* 33 (1924) : 624-626.

159. Vogels, H.J., *Handbuch der neutestamentlichen Textkritik*. *RB* 33 (1924) : 263-267.

160. Kraft, B., *Die Evangelienzitate des heiligen Irenäus*. *RB* 34 (1925) : 449-454.

161. Scott, W., *Hermetica : The Ancient Greek and Latin writings which contain Religious or Philosophic Teachings ascribed to Hermes Trismegistus*. *RB* 34 (1925) : 432-436 ; 593-597.

162. Simon, H., *Praelectiones biblicae ad usum scholarum*. Vol. I, *Introduction et Evangelia*. *RB* 34 (1925) : 132-139.

163. Streeter, B.H., *The Four Gospels*. *RB* 34 (1925) : 454-458.

164. Pernot, H., *Pages choisies des Évangiles traduites de l'original et commentées à l'usage du public lettré*. *RB* 35 (1926) : 296-300.

165. BRUYNE, D., *Les plus anciens prologues des Évangiles. RB* 38 (1929) : 115-121.

166. SCHMID, J., *Der Epheserbrief des Apostels Paulus. Seine Adresse, Sprache und literarischen Beziehungen. RB* 38 (1929) : 290-293.

167. VOGELS, H.J., *Die Evangelien der Vulgata untersucht auf ihre lateinische und griechische Vorlage. RB* 38 (1929) : 261-264.

168. HARNACK, A. von, *Die ältesten Evangelien-Prologue und die Bildung das neuen Testaments. RB* 39 (1930) : 619-621.

169. JOÜON, P., *L'Évangile de Notre-Seigneur-Christ (traduction et commentaire du texte original grec, compte tenu du substrat sémitique). RB* 39 (1930) : 463-466.

170. ODEBERG, H., *The Fourth Gospel. RB* 39 (1930) : 455-458.

171. STAHL, R., *Les Mandéens et les origines chrétiennes. RB* 40 (1931) : 147-151.

172. GOGUEL, M., *Jésus et les origines du christianisme. La vie de Jésus. RB* 41 (1932) : 598-614.

173. ADAM, K., *Le Christ notre frère. RB* 42 (1933) : 127-130.

174. GOGUEL, M., *La foi en la résurrection de Jésus dans le christianisme primitif. RB* 42 (1933) : 569-583.

175. GUIGNEBERT, M., *Questions évangéliques. Jésus. RB* 42 (1933) : 455-440.

176. SCHWEITZER, A., *Die Mystik des Apostels Paulus. RB* 42 (1933) : 114-123.

177. BLUMENTHAL, M., *Formen und Motive in den apocryphen Apostel geschichten. RB* 43 (1934) : 285-288.

178. LABRIOLLE, P. de, *La réaction païenne. Étude sur la polémique antichrétienne du Ier au VIe siècle. RB* 44 (1935) : 605-609.

179. RIDEAU, É., *En marge de la question synoptique. RB* 44 (1935) : 279-283.

180. GOODENOUGH, E.R., *By Light, Light. RB* 45 (1936) : 265-269.

PIERRE BENOIT, O.P.

Livres

1. *Somme théologique de saint Thomas d'Aquin. La prophétie. 2a-2ae, questions 171-178* avec P. Synave. Paris : Jeunes-Desclée, 1947.
   = *Prophecy and Inspiration. A Commentary on the Summa Theologica, II-IIae, Questions 171-178.* New York, Rome, Paris, Tournai : Desclée, 1961.

2. *Les Épîtres de saint Paul aux Philippiens, à Philémon, aux Colossiens, aux Éphésiens.* (La Sainte Bible de Jérusalem.) Paris : Cerf, 1949. 2d éd. rév., 1953. 3d éd. rév. 1959.

3. *L'Évangile selon saint Matthieu.* (La Sainte Bible de Jérusalem.) Paris : Cerf, 1950 ; 2ᵉ éd. rév., 1953 ; 3ᵉ éd. rév., 1961 ; 4ᵉ éd. rév., 1972.

4. *Le problème de Jésus et la pensée de Jean Guitton.* Paris : Gabalda, 1957.

5. *Les grottes de Murabba^c ât* (Discoveries in the Judean Desert, 2) avec J.T. Milik et Roland de Vaux, 209-280. Oxford : Clarendon Press, 1961.

6. *Exégèse et théologie.* Vol. 1-2. (Cogitatio fidei, 1-2). Paris : Cerf, 1961. Vol. 3. (Cogitatio fidei, 30). Paris : Cerf, 1968. Vol. 4. Paris : Cerf, 1982.
   = *Esegesi e teologia.* Vol. 1 (Bibl. Cultura Rel, 2/74). Rome : Paoline, 1964. Vol. 2 (La Parola di Dio, 4.). Rome : Paoline, 1971.
   = *Exegese und Theologie. Gesammelte Aufsätze. Kommentare und Beiträge zum Alten und Neuen Testament.* Düsseldorf : Patmos-Verlag. 1965.
   = *Jesus and the Gospel. A Translation of Selected Articles from Éxégèse et Théologie.* Vol. 1-2. London : Darton, Longman and Todd, Vol. 1, 1973. Vol. 2, 1974.
   = *Exégesis y teología.* Vol. 1. *Cuestiones de introducción general.* Madrid : Studium Ediciones, 1979.

7. *Inspiration and the Bible.* London, New York : Sheed & Ward, 1965.
   = *Aspects of Biblical Inspiration.* Chicago : The Priory Press, 1965.
   = *Rivelazione e ispirazione secondo la Bibbia, in San Tommaso e nelle discussioni moderne.* (Bibl. Minima Cultura Rel. 12). Brescia : Paideia, 1966.

8. *Synopse des quatre Évangiles en français, avec parallèles des Apocryphes et des Pères,* Vol. I. *Textes* avec M.-É. Boismard. Paris : Cerf, 1965. 2ᵉ éd. rév. et corr. par P. Sandevoir, 1972. 3ᵉ éd. rév. et aug. d'une concordance par M.-É. Boismard et A. Lamouille, 1981.
   = *Synopsis de los cuatro evangelios con paralelos de los apocrifos y de los Padres,* Vol. I, *Textos.* Bilbao : Desclée De Brouwer, 1975.

9. *Passion et résurrection du Seigneur.* (Lire la Bible, 6). Paris : Cerf, 1966.
   = *Passione e resurrezione del Signore. Il mistero pasquale nei quattro evangeli.* (La Parola di Dio). Torino : Gribaudi, 1967.
   = *Passion and Resurrection of Jesus-Christ.* New York : Herder and Herder/London : Darton, Longman and Todd, 1969.
   = *Paixão e Resurreição* do Senhor. (Estudos Biblicos) São Paulo : Edições Paulinas, 1975.

10. *L'Église et Israël.* (Flèches, 7). Paris : Apostolat des Éditions, 1968.

11. *Christmas. A Pictorial Pilgrimage* avec K. Leube et E. Hagolani. Nashville/New York : Abingdon, 1969.

12. *Easter. A Pictorial Pilgrimage* avec K. Leube et E. Hagolani. Nashville/New York : Abingdon, 1969.

13. *Le Père Lagrange au service de la Bible. Souvenirs personnels.* Paris : Cerf, 1967.
   = *El Padre Lagrange al servicio de la Biblia. Recuerdos personales.* Madrid : Desclée, 1970.
   = *Père Lagrange. Personal Reflections and Memories.* New York/Mahwah : Paulist, 1985.

Articles

14. "Le codex paulinien Chester Beatty." *RB* 46 (1937) : 58-82.

15. "L'horizon paulinien de l'Épître aux Éphésiens. *RB* 46 (1937) : 342-361 ; 506-525.
   = *Exégèse et Théologie*, Vol. 2, 53-96.

16. "La loi et la croix d'après saint Paul (Rom VII, 7-VIII, 4)." *RB* 47 (1938) : 481-509.
   = *Exégèse et Théologie*, Vol. 2, 9-40.
   = *Exegesi e teologia*, Vol. 1, 355-395.
   = *Exegese und Theologie*, 221-245.
   = *Jesus and the Gospel*, Vol. 2, 11-39.

17. "Le récit de la cène dans Lc XXII, 15-20. Étude de critique textuelle et littéraire." *RB* 48 (1939) : 357-393.
   = *Exégèse et Théologie*. Vol. 1, 163-203.

18. "Le procès de Jésus." *Vie Intel.-Rev. Jeunes.* 1940 : 200-213 ; 371-378 ; 54-64.
   = *Exégèse et Théologie*, Vol. 1, 265-289.
   = *Esegesi e teologia*, Vol. 1, 217-254.
   = *Exegese und Theologie*, 113-125.
   = *Jesus and the Gospel*, Vol. 1, 123-146.

19. "Jésus devant le Sanhédrin." *Angelicum* 20 (1943) : 143-163.
   = *Exégèse et Théologie*, Vol. 1. 290-311.
   = *Exegese und Theologie*, 133-148.
   = *Jesus and the Gospel*, Vol. 1, 147-166.

20. "Sénèque et saint Paul." *RB* 53 (1946) : 7-35.
   = *Exégèse et Théologie*, Vol. 2, 383-414.

= *Esegesi e teologia*, Vol. 1, 685-752.
= *Exegese und Theologie*, 297-335.

21. "Réflexions sur la *Formgeschichtliche Methode*". *RB* 53 (1946) : 481-512.
   = *Exégèse et Théologie*, Vol. 1, 290-311.
   = *Esegesi e teologia*, Vol. 1, 11-62.
   = *Exegese und Theologie*, 23-52.
   = *Jesus and the Gospel*, Vol. 1, 11-46.
   = *Exégesis y teología*, Vol. 1, 211-252.

22. "Luc XXII. 19b-20". *JTS* 46 (1948) : 145-147.

23. "L'ascension." *RB* 58 (1949) : 161-203.
   = *Exégèse et Théologie*, Vol. 1, 363-411.
   = *Esegesi e teologia*, Vol. 1, 285-352.
   = *Exegese und Theologie*, 182-220.
   = *Jesus and the Gospel*, Vol. 1, 209-253.

24. "Remarques sur les 'sommaires' des Actes II, IV et V." *Aux Sources de la tradition chrétienne* (Mél. Maurice Goguel), 1-10. Paris : Delachaux & Niestlé, 1950.
   = *Exégèse et Théologie*, Vol. 2, 181-192.
   = *Jesus and the Gospel*, Vol. 2, 95-103.

25. "La septante est-elle inspirée ?" *Vom Wort des Lebens* (FS Max Meinertz), 41-49. Münster : Aschendorffsche Verlagbuchhandlung, 1951.
   = *Exégèse et Théologie*, Vol. 1, 41-49.
   = *Exegese und Theologie*, 15-22.
   = *Jesus and the Gospel*, Vol. 1, 1-10.
   = *Exégesis y teología*, Vol. 1, 155-166.

26. "'Nous gémissons, attendant la délivrance de notre corps'. (Rom., VIII, 23)." *Recherches de Science Religieuse* 39 (1951) : 267-280.
   = *Exégèse et Théologie*, Vol. 2, 41-52.
   = *Jesus and the Gospel*, Vol. 2, 40-50.

27. "Fragment d'une prière contre les esprits impurs ?" *RB* 58 (1951) : 549-565.

28. "Nouvelles 'brattées' trouvées en Palestine." *RB* 59 (1952) : 252-258.

29. "Prétoire, lithostroton et Gabbatha." *RB* 60 (1952) : 531-550.
   = *Exégèse et Théologie*, Vol. 1, 312-339.
   = *Exegese und Theologie*, 149-166.
   = *Jesus and the Gospel*, Vol. 1, 167-188.

30. "Les origines du symbole des apôtres dans le Nouveau Testament." *Lumière et Vie* 2 (1952) : 39-60.
   = *Exégèse et Théologie*, Vol. 2, 193-211.
   = *Esegesi e teologia*, Vol. 1, 461-488.
   = *Jesus and the Gospel*, Vol. 2, 104-120.

31. "La mort de Judas." *Synoptische Studien* (Fest. Alfred Wikenhauser), 1-19. München : Karl Zink Verlag, 1953.
   = *Exégèse et Théologie*, Vol. 1, 340-359.
   = *Esegesi e teologia*, Vol. 1, 255-284.

= *Exegese und Theologie*, 167-176.
= *Jesus and the Gospel*, Vol. 1, 189-208.

32. "La divinité de Jésus." *Lumière et Vie* 9 (1953) : 43-74.
    = *Son and Saviour. The Divinity of Jesus Christ in the Scriptures.* 50-85.
    London : Geoffrey Chapman, 1960.
    = *Exégèse et Théologie*, Vol. 1, 117-142.
    = *Esegesi e teologia*, Vol. 1, 103-138.
    = *Exegese und Theologie*, 53-72.
    = *Jesus and the Gospel*, Vol. 1, 47-70.

33. "Inspiration", *Initiation Biblique*, éd, A. Robert et A. Tricot, 6-44. Paris :
    Desclée, 1954.
    = "Inspiration" *A Guide to the Bible*, Vol. 1, 9-64. New York, Desclée
    1960.

34. "La primauté de saint Pierre selon le Nouveau Testament." *Istina* 2 (1955) :
    305-334.
    = *Exégèse et Théologie*, Vol. 2, 250-284.
    = *Esegesi e teologia*, Vol. 1, 511-560.
    = *Jesus and the Gospel*, Vol. 2, 121-153.

35. "La foi." *Lumière et Vie* 22 1 (1955) : 45-64.
    = *Exégèse et Théologie*, Vol. 1, 143-159.

36. "Corps, tête et plérôme dans les Épîtres de la captivité." *RB* 64 (1956) :
    5-44.
    = *Exégèse et Théologie*, Vol. 2, 107-153.
    = *Esegesi e teologia*, Vol. 1, 397-460.
    = *Exegese und Theologie*, 246-279.
    = *Jesus and the Gospel*, Vol. 2, 51-94.

37. "The Holy Eucharist. *Scripture* 8 (1956) : 97-108 ; 9 (1957) : 1-14.
    = *Exégèse et Théologie*, Vol. 1, 210-239.

38. "Note complémentaire sur l'inspiration." *RB* 64 (1956) : 416-422.

39. "L'enfance de Jean-Baptiste selon Luc 1." *NTS* 3 (1956-57) : 169-194.
    = *Exégèse et Théologie*, Vol. 3, 165-196.
    = *Esegesi e teologia*, Vol. 1, 253-300.

40. "Les analogies de l'inspiration." *Sacra Pagina Miscellanea biblica congressus
    internationalis de re biblica*, éd. J. Coppens, et al., Vol. 1, 86-99. (BETL, 13).
    Paris-Gembloux, 1959.
    = *Exégèse et Théologie*, Vol. 3, 17-30.
    = *Esegesi e teologia*, Vol. 2, 33-54.
    = *Exégesis y teología*, Vol. 1, 63-78.

41. "La deuxième visite de saint Paul à Jérusalem." *Biblica* 40 (1959) : 778-792.
    = *Exégèse et Théologie*, Vol. 3, 285-299.
    = *Esegesi e teologia*, Vol. 2, 435-456.

42. "La plénitude de sens des Livres Saints." *RB* 68 (1960) : 161-196.
    = *Exégèse et Théologie*, Vol. 3, 31-68.
    = *Esegesi e teologia*, Vol. 2, 53-108.
    = *Exégesis y teología*, Vol. 1, 109-154.

43. "Marie-Madeleine et les disciples au tombeau selon Joh 20 : 1-18." *Judentum Urchristentum Kirche* (Fest. Joachim Jeremias), 141-152. (BZNW, 26). Berlin : Verlag Alfred Töpelmann, 1960.
= *Exégèse et Théologie*, Vol. 3, 270-282.
= *Esegesi e teologia*, Vol. 2, 413-434.

44. "Qumrân et le Nouveau Testament." *NTS* 6 (1960-1961) : 276-296.
= *Exégèse et Théologie*, Vol. 3, 361-386.
= *Esegesi e teologia*, Vol. 2, 545-582.
= "Qumran and the New Testament". *Contemporary New Testament Studies*, éd. M.R. Ryan, 61-88. Collegeville : The Liturgical Press, 1965.
= *Paul and Qumran ; Studies in New Testament Exegesis*, ed. J. Murphy-O'Connor, 1-30. London : Geoffrey Chapman, 1968.

45. "Les origines de l'épiscopat dans le Nouveau Testament." *L'évêque dans l'église du Christ*, 13-57. (Texte et études Théologiques) Paris : Desclée de Brouwer, 1963.
= *Exégèse et Théologie*, Vol. 2, 232-246.
= *Esegesi e teologia*, Vol. 1, 489-510.

46. "Les outrages à Jésus Prophète (Mc xiv 65 par.)." *Neotestamentica et Patristica* (Fest. Oscar Cullmann), 92-110. Leiden : Brill, 1962.
= *Exégèse et Théologie*, Vol. 3, 251-269.

47. "Les épis arrachés (Mt 12, 1-8 et par.)". *Liber Annuus* 13 (1962-1963) : 76-92.
= *Exégèse et Théologie*, Vol. 3, 228-250.
= *Esegesi e teologia*, Vol. 2, 349-372.

48. "Paulinisme et Johannisme." *NTS* 9 (1962-1963) : 193-207.
= *Exégèse et Théologie*, Vol. 3, 300-317.
= *Esegesi e teologia*, Vol. 2, 457-482.

49. "L'unité de l'église selon l'Épître aux Éphésiens." *Studiorum Paulinorum Congressus Internationalis Catholicus*. Vol. 1, 57-77. (Analecta Biblica, 17). Rome : Pontificio Instituto Biblico.
= *Exégèse et Théologie*, Vol. 3, 335-357.
= *Esegesi e teologia*, Vol. 2, 509-544.

50. "'Et toi-même, un glaive te transpercera l'âme !' (Luc 2, 35)." *CBQ* 25 (1963) : 251-261.
= *Exégèse et Théologie*, Vol. 3, 216-227.
= *Esegesi e teologia*, Vol. 2, 329-348.

51. "Inspiration Biblique." *Catholicisme, hier, aujourd'hui, demain* éd. G. Jacquemet, Vol. 5, 1539-1549. Paris : Letouzey & Ané, 1963.

52. "Inerrance Biblique." *Catholicisme, hier, aujourd'hui, demain,* éd. G. Jacquemet, Vol. 5, 1710-1721. Paris : Letouzey & Ané, 1963.

53. "Révélation et l'inspiration selon la Bible chez Thomas et dans les discussions modernes." *RB* 70 (1963) : 321-370.
= *Exégèse et Théologie*, Vol. 3, 90-142.
= *Esegesi e teologia*, Vol. 2, 143-220.
= *Exégesis y teología*, Vol. 1, 1-62.

54. "Rapports littéraires entre les Épîtres aux Colossiens et aux Éphésiens." *Neutestamentliche Aufsätze* (Fest. Josef Schmid), éd. J. Blinzler, et al., 11-22. Regensburg : Verlag Friedrich Pustet, 1963.

= *Exégèse et Théologie*, Vol. 3, 318-334.
= *Esegesi e teologia*, Vol. 2, 483-508.

55. "L'inspiration des septante d'après les Pères." *L'homme devant Dieu* (Fest. H. de Lubac), Vol. 1, 169-187. Paris : Aubier, 1963.
= *Exégèse et Théologie*, Vol. 3, 69-89.
= *Esegesi e teologia*, Vol. 2, 109-142.
= *Exégesis y teología*, Vol. 1, 167-192.

56. "L'annonciation." *Assemblées du Seigneur* 6 (1965) : 40-57.
= *Exégèse et Théologie*, Vol. 3, 69-89.
= *Esegesi e teologia*, Vol. 2, 109-142.

57. "L'inspiration et révélation." *Concilium* 10 (1965) : 13-26.

58. "La chiesa e Israele." *La chiesa e le religioni non cristiane*, 131-166. Napoli : Edizioni Domenicane Italiane, 1966.
= *Exégèse et Théologie*, Vol. 3, 422-441.
= *Esegesi e teologia*, Vol. 2, 635-654.

59. "Colossiens (Épître aux)." In *Dictionnaire de la Bible : Supplément VII*, cols. 157-170. Paris : Letouzey & Ané, 1966.

60. "Éphésiens (Épître aux)." In *Dictionnaire de la Bible : Supplément VII*, cols. 195-211. Paris : Letouzey & Ané, 1966.

61. "Philémon (Épître à)." In *Dictionnaire de la Bible : Supplément VII*, cols. 1204-1211. Paris : Letouzey & Ané, 1966.

62. "Conspectus biblici de ecclesia et mundo." *Angelicum* 43 (1966) : 311-320.
= "The Biblical Outlook on the Church in the World." *Interest* 3 : 3 (1969) : 43-48.

63. "Inspiration de la tradition et inspiration de l'Écriture." *Mélanges offerts à M.-D. Chenu*, 111-126. Paris : Librairie Philosophique J. Vrin, 1967.

64. "Exégèse et théologie biblique." *Exégèse et Théologie*, Vol. 3, 1-13.
= *Esegesi e teologia*, Vol. 2, 7-32.
= *Maria in Sacra Scriptura* 2 (1967) : 17-33.

65. "Découvertes archéologiques autour de la Piscine de Béthesda." *Jerusalem Through the Ages, The Twenty-fifth Archaeological Convention*, 48-57. Jerusalem : Israel Exploration Society, 1968.

66. "La vérité dans la sainte Écriture." *Exégèse et Théologie*, Vol. 3, 143-164.
= *Esegesi e teologia*, Vol. 2, 221-242.
= *Giormale di teologia* 21 (1968) : 147-179.
= *Exégesis y teología*, Vol. 1, 83-98.
= *Acta Congressus Internationalis de Theologia Concilii Vaticani II*, 513-523. Romae : Typis Poliglottis Vaticanis, 1968.

67. "La valeur spécifique d'Israël dans l'histoire du salut." *Exégèse et Théologie*, Vol. 3, 400-421.
= *Esegesi e teologia*, Vol. 2, 604-634.

68. "Le problème de la résurrection du Christ." *Table Ronde* 250 (Novembre, 1968) : 131-143.

69. "L'Église corps du Christ." *Populus Dei. II. Ecclesia* (Fest. Alfredo Ottaviani), 971-1028. Roma : Communio, 1970.
    = *Exégèse et Théologie*, Vol. 4, 205-262.

70. "'Non erat eis locus in diversorio'. (Luc 2, 7)." *Mélanges Bibliques en hommage au P. Béda Rigaux*, 173-186. Paris : Duculot, 1970.
    = *Exégèse et Théologie*, Vol. 4, 95-112.

71. "Préexistence et incarnation." *RB* 77 (1970) : 5-29.
    = *Exégèse et Théologie*, Vol. 4, 11-62.

72. "Résurrection à la fin des temps ou dès la mort ?" *Concilium* 60 (1970) : 91-100.
    = *Exégèse et Théologie*, Vol. 4, 113-125.

73. "Introductions Catholiques," par R. de Vaux, P. Benoit et M.-É. Boismard. *Catholiques, Juifs, Orthodoxes, Protestants lisent La Bible. Introduction à la Bible.* Paris : Cerf, 1970.

74. "L'Antonia d'Hérode le Grand et le Forum oriental d'Aelia Capitolina." *Harvard Theological Review* 64 (1971) : 135-167.
    = *Exégèse et Théologie*, Vol. 4, 311-346.

75. "The Archaeological Reconstruction of the Antonia Fortress." *Qadmoniot* 5 (1972) : 127-129. [en hébreu]
    = *Australian Journal of Biblical Archeology* 1/6 (1973) : 16-22.
    = *Jerusalem Revealed ; Archaeology in the Holy City 1968-1974*, 87-89. Jerusalem : Israel Exploration Society, 1975.

76. "Note sur les fragments grecs de la grotte 7 de Qumrân." *RB* 79 (1972) : 321-324.

77. "L'Annonciation. Lc 1, 26-38. 4e Dimanche de l'Avent." *Assemblées du Seigneur* 2/8 (1972) : 39-50.

78. "Nouvelle note sur les fragments grecs de la grotte 7 de Qumrân." *RB* 80 (1973) : 5-12.

79. "Saint Thomas et l'inspiration des Écritures", *Tommaso d'Aquino nel suo VII centenario*, 115-131. Congresso Internazionale Roma-Napoli, 17-24 aprile, 1974.

80. "L'emplacement de Bethléem au temps de Jésus." *Dossiers de l'Archéologie* 10 (Mai-Juin, 1975) : 58-63.

81. "L'hymne christologique de Col 1, 15-20. Jugement critique sur l'état des recherches." *Christianity, Judaism and Other Greco Roman Cults* (Fest. Morton Smith), ed. J. Neusner. Part One, *New Testament*, 226-263. (SJLA, 12). Leiden : Brill, 1975.
    = *Exégèse et Théologie*, Vol. 4, 159-204.

82. "Jésus et le serviteur de Dieu." *Jésus aux origines de la christologie*, éd. J. Dupont, 111-140. (BETL, 40). Leuven : Leuven University Press, 1975.

83. "Où en est la question du 'troisième mur' ?" *Studia Hierosolymitana in onore del P. Bellarmino Bagatti*. Vol. 1 *Studi Archaeologici*, 111-126. Jerusalem : Franciscan Printing Press, 1976.

84. "L'évolution du langage apocalyptique dans le corpus paulinien." *Apocalypses et Théologie de l'espérance*, 299-335. (Lectio Divina, 95). Paris, Cerf, 1977.

85. "Conclusion par mode de synthèse." *Die Israelfrage nach Röm 9-11*, 217-243.

(Monographische Reihe von "Benedictina", 3). Rom : Abtei von saint Paul vor den Mauern, 1977.

86. "La prière dans les religions gréco-romaines et dans le christianisme primitif." *Tantur Ecumenical Institute for Advanced Theological Studies Yearbook/Annales/Jahbuch* (1978-1979) : 19-43.

87. "Quirinius (Recensement de.)" In *Dictionnaire de la Bible : Supplément IX*, cols. 693-720. Paris : Letouzey & Ané, 1979.

89. "Genèse et évolution de la pensée paulinienne." *Paul de Tarse, Apôtre de notre temps*, éd. Lorenzo De Lorenzi, 75-100. (Série monographique de "Benedictina" Section paulinienne, 1) Rome : Abbaye de Saint Paul h.l.m., 1979.

90. "The Jerusalem Bible." *Review and Expositor* 76 (1979) : 341-349.

91. "Christian Marriage according to Saint Paul." *Clergy Review* 65 (1980) : 309-321.
    = *Exégèse et Théologie*, Vol. 4, 263-290.

92. "Angélologie et démonologie pauliennes. Réflexions sur la nomenclature des puissances célestes et sur l'origine du mal angélique chez saint Paul." *Foi et Culture à la lumière de la Bible*, 217-233. (Commission Biblique Pontificale). Torino : Ed. Elle Di Cri, 1981.
    = "Pauline Angelology and Demonology. Reflections on the Designations of the Heavenly Powers and on the Origin of Angelic Evil according to Paul." *Religious Studies Bulletin* (3) 1983 : 1-18.

93. "*'Agioi* en Colossiens 1 : 12 : Hommes ou Anges ?" *Paul and Paulinism* (Fest. C.K. Barrett), éd. M.D. Hooker et al., 83-101. London : SPCK, 1982.

94. "L'exercice des charismes." *Charisma und Agape (I Ko 12-14)*, éd. Lorenzo De Lorenzi, 280-285. (Monographische Reihe von "Benedictina", 7). Rom : Abtei von saint Paul von den Mauern, 1985.

95. "Le prétoire de Pilate à l'époque byzantine." *RB* 91 (1984) : 161-177.

96. "The Plèrôma in the Epistles to the Colossians and the Ephesians." *Svensk Exegetisk Hrsbok* 49 (1984) : 136-158.

97. "Colossiens 2 . 2-3." *The New Testament Age* (Fest. Bo Reicke), Vol. 1, 41-51. Macon, GA : Mercer University Press, 1984.

98. "L'aspect physique et cosmique du salut dans les écrits pauliniens." *Bible et Christologie*, 253-269. (Commission Biblique Pontificale). Paris, Cerf, 1984.

99. "Activités archéologiques de l'École Biblique et Archéologique Française à Jérusalem depuis 1890." *RB* 94 (1987) : 397-424.

Choix de recensions

100. KIETAIG, D., *Die Bekehrung des Paulus. RB* 42 (1933) : 427-429.

101. ROBERTS, C.H., *An Unpublished Fragment of the Fourth Gospel. RB* 45 (1936) : 269-273.

102. MARMARDJI, A.S., *Diatessaron de Tatien. RB* 46 (1937) : 124-128.

103. ALLO, E.-B., *Saint Paul. Seconde Épître aux Corinthiens. RB* 46 (1937) : 571-577.

104. VANNUTELLI, P., *Synoptica*. *RB* 47 (1938) : 111-115.

105. WIKENHAUSER, A., *Die Kirche als der mystische Leib Christi nach dem Apostel Paulus*. *RB* 47 (1938) : 115-119.

106. LAGRANGE, M.-J., *Les Mystères, l'Orphisme*. *RB* 47 (1938) : 426-432.

107. HAHN, W.T., *Das Mitsterbven und Mitauferstehen mit Christus bei Paulus*. *RB* 47 (1938) : 432-435.

108. POHLMANN, H., *Die Metanoia als Zentralbegriff der Chrislichen Frömmigkeit*. *RB* 47 (1938) : 590-593.

109. NEILEN, J.M., *Gebet und Gottesdienst im Neuen Testament*. *RB* 47 (1938) : 594-596.

110. FINKELSTEIN, L., *The Pharisees*. *RB* 48 (1939) : 280-285.

111. PERCY, E., *Untersuchungen über den Ursprung der johanneischen Theologie*. *RB* 49 (1940) : 259-264.

112. CAINE, J., *Les Épîtres Catholiques*. *Vivre et Penser, I* = *RB* 50 (1941) : 134-140.

113. KNOX, W.L., *Saint Paul and the Church of the Gentiles*. *Vivre et Penser, I* = *RB* 50 (1941) : 140-147.
    = "Les Messages de Paul aux Gentils selon W.L. Knox". *Exégèse et Théologie*, Vol. 1, 97-106.

114. PETERS, C., *Das Diatessaron Tatiens*. *RB* 53 (1946) : 277-280.

115. FRIEDRICHSEN, G.W.S., *The Gothic of the Gospels*. *RB* 53 (1946) : 280-286.

116. SCHWEIZER, E., *Ego Eimi*. *RB* 53 (1946) : 576-578.

117. KUNDSIN, K., *Charakter und Ursprung der johannisischen Reden*. *RB* 53 (1946) : 578-582.

118. ZUNTZ, G., *The Ancestry of the Harklean New Testament*. *RB* 54 (1947) : 127-131.

119. PERCY, E., *Der Leib Christi in den paulinischen Homologoumena*. *RB* 54 (1947) : 150-152.
    = "Le Corps du Christ selon E. Percy, L. Tondelli et T. Soiron." *Exégèse et Théologie*, Vol. 2, 154-162.

120. SAHLIN, H., *Der Messias und das Gottesvolk*. *RB* 54 (1947) 287-291.

121. FESTUGIÈRE, A.J., *La Révélation d'Hermès Trismégiste*. *RB* 54 (1947) : 291-295 ; 62 (1955) : 108-113.

122. LESTRINGANT, P., *Essai sur l'unité de la Révélation Biblique*. *RB* 54 (1947) : 295-299.

123. GOGUEL, M., *La naissance du Christianisme* ; GUIGNEBERT, C., *Le Christ*. *RB* 54 (1947) : 606-612.

124. CULLMAN, O., *Christus und die Zeit*. *RB* 55 (1948) : 104-108.

125. LEENHART, F.J., *Le Baptême chrétien*. *RB* 55 (1948) : 130-131.
    = "Le Baptême Chrétien selon F.J. Leenhardt et selon M. Barth." *Exégèse et Théologie*, Vol. 2, 224-231.

126. MICHAELIS, W., *Einleitung in das Neue Testament. RB* 55 (1948) : 279-282.

127. SCHMIDT, L., *Judenfrage im Lichte der Kapitel 9-11 des Römerbriefes. RB* 55 (1948) : 310-312.
   = "La Question Juive selon Rom IX-XI d'après K.L. Schmidt" *Exégèse et Théologie*, Vol. 2, 337-339.

128. SPICQ, C., *Saint Paul, les Épîtres Pastorales. RB* 55 (1948) : 448-452.

129. KILPATRICK, G.D., *The Origins of the Gospel according to Matthew. RB* 55 (1948) : 590-594.

130. JEREMIAS, J., *Die Gleichnisse Jesu. RB* 55 (1948) : 594-599.

131. TONDELLI, M., *La pensée de saint Paul. RB* 55 (1948) : 618-619.
   = "Le Corps du Christ selon E. Percy, L. Tondelli et T. Soiron." *Exégèse et Théologie*, Vol. 2, 154-162.

132. GOGUEL, M., *L'Église primaire. RB* 56 (1949) : 139-143.

133. CULLMANN, O., *Le baptême des enfants et la doctrine biblique du baptême. RB* 56 (1949) : 312-320.
   = "Le baptême des enfants et la doctrine biblique du baptême selon O. Cullmann." *Exégèse et Théologie*. Vol. 2, 223.

134. JEREMIAS, J., *Unbekannte Jesusworte. RB* 56 (1949) : 443-446.

135. ISAAC, J., *Jésus et Israël. RB* 56 (1949) : 610-613.
   = "Jésus et Israël d'après Jules Isaac." *Exégèse et Théologie*, Vol. 2, 321-327.

136. SAHLIN, H., *Studien zum dritten Kapitel des Lukasevangelium. RB* 57 (1950) : 134-137.

137. SCHOEPS, H.J., *Theologie und feschichte des Judenchristentums and Aus frühchristlicher Zeit. RB* 57 (1950) : 604-611.

138. KITTEL, G., *Theologischers Wörterbuch zum Neuen Testament. RB* 58 (1951) : 94-99.

139. BIEDER, W., *Die Vorstellung von der Hollenfahrt Jesu Christi. RB* 58 (1951) : 99-102.
   = "La Descente aux enfers selon W. Bieder." *Exégèse et Théologie*, Vol. 1, 412-416.

140. JEREMIAS, J., *Die Abendmahlsworte Jesu. RB* 58 (1951) : 132-134.
   = "Note sur une étude de J. Jeremias". *Exégèse et Théologie*, Vol. 1, 240-243.

141. BULTMANN, R., *Theologie des Neuen Testaments. RB* 58 (1951) : 252-257.
   = "La Pensée de R. Bultmann." *Exégèse et Théologie*, Vol. 1, 62-90.

142. FLORIT, E., *Ispirazione Biblica. RB* 58 (1951) : 609-610.
   = "L'Inspiration Biblique selon Mgr Florit." *Exégèse et Théologie*, Vol. 1, 13-14.

143. MICHAELIS, W., *Versöhnung des Alls. RB* 59 (1952) : 100-103.
   = "La Réconciliation universelle selon W. Michaelis." *Exégèse et Théologie*, Vol. 1, 172-177.

144. DESCAMPS, A., *Les Justes et la Justice dans les Évangiles et le christianisme primitif. RB* 59 (1952) : 259-264.

145. *Das Neue Testament Deutsch*. *RB* 59 (1952) : 419-425.

146. CERFAUX, L., *Le Christ dans la Théologie de saint Paul*. *RB* 59 (1952) : 591-597.

147. TAYLOR, V., *The Gospel According to Mark*. *RB* 60 (1953) : 295-299.

148. BLINZLER, J., *Der Prozess Jesu*. et DÉMANN, P., *Les Juifs dans la catéchèse chrétienne*. *RB* 60 (1953) : 452-454.
    = "Le Procès de Jésus selon J. Blinzler et P. Démann." *Exégèse et Théologie*, Vol. 1, 312-315.

149. CULLMANN, O., *Saint Pierre-Apôtre-Martyr, Histoire et Théologie*. *RB* 60 (1953) : 565-579.
    = "Saint Pierre d'après O. Cullmann." *Exégèse et Théologie*, Vol. 2, 285-308.

150. BARTH, M., *Die Taufe ein Sakrament ?* *RB* 60 (1953) : 620-623.
    = "Le Baptême Chrétien selon F.J. Leenhardt et selon M. Barth." *Exégèse et Théologie*, Vol. 2, 224-231.

151. DUPONT, J., *Syn Christo. L'union avec le Christ suivant saint Paul*. *RB* 61 (1954) : 120-124.

152. DÉMANN, P., *La Catéchèse Chrétienne et le Peuple de la Bible*. *RB* 61 (1954) : 136-142.
    = "La catéchèse chrétienne et le peuple de la Bible d'après P. Démann." *Exégèse et Théologie*, Vol. 2, 328-336.

153. BONNARD, P., *L'Épître de saint Paul aux Galates* et MASSON, C., *L'Épître de saint Paul aux Éphésiens*. *RB* 61 (1954) : 237-242.

154. SPICQ, C., *L'Épître aux Hébreux*. *RB* 61 (1954) : 242-247.

155. SCHÜRMANN, H., *Der Paschamahlbericht Lk 22 (7-14), 15-18*. *RB* 61 (1954) : 284-287.
    "Note : Les Études de H. Schürmann sur Lc XII". *Exégèse et Théologie*, Vol. 1, 204-209.

156. LOHSE, E., *Die Ordination im Spätjudentum und im Neuen Testament*. *RB* 61 (1954) : 298-299.
    = "L'Ordination dans le Judaïsme et dans le Nouveau Testament selon E. Lohse." *Exégèse et Théologie*, Vol. 2, 247-249.

157. *Für und wider die Theologie Bultmanns. Denkschrift der Ev. Theol. Facultät der Universität Tübingen*. *RB* 61 (1954) : 436-438.

158. SEYNAEVE, J., *Cardinal Newman's Doctrine on Holy Scripture*. *RB* 61 (1954) : 603-605.
    = "La doctrine de Newman sur la Sainte Écriture." *Exégèse et Théologie*, Vol. 1, 15-19.

159. CULLMANN, O., *La Tradition, Problème exégétique, historique et théologique*. *RB* 62 (1955) : 258-264.
    = "La tradition selon O. Cullmann." *Exégèse et Théologie*, Vol. 2, 309-317.

160. VINCENT, L.H. and STÈVE, A.M., *Jérusalem de l'Ancien Testament*. *RB* 62 (1955) : 264-268 ; 64 (1957) : 269-272.

161. DUPONT, J., *Les Béatitudes*. *RB* 62 (1955) : 420-424.

162. MUNCK, J., *Paulus und die Heilgeschichte*. *RB* 62 (1955) : 590-595.

163. BROWN, R.E., *The* Sensus plenior *of Sacred Scripture*. *RB* 63 (1956) : 285-287.
     = "La *Sensus Plenior* de l'Écriture." *Exégèse et Théologie*, Vol. 1, 19-21.

164. MALEVEZ, L., *Le message chrétien et le mythe. La théologie de Rudolf Bultmann*. *RB* 64 (1956) : 299-301.
     = "La Pensée de R. Bultmann critiquée par le P. Malevez." *Exégèse et Théologie*, Vol. 1, 91-93.

165. GUITTON, J., *Le problème de Jésus et les fondements du témoignage chrétien*. *RB* 64 (1956) : 433-442.
     = "Le Problème de Jésus et la Pensée de Jean Guitton." *Exégèse et Théologie*, Vol. 1, 97-114.

166. MUSSNER, Franz, *Christus das All und die Kirche zur Theologie des Epherserbriefes*. *RB* 64 (1956) : 464-465.
     = "Le Christ, l'univers et l'Église selon F. Mussner." *Exégèse et Théologie*, Vol. 2, 163-164.

167. LEENHARDT, F.J., *Le sacrement de la Sainte Cène*. *RB* 64 (1956) : 578-583.
     = "Note sur deux études de F.J. Leenhardt" *Exégèse et Théologie*, Vol. 1, 244-254.

168. RIGAUX, B., *Saint Paul. Les Épîtres aux Thessaloniciens*. *RB* 64 (1957) : 407-412.

169. ROBINSON, J.A.T., *The Body. A Study in Pauline Theology*. *RB* 64 (1957) : 581-585.
     = "Le Corps dans la théologie de saint Paul selon J.A.T. Robinson." *Exégèse et Théologie*, Vol. 2, 165-171.

170. CULLMANN, O., *Die Christologie des Neuen Testaments*. *RB* 65 (1958) : 268-275.

171. LAURENTIN, R., *Structure et Théologie de Luc I-II*. *RB* 65 (1958) : 427-432.

172. JAUBERT, Annie, *La Date de la Cène. Calendrier biblique et liturgie chrétienne*. *RB* 65 (1958) : 590-594.
     = "La date de la cène." *Exégèse et Théologie*, Vol. 1, 255-261.

173. ROBIN, C., *Qumran Studies*. *RB* 66 (1959) : 118-121.

174. SPICY, C., *Agapè dans le Nouveau Testament, I*. *RB* 66 (1959) : 262-265.

175. SOLAGES, B. de., *Synopse grecque des Évangiles*. *RB* 67 (1960) : 93-102.

176. JUDANT, D., *Les deux Israël*. *RB* 68 (1961) : 458-462.

177. WINTER, P., *On the Trial of Jesus*. *RB* 68 (1961) : 593-599.

178. BOISMARD, M.-É., *Quatre hymnes baptismales dans la première Épître de Pierre*. *RB* 70 (1963) : 133-135.

179. GERHARDSSON, B., *Memory and Manuscript*. *RB* 70 (1963) : 269-273.

180. LÉON-DUFOUR, Xavier, *Les Évangiles et l'histoire de Jésus*. *RB* 71 (1964) : 594-598.
     = "Les Évangiles et l'histoire de Jésus selon Xavier Léon-Dufour." *Exégèse et Théologie*, Vol. 3, 159-164.

181. BAUM, G., *The Jews and the Gospel. A Re-examination of the New Testament. RB* 71 (1964) : 80-92.
= "Les Juifs et l'Évangile d'après Gregory Baum". *Exégèse et Théologie*, Vol. 3, 387-399.

182. DAVIES, W.D., *The Setting of the Sermon on the Mount. RB* 72 (1965) : 595-601.

183. CERFAUX, L., *Les chrétiens dans la théologie paulinienne. RB* 73 (1966) : 591-597.

184. HURD, J.C., *The Origin of I Corinthians. RB* 74 (1967) : 264-267.

185. KENYON, K., *Jerusalem. Excavating 3000 Years of History. RB* 76 (1969) : 260-272.

186. LYONNET, S., *Les étapes de l'histoire du salut. RB* 80 (1973) : 432-436.

187. BURTCHAELL, J., *Catholic Theories of Biblical Inspiration Since 1810. RB* 81 (1974) : 121-124.

188. COÜASNON, C., *The Church of the Holy Sepulchre in Jerusalem. RB* 81 (1974) : 260-266.

189. DAVIES, W.D., *The Gospel and the Land. Early Christianity and Jewish Territorial Doctrine. RB* 83 (1976) : 590-596.

190. *Atlas of Jerusalem. RB* 84 (1977) : 438-445.

191. CORBO, V., et al., *Cafarnao. RB* 84 (1977) : 438-445.

192. ROBINSON, J.A.T., *Redating the New Testament. RB* 86 (1979) : 281-287.

193. AVIGAD, N., *La ville haute de Jérusalem* (en hébreu). *RB* 88 (1981) : 250-256.

194. MUSSNER, F., *Traktat über die Juden. RB* 89 (1982) : 588-595.

195. TREVER, J.C., *The Dead Sea Scrolls. A Personal Account. RB* 90 (1983) : 435-438.

196. LEGRAND, L., *L'annonce à Marie. RB* 90 (1983) : 435-438.

197. CORBO, V., *Il Santo Sepolcro di Gerusalemme. RB* 91 (1984) : 281-287.

MARIE-ÉMILE BOISMARD, O.P.

Livres

1. *L'Apocalypse.* (La Sainte Bible de Jérusalem). Paris : Cerf, 1950.

2. *Le Prologue de saint Jean.* (Lectio Divina, 11). Paris : Cerf, 1953.
   = *Saint John's Prologue.* London : Blackfriars, 1957.
   = *El Prólogo de S. Juan.* (Actualidad biblica, 8). Madrid : Relié, 1967.

3. *Du Baptême à Cana (Jean 1, 19-2, 11).* (Lectio Divina, 18). Paris : Cerf, 1956.

4. *Quatre hymnes baptismales dans la première Épître de Pierre.* (Lectio Divina, 30). Paris : Cerf, 1961.

5. *Synopse des quatre Évangiles en français avec parallèles des apocryphes et des Pères.* Vol. I, *Textes*, avec P. Benoit. Paris : Cerf : 1965.
   = *Sinopsis de los Cuatro Evangelios.* Vol. I, *Testos.* Bilbao : Desclée de Brouwer, 1975.

6. *Synopse des quatre Évangiles en français.* Vol. II, *Commentaire*, avec P. Benoit, A. Lamouille et P. Sandevoir. Paris : Cerf, 1972.
   = *Sinopsis de los Cuatro Evangelios.* Vol. II. Bilbao : Desclée de Brouwer, 1977.

7. *L'Évangile de Jean. Commentaire*, avec A. Lamouille et G. Rochais. (Synopse des quatre év. en français, 3). Paris : Cerf, 1977.

8. *La vie des Évangiles. Initiation à la critique des textes*, avec A. Lamouille. Paris : Cerf, 1980.
   = *Aus der Werkstatt der Evangelisten. Einführung in die Literarkritik.* München : Kösel, 1980.
   = *La vida de los Evangelios. Iniciación à la critica de textos.* Bilbao : Desclée de Brouwer, 1981.

9. *Le texte Occidental des Actes des apôtres. Reconstitution et réhabilitation.* Vol. 1, *Introduction et textes*, avec A. Lamouille. (Synthèse, 17). Paris : Éditions Recherche sur les Civilisations, 1984. (= 1985).

10. *Le texte Occidental des Actes des apôtres.* Vol. 1, *Reconstitution et réhabilitation.* Vol. 2, *Apparat critique. Index des caractéristiques stylistiques. Index des citations patristiques*, avec A. Lamouille. (Synthèse, 17). Paris : Éditions Recherche sur les Civilisations, 1984. (= 1985).

11. *Synopsis Graeca Quattuor Evangeliorum* avec A. Lamouille. Leuven-Paris : Peeters, 1986.

12. *Moïse ou Jésus. Essai de christologie johannique.* (BETL, 86). Leuven : University Press/Peeters 1988.

13. *Les Actes des deux Apôtres*, Vol. 1, *Introduction — Textes*. Vol. 2, *Le sens des récits*. Vol. 3, *Analyses littéraires* avec A. Lamouille (ÉB). Paris : Gabalda, 1990.

Articles

14. "Le chapitre XXI de saint Jean. Essai de critique littéraire." *RB* 54 (1947) : 473-501.

15. "A propos de Jean V, 39. Essai de critique textuelle." *RB* 55 (1948) : 5-34.

16. "Clément de Rome et l'Évangile de Jean." *RB* 55 (1948) : 376-387.

17. "La connaissance dans L'Alliance Nouvelle, d'après la première lettre de saint Jean." *RB* 56 (1949) : 365-391.

18. "'L'Apocalypse', ou 'Les Apocalypses de saint Jean." *RB* 56 (1949) : 507-541.

19. "Critique textuelle et citations patristiques." *RB* 57 (1950) : 388-408.

20. "L'Évangile à quatre dimensions. Introduction à la lecture de saint Jean." *LVie* 1 (1951) : 94-114.

21. "Lectio brevior, potior." *RB* 58 (1951) : 161-168.

22. "Dans le sein du Père, (Jo., I, 18)." *RB* 59 (1952) : 23-29.

23. "Notes sur l'Apocalypse." *RB* 59 (1952) : 161-181.

24. "Note sur l'interprétation du texte : Multi sunt vocati..., (Mt 22, 14 par.)" *RThom* 52 (1952) : 569-585.

25. "La Bible parole de Dieu et révélation." *LVie* 6 (1952) : 13-26.

26. "Constitué Fils de Dieu (Rom 1, 4)." *RB* 60 (1953) : 5-17.

27. "Problèmes de critique textuelle concernant le quatrième Évangile." *RB* 60 (1953) : 347-371.

28. "Je ferai avec vous une alliance nouvelle, (1 Joh.)." *LVie* 8 (1953) : 94-109.

29. "La divinité du Christ d'après Paul." *LVie* 9 (1953) : 75-100.

30. "Le retour du Christ." *LVie* 11 (1953) : 53-76.

31. "Jésus, Sauveur d'après saint Jean." *LVie* 15 (1954) : 103-122.
    = "Jesus the Savior according to saint John." In *Word and Mystery. Biblical Essays on the Person and Mission of Christ* ed. L.J. O'Donovan, 69-85. Glen Rock, 1968.
    = "Jesús, el Salvador según San Juan." In *Palabra y Misterio. Ensayos biblicos sobre la persona y mision de Cristo*, éd. L.J. O'Donovan. (Palabra Inspirada, 13). Santander, 1971.

32. "Rapprochements littéraires entre l'Évangile de Luc et l'Apocalypse." *Synoptische Studien*. (Fest. A. Wikenhauser), 53-63. Freiburg : Herder, 1954.

33. "La révélation de l'Esprit-Saint." *RThom* 55 (1955) : 5-21.

34. "La loi et l'esprit." *LVie* 21 (1955) : 345-362.

35. "La foi selon saint Paul." *L Vie* 22 (1955) : 489-514.

36. "La literatura de Qumran y los escritos de S. Juan." *Cultura Biblica* 12 (1955) : 250-264.

37. "Une liturgie baptismale dans la Prima Petri." *RB* 63 (1956) : 182-208 ; 64 (1967) : 161-183.

38. "Je renonce à Satan, à ses pompes, à ses œuvres." *L Vie* 26 (1956) : 105-110.

39. "Baptême et renouveau." *L Vie* 27 (1956) : 103-118.

40. "La première semaine du ministère de Jésus selon saint Jean." *VSpir* 94 (1956) : 593-603.

41. "Le papyrus Bodmer II." *RB* 64 (1957) : 363-398.

42. "L'Eucharistie selon saint Paul." *L Vie* 31 (1957) : 93-106.

43. "De son ventre couleront des fleuves d'eau (Jo., VII, 38)." *RB* 65 (1958) : 523-546.

44. "Importance de la critique textuelle pour établir l'origine araméenne du quatrième Évangile." In *L'Évangile de Jean. Études et problèmes*, éd. F.-M. Braun, 41-57. (Recherches bibliques, 3). Bruges : Desclée, 1958.

45. "Le Christ-Agneau, rédempteur des hommes." *L Vie* 36 (1958) : 91-104.

46. "Dieu notre Père. Exode, marche vers Dieu." In *Grands thèmes bibliques*, éd. J. Giblet, 67-75, 159-165. Paris : Feu Nouveau, 1958.

47. "Les citations targumiques dans le quatrième Évangile." *RB* 66 (1959) : 374-378.

48. "Le caractère adventice de Jo, XII, 45-50." In *Sacra Pagina. Miscellanea biblica congressus internationalis de re biblica*, éd. J. Coppens, A. Descamps, E. Massaux, Vol. 2, 189-192. (BETL, 13). Paris-Gembloux : Duculot 1959.

49. "L'Apocalypse." In *Introduction à la Bible*. Vol. 2, *Nouveau Testament*, éd. A. Robert et A. Feuillet, 710-742. Tournai-Paris : Desclée, 1959.

50. "Conversion et vie nouvelle dans saint Paul." *L Vie* 47 (1960) : 71-94.

51. "L'évolution du thème eschatologique dans les traditions johanniques." *RB* 68 (1961) : 507-524.

52. "L'ami de l'époux (Jo III, 29)." In *A la rencontre de Dieu. Mémorial A. Gelin*, 289-295. Le Puy : Mappus, 1961.

53. "Saint Luc et la rédaction du quatrième Évangile (Jn, IV, 46-54)." *RB* 69 (1962) : 185-211.

54. "Le lépreux et le serviteur du centurion." *Assemblées du Seigneur* 17 (1962) : 29-44.

55. "La royauté du Christ dans le quatrième Évangile." *L Vie* 57 (1962) : 43-63.

56. "Les traditions johanniques concernant le Baptiste." *RB* 70 (1963) : 5-42.

57. "Le lavement des pieds (Jn, XIII, 1-17). *RB* 71 (1964) : 5-24.

58. "Guérison du fils d'un fonctionnaire royal (Jn 4, 46b-53)." *Assemblées du Seigneur* 75 (1965) : 26-37.

59. "L'Évangile des Ébionites et le problème synoptique (Mc I, 2-6 et par.)" *RB* 73 (1966) : 321-352.

60. "Pierre (Première Épître de)." In *Dictionnaire de la Bible Supplément VII*, cols. 1415-1455. Paris : Letouzey & Ané, 1966.

61. "La royauté universelle du Christ (Jn 18, 33-37)." *Assemblées du Seigneur* 88 (1966) : 33-45.

62. "Satan selon l'Ancien et le Nouveau Testament." *L Vie* 78 (1966) : 61-76.

63. "Immortalité ou résurrection ?" *Bulletin de l'Union Catholique des Scientifiques français* 115 (1970) : 2-8.

64. "Introductions Catholiques," avec R. de Vaux et P. Benoit. *Catholiques, Juifs, Orthodoxes, Protestants lisent la Bible ; Introduction à la Bible*. Vol. III, *Le Nouveau Testament*. (Théologie sans frontières, 17). Paris : Cerf, 1970.

65. "Le réalisme des récits évangéliques." *L Vie* 107 (1972) : 31-41.

66. "The First Epistle of John and the Writings of Qumran." *John and Qumran*, ed. J.H. Charlesworth, 156-165. London : Chapman 1972.

67. "Aenon, près de Salem (Jean, III, 23)." *RB* 80 (1973) : 218-229.

68. "Influences matthéennes sur l'ultime rédaction de l'Évangile de Marc." *L'Évangile selon Marc. Tradition et rédaction*, éd. M. Sabbe, 93-101. (BETL, 34). Leuven : University Press, 1974. 2ᵉ éd., 1988.

69. "Jésus, le Prophète par excellence, d'après Jean 10, 24-39." *Neues Testament und Kirche*. (Fest. R. Schnackenburg). éd. J. Gnilka, 160-171. Freiburg : Herder, 1974.

70. "Notre victoire sur la mort d'après la Bible." *Concilium* (Paris) 105 (1975) : 95-103.

71. "Un procédé rédactionnel dans le quatrième Évangile : la *Wiederaufnahme*." In *L'Évangile de Jean. Sources, rédaction, théologie*, éd, M. de Jonge, 235-241. (BETL, 44). Gembloux-Leuven : Duculot 1977, 2ᵉ éd. 1987.

72. "L'Apocalypse de Jean", avec E. Cothenet. In *La tradition johannique* (Introduction à la Bible, éd. A. George et P. Grelot, Vol. 3, Introduction critique au Nouveau Testament, 4) 13-55. Paris : Desclée 1977.

73. "The Two-source Theory at an Impasse." *NTS* 26 (1979-80) : 1-17.

74. "Deux exemples d'évolution régressive (Jn 17, 3 ; 1 Jn 5, 19)." *L Vie* 149 (1980) : 65-74.

75. "Le martyre d'Étienne. Actes 6. 8-8, 2." *RSR* 69 (1981) : 181-194.

76. "The Text of Acts. A problem of Literary Criticism." *New Testament Textual Criticism* (Fest. B.M. Metzger), ed. E.J. Epp et G.D. Fee, 147-157. Oxford : Clarendon, 1981.

77. "La guérison du lépreux (Mc 1, 40-45 et par.)." *Escritos de Biblia y Oriente*, éd. R. Aguirre et R. Garcia-Lopez, 283-291. (Bibliotheca Salmanticensis, Estudios, 38). Salamanca-Jerusalem : Universidad Pontificia Instituto Biblico Y Arqueológico, 1981.

78. "Rapports entre foi et miracles dans l'Évangile de Jean." *ETL* 58 (1982) : 357-364.

79. "L'hypothèse synoptique de Griesbach." *Le siècle des lumières et la Bible*, éd. Y. Belaval et D. Bourel, 129-137. (Bible de tous les temps, 7). Paris : Beauchesne, 1986.

80. "Le texte Occidental des Actes des Apôtres. A propos de Actes 27, 1-13" avec A. Lamouille. *ETL* 63 (1987) : 48-58.

81. "Critique textuelle et problèmes d'histoire des origines chrétiennes." *Recherches sur l'histoire de la Bible latine*, éd. R. Gryson et P.-M. Bogaert, 123-136. (Cahiers de la RTL, 19).

82. "Une tradition para-synoptique attestée par les Pères anciens." *The New Testament in Early Christianity*, ed. J,-M. Sevrin, 177-195. (BETL, 86). Leuven : University Press, Peeters, 1989.

Choix de recensions

83. DUPONT, J., *Gnosis, la connaissance religieuse dans les Épîtres de saint Paul.* *RB* 57 (1950) : 271-274.

84. RUCKSTUHL, E., *Die literarische Einheit des Johannes-evangeliums.* *RB* 59 (1952) : 425-427.

85. CULLMANN, O., *Les sacrements dans l'Évangile johannique, la vie de Jésus et le culte de l'Église primitive.* *RB* 60 (1953) : 117-119.

86. DIBELIUS, M., *Botschaft und Geschichte*, I Bd. *RB* 61 (1954) : 587-592.

87. BARRETT, C.K., *The Gospel according to St. John.* *RB* 63 (1956) : 267-272.

88. SCHMID, J., *Studien zur Geschichte des griechischen Apokalypse-Textes.* *RB* 63 (1956) : 583-586.

89. LEENHARDT, Franz-J., *L'Épître de saint Paul aux Romains.* *RB* 65 (1958) : 432-436.

90. ELTESTER, F.W., *Eikon im Neuen Testament.* *RB* 66 (1959) : 420-424.

91. KRAGERUD, A., *Der Kieblingsjünger im Johannesevangelium.* *RB* 67 (1960) : : 405-410.

92. BRAUN, F.-M., *Jean le Théologien et son Évangile dans l'Église ancienne.* *RB* 67 (1960) : 592-597.

93. PHILONENKO, M., *Les interpolations chrétiennes des Testaments des Douze Patriarches et les manuscrits de Qoumrân.* *RB* 68 (1961) : 419-423.

94. GUILDING, A., *The Fourth Gospel and Jewish Worship.* *RB* 68 (1961) : 599-602.

95. SCHULTZ, S., *Komposition und Herkunft der johanneischen Reden.* *RB* 69 (1962) : 421-424.

96. MARTIN, V. and J.W. BARNS, *Papyrus Bodmer II.* *RB* 70 (1963) : 120-133.

97. *La venue du Messie. Messianisme et eschatologie.* *RB* 70 (1963) : 273-276.

98. BRAUN, F.-M., *Jean le Théologien*, Vol. II. *RB* 72 (1965) : 108-116.

99. SCHNACKENBURG, R., *Das Johannesevangelium.* *RB* 74 (1967) : 581-585 ; *RB* 85 (1978) : 631-633.

100. BROWN, R.E., *The Gospel According to John (i-xii).* *RB* 74 (1967) : 581-585.

101. DE SOLAGES, B., *La composition des Évangiles de Luc et de Matthieu et les sources.* *RB* 80 (1973) : 588-593.

101. ALAND, K., éd. *Die alten Uebersetzungen des Neuen Testaments, die Kirchenväterzitate und Leiktionare.* RB 82 (1975) : 616-620.

103. DE JONGE, M., *L'Évangile de Jean.* RB 85 (1978) : 633-634.

104. CULLMANN, O., *Der Johanneische Kreis.* RB 85 (1978) : 634.

105. RICHTER, G., *Studien zum Johannesevangelium.* RB 86 (1979) : 148-149.

106. POTTERIE, I. de La, *La vérité dans saint Jean.* RB 86 (1979) : 609-613.

107. SLALLEY, S.S., *John, Evangelist and Interpreter.* RB 88 (1981) : 469-470.

108. BROWN, R.E., *The Community of the Beloved Disciple.* RB 88 (1981) : 470-471.

109. DE SOLAGES, B., *Jean et les Synoptiques.* RB 90 (1983) : 423-424.

110. NESTLE-ALAND, *Novum Testamentum Graece.* RB 90 (1983) : 439-441.

111. DREYFUS, F., *Jésus savait-il qu'il était Dieu ?* RB 91 (1984) : 591-601.

112. ROLLAND, Ph., *Les premiers Évangiles.* RB 95 (1988) : 97-101.

JERÔME MURPHY-O'CONNOR, O.P.

Livres

1. *Paul on Preaching*. London/New York : Sheed and Ward, 1964.
   = *La prédication selon saint Paul*. Paris : Gabalda, 1966.
   = *Neubelebung der Predigt. Die Predigt bei Paulus, dem Verkünder*. Luzern/München : Rex-Verlag, 1968.

2. *Paul and Qumran*, (éditeur). London : Chapman, 1968.

3. *L'existence chrétienne selon saint Paul*. Paris : Cerf, 1974.
   = *A Vida de Homem Novo*. Sao Paulo : Ediçoes Paulinas, 1975.

4. *Becoming Human Together : The Pastoral Anthropology of saint Paul*. Wilmington : Glazier, 1977, 2ᵉ éd. aug., 1982.

5. *The First Epistle to the Corinthians*. (New Testament Message, 10) Wilmington : Glazier, 1979.
   = *Primeira Epístola aos Coríntios*. Sao Paulo : Ediçoes Paulinas, 1981.

6. *Saint Paul's Corinth*. (Good New Studies, 6). Wilmington : Glazier, 1983.
   = *Corinthe au temps de saint Paul d'après les textes et l'archéologie*. Paris : Cerf, 1986.

7. *The Holy Land. An Archaeological Guide from Earliest Times to 1700*. London : Oxford University Press, 1980 ; rev. and exp. ed., 1986.
   = *Das Heilige Land. Ein archäologischer Führer*. München : Piper, 1981.
   = *Guide archéologique de la Terre Sainte*. Paris : Denoël, 1982.

8. *The Theology of Second Corinthians* (sous-presse). Cambridge : Cambridge University Press.

Articles

9. "La vérité chez saint Paul et à Qumrân." *RB* 72 (1965) : 29-76.

10. "Who wrote Ephesians ?" *Bible Today* 3 (1965) : 1201-1209.

11. "Paul : Philippiens (Épître aux)." In *Dictionnaire de la Bible : Supplément VII*. cols. 1211-1233. Paris : Letouzey & Ané, 1966.

12. "Péché et communauté dans le Nouveau Testament." *RB* (1967) : 161-1934.
    = "Sin and Community in the New Testament." In *Sin and Repentance*, ed. D. O'Callaghan, 18-50. Dublin : Gill, 1967.
    = *Theological Digest* 16 (1968) : 120-125.
    Vol. 1, 265-289.
    = *Theologie der Gegenwart* 11 (1968) : 75-81.

13. "Colossians." and "Philemon." In *A New Catholic Commentary on Holy Scripture*. ed. R.C. Fuller, et al. 2d ed. London : Nelson, 1969.

14. "The Presence of God through Christ and in the World." *Concilium* 10 (1969) : 54-59.
    = *A Companion to Paul*, ed. M. Taylor, 1-12. Staten Island : Alba, 1975.

15. "The Christian and Society in saint Paul." *New Blackfriars* 50 (1969) : 174-182.

16. "Letter and Spirit : saint Paul." *New Blackfriars* 50 (1969) : 453-460.

17. "Colossians." and "Philippians." In *Scripture Discussion Commentary, XI*. London/Sydney : Sheed and Ward, 1971.

18. "Community and Apostolate : Reflections on I Timothy 2 : 1-7." *Bible Today* 12 (1973) : 1260-1266.

19. "What is Redaction-Criticism ?" *Scripture in Church* 5 (1974-75) : 78-92.
    = *Sowing the World. Biblical Liturgical Essays*, ed. P. Rogers, 96-107. Dublin : Dominican Publications, 1983.

20. "The Structure of Matthew XIV-XVII." *RB* 82 (1975) : 360-384.

21. "Christological Anthropology in Philippians 2 : 6-11." *RB* 83 (1976) : 25-30.
    = *Selecciones de Teología* 17 (1978) : 295-305.

22. "Eucharist and Community in First Corinthians." *Worship* 50 (1976) : 285-370 ; 51 (1977) : 56-69.
    = *Living Bread, Saving Cup. Readings on the Eucharist*, ed. K. Seasoltz, 1-30. Collegeville : Liturgical Press, 1982.

23. "The Non-Pauline Character of I Corinthians 11 : 2-16 ?" *JBL* 95 (1976) : 615-621.

24. "1 Corinthians 5 : 3-5." *RB* 84 (1977) : 349-361.

25. "Works without Faith in I Corinthians 7 : 14." *RB* 84 (1977) : 349-361.

26. "Corinthian Slogans in I Corinthians 6 : 12-20." *CBQ* 40 (1978) : 391-396.

27. "Paul et Qumrân." *Le monde de la Bible*. n° 4. (1978) : 60-61.

28. "1 Corinthians 8 : 6 — Cosmology or Soteriology ?" *RB* 85 (1978) : 253-267.

29. "Freedom or the Ghetto (1 Corinthians 8 : 1-13 ; 10 : 23-11 : 1)." *RB* 85 (1978) : 543-574.
    = *Freedom and Love. The Guide for Christian Life (1 Corinthians 8-10 ; Romans 14-15)*, ed. Lorenzo De Lorenzi, 7-55. Rome : Saint Paul's Abbey, 1981.

30. "Food and Spiritual Gifts in 1 Corinthians 8 : 8." *CBQ* 41 (1979) : 292-298.

31. "Sex and Logic in 1 Corinthians 11 : 2-16." *CBQ* 42 (1980) : 482-500.

32. "Tradition and Redaction in 1 Corinthians 15 : 3-7." *CBQ* 43 (1981) : 582-589.

33. "What Paul Knew of Jesus." *Scripture Bulletin* 12 (1981) : 35-40.

34. "The Divorced Woman in 1 Corinthians 7 : 10-11." *JBL* 100 (1981) : 601-606.

35. "'Baptized for the Dead' (1 Corinthians 15 : 29) — A Corinthian Slogan ?" *RB* 88 (1981) : 532-543.

36. "Pauline Missions Before the Jerusalem Conference." *RB* 89 (1982) : 71-91.

37. "Corinthian Bronze." *RB* 90 (1983) : 80-93.

38. "Redactional Angels in 1 Timothy 3 : 16." *RB* 91 (1984) : 178-187.

39. "The Corinth that Saint Paul Saw." *BA* 47 (1984) : 147-159.

40. "A Feminist Re-Reads the New Testament." *Doctrine and Life* 34 (1984) : 398-404, 495-499.

41. "On the Road and on the Sea avec Saint Paul." *Bible Review* 1 (Summer 1985) : 38-47.

42. "Paul and Macedonia. The Connection between 2 Cor 2 : 13 and 14." *Journal for the Study of the New Testament* 25 (1985) : 99-103.

43. "Interpolations in 1 Corinthians." *CBQ* 48 (1986) : 81-94.

44. "'Being at home in the body we are in exile from the Lord', (2 Corinthians 5 : 6b)." *RB* 93 (1986) : 214-221.

45. "*Pneumatikoi* and Judaizers in 2 Corinthians 2 : 14-4 : 6." *Australian Biblical Review* 34 (1986) : 42-58.

46. "Relating 2 Corinthians 6 : 14-7 : 1 to its Context." *New Testament Studies* 33 (1987) : 272-275.

47. "A Ministry Beyond the Letter (2 Corinthians 3 : 1-6)." In *Paolo Ministro del Nuovo Testamento (2 Co 2, 14-4, 6)*, éd. L. De Lorenzi, 104-157. Roma : Benedicta Editrice, 1987.

48. "What Really Happened at the Transfiguration ?" *Bible Review* 3 n° 3 (1987) : 8-21.

49. "Pneumatikoi in 2 Corinthians." *Proceedings of the Irish Biblical Association* 11 (1988) : 59-68.

50. "Philo and 2 Corinthians 6 : 14-7 : 1." *RB* 95 (1988) : 55-69.

51. "1 Corinthians 11 : 2-16 Once Again." *CBQ* 50 (1988) : 265-274.

52. "Faith and Resurrection in 2 Corinthians 4 : 13-14." *RB* 95 (1988) : 543-550.

53. "The First Letter to the Corinthians." *The New Jerome Biblical Commentary*, ed. R.E. Brown, et al., Englewood Cliffs : Prentice Hall, 1989.

54. "The Second Letter to the Corinthians." *The New Jerome Biblical Commentary*, ed. R.E. Brown, et al., Englewood Cliffs, NJ : Prentice Hall, 1989.

55. "The New Covenant in the Letters of Paul and the Essene Documents." *To Touch the Text* (Fest. J.A. Fitzmyer), ed. M.P. Horgan et P.J. Kobelski, 194-204. New York : Crossroads, 1989.

Choix de recensions

56. MARTIN, R.P., *Carmen Christi. Philippians 2 5-11 in Recent Interpretation.* *RB* 75 (1968) : : 113-116.

57. GÄRTNER, B., *The Temple of Community in Qumran and in the New Testament. RB* 75 (1968) : 443-445.

58. GNILKA, J., *Der Philipperbrief. RB* 76 (1969) : 276-278.

59. SCHENKE, L., *Auferstehungsverkündigung und leeres Grab. RB* 76 (1969) : 431-434.

60. WALKER, R., *Die Heilsgeschichte im ersten Evangelium* et HARE, D., *The Theme of Jewish Persecution of Christians in the Gospel According to saint Matthew. RB* 76 (1969) : 597-601.

61. SPICQ, C., *Les Épîtres pastorales. RB* 77 (1970) : 419-421.

62. FORTNA, R.T., *The Gospel of Signs. RB* 77 (1970) : 603-606.

63. BLIGH, J., *Galatians. RB* 78 (1971) : 93-96.

64. LINNEMANN, E., *Studien zur Passionsgeschichte. RB* 79 (1972) : 121-125.

65. BOISMARD, M-É., et A. LAMOUILLE, *Synopse des quatre Évangiles, Tome II. RB* 79 (1972) : 431-435.

66. KLINZING, G., *Die Umdeutung des Kultus in der Qumran Gemeinde und im Neuen Testament. RB* 79 (1972) : 435-440.

67. BROER, I., *Urgemeinde und das Grab Jesu. RB* 81 (1974) : 266-269.

68. HUBBARD, B., *The Matthean Redaction of a Primitive Apostolic Commissionin*, et LANGE, J., *Das Erscheinen des Auferstandenen im Evangelium nach Matthäus. RB* 83 (1976) : 97-102.

69. MUSSNER, F., *Theologie der Freiheit nach Paulus. RB* 83 (1976) : 618-623.

70. SOARES PRABHU, G.M., *The Formula Quotations in the Infancy Narrative of Matthew. RB* 84 (1977) : 292-297.

71. SANDERS, E.P., *Paul and Palestinian Judaism. RB* 85 (1978) : 122-126.

72. RIVKIN, E., *The Hidden Revolution. RB* 87 (1980) : 430-433.

73. THIERING, B., *Redating the Teacher of Righteousness. RB* 87 (1980) : 425-430.

74. BETZ, H.D., *Galatians. RB* 89 (1982) : 257-261.

75. LÜDEMANN, G., *Paulus der Heidenapostel. II. Antipaulinismus im frühen Christentum. RB* 92 (1985) : 601-605.

76. BOISMARD, M.-É. et A. LAMOUILLE, *Le Texte occidental des Actes des Apôtres. RB* 93 (1986) : 598-601.

77. FURNISH, V.P., *2 Corinthians. RB* 94 (1987) : 264-267.

FRANÇOIS DREYFUS, O.P.

Livres

1. *Jésus savait-il qu'il était Dieu ?* ("Apologique.") Paris : Cerf, 1984.
   = *Gesù Sepeva d'Essere Dio ?* Torino : Paoline, 1985.
   = *Sabia Jesus Que Era Dios ?* Coyoacán : Universidad Iberoamericana, 1987.
   = *Jesus Sabia que Era Deus ?* São Paulo : Loyola, 1987.
   = *Did Jesus Know He Was God ?* Chicago : Franciscan Herald Press, 1989.

Articles

2. "La doctrine du reste d'Israël chez le prophète Isaïe." *RSPT* 39 (1955) : 361-386.

3. "La primauté de Pierre à la lumière de l'Ancien Testament." *Istina* 2 (1955) : 335-346.

4. "Le thème de l'héritage dans l'Ancien Testament." *RSPT* 42 (1958) : 3-49.

5. "L'argument scripturaire de Jésus en faveur de la résurrection des morts (Marc, XII, 26-27)." *RB* 66 (1959) : 213-224.

6. "Maintenant la foi, l'espérance et la charité demeurent toutes les trois (I Cor 13, 13)." *Studiorum Paulinorum Congressus Internationalis Catholicus, 1961*, Vol. 1, 403-412. (Analecta Biblica, 17). Romae : Pontificio Instituto Biblico, 1963.

7. "L'inspiration de la Septante. Quelques difficultés à surmonter." *RSPT* 49 (1965) : 210-220.

8. "L'Évangile (Lc 10, 23-37) 'Qui est mon prochain ?'" *Assemblées du Seigneur* 66 (1965) : 32-49.

9. "La valeur existentielle de l'Ancien Testament." *Concilium* 30 (1965) : 35-43.

10. "Exégèse en Sorbonne, exégèse en Église." *RB* 83 (1976) : 321-359.

11. "L'actualisation à l'intérieur de la Bible." *RB* 83 (1976) : 161-202.

12. "Le passé et le présent d'Israël. (Rom. 9, 1-5 ; 11, 1-24)." *Die Israelfrage nach Röm, 9-11*, 131-192. (Monographische Reihe von "Benedictina", 3). Rom, Abtei von St Paul vor den Mauern, 1977.

13. "L'actualisation de l'Écriture. I. Du texte à la vie." *RB* 86 (1979) : Part I : 5-58.

14. "L'actualisation de l'Écriture. II. L'action de l'Esprit." *RB* 86 (1979) : 161-193.

15. "L'actualisation de l'Écriture. III. La place de la tradition." *RB* 86 (1979) : 321-384.

16. "Pour la louange de sa gloire (Ép 1, 12-14). L'origine vétéro-testamentaire de la formule." *Paul de Tarse, Apôtre de notre temps*, éd. Lorenzo De Lorenzi, 233-248. (Série monographique de "Benedictina" ; Section paulinienne, 1). Rome : Abbaye de saint Paul h.l.m., 1979.

17. "L'Araméen voulait tuer mon père" : L'actualisation de Dt 26, 4 dans la tradition juive et la tradition chrétienne." *De la Tôrah au Messie ; Mélanges Henri Cazelles*, éd. Maurice Carrez, Joseph Doré et Pierre Grelot, 147-161. Paris : Desclée, 1981.

18. "'The Scales are even.' (Tanhuman, Ki Tissa, 34)." [en hébreu] *Tarbiz* 52 (1982) : 139-142.

19. "La condescendance divine (*synkatabasis*) comme principe herméneutique de l'ancien Testament dans la tradition juive et dans la tradition chrétienne." *Congress Volume Salamanca, 1983*, 96-107. (Supplements to VT, 36). Leiden : Brill, 1985.

   = "Divine Condescendance (*Synkatabasis* as a Hermeneutic principle of the Old Testament in Jewish and Christian Tradition." *Immanuel* 19 (1984) : 74-86.

20. "Reste d'Israël." In *Dictionnaire de la Bible. Supplément X*, cols. 321-351. Paris : Letouzey & Ané, 1985.

BENEDICT T. VIVIANO, O.P.

Livres

1. *Study as Worship. Aboth and the New Testament.* (SJLA, 26). Leiden : Brill, 1978.

2. *Illustrated Dictionary and Concordance of the Bible.* New Testament ed. Bénédict T. Viviano et G. Wigoder. New York/London : Macmillan, 1986.

3. *The Kingdom of God in History.* (Good News Studies, 27). Wilmington : Glazier, 1988.

Articles

4. "Saint Paul and the Ministry of Women." *Spirituality Today*, 39 (1978) : 37-44.

5. "The Letter to the Ephesians : A Vision for the Church." *The Bible Today*, 23 (1979) : 2019-2026.

6. "Where was the Gospel according to Matthew Written ?" *CBQ* 41 (1979) : 533-546.

7. "The Kingdom of God in Albert and Thomas." *The Thomist*, 44 (1980) : 502-522.

8. Schillebeeckx'*Jesus* and *Christ* — Contributions to Christian Life." *Spirituality Today*, 34 (1982) : 129-143.

9. "Matthew, Master of Ecumenical Infighting." *Currents*, 10 (1983) : 325-332.

10. "The Missionary Program of John's Gospel." *The Bible Today*, 22 (1984) : 387-393.

11. "L'Église en perpétuelle dialectique entre Jacques et Étienne." *Proche-Orient Chrétien*, 36 (1986) : 3-5.

12. "The Kingdom of God in Qumran Literature." *The Kingdom of God in 20th Century Interpretation*, ed. Wendell Willis, 97-107. Peabody, MA : Hendrickson, 1987.

13. "Render unto Caesar : Power and Politics in the Light of the Gospel." *Bible Today* 26 (1988) : 272-276.

14. "Invitation". *Dominican Ashram* (December, 1988) : 172-175.

15. "The Gospel according to Matthew." *New Jerome Bible Commentary*, ed. R.E. Brown, et al.

16. "The High Priest's Servant's Ear : Mark 14 : 47." *RB* 96 (1989) : 71-80.

17. "The Rabbi at the Transfiguration : A Note on Mark 9 : 5." *New Testament Studies* (sous presse).

Choix de recensions

18. KÄSEMANN, Ernst, *Commentary on Romans. The Thomist* 45 (1981) : 642-647.

19. SCHABERG, Jane, *The Father, the Son and the Holy Spirit : The Triadic Phrase in Matthew 18 : 19b. CBQ* 46 (1984) : 177-179.

20. BROWN, Raymond E., *The Churchs the Apostles Left Behind. RB* 92 (1985) : 310-312.

21. PUIGI TÀRRECH, Armand, *La Parabole des Dix Vierges (Mt. 25 1-13). RB* 94 (1987) : 425-428.

22. NEUFELD, K.H., *Adolf von Harnack : Theologie als Suche nach der Kirche, "Tertium genus ecclesiae"*, et *Adolf Harnacks Konflikt mit der Kirche. RB* 94 (1987) : 473-475.

23. REUMANN, John, et al., *"Righteouness" in the New Testament : "Justification" in the United States Lutheran-Roman Catholic Dialogue. RB* 95 (1988) : 631-633.

JUSTIN TAYLOR, S.M.

Livres

1. *Alive in the Spirit.* Auckland, New Zealand : Catholic Publications Center, 1984.
2. *As it Was Written : an Introduction to the Bible.* New York/Mahwah : Paulist Press, 1987.

Articles

3. "The Johannine Discourses and the Speech of Jesus : Five Views." *Scripture Bulletin* 14 (1984) : 33-41.
4. "Reading the Bible Today." *Prudentia* 16 (1985) : 71-79.
5. "A New Gospel Synopsis." *Scripture Bulletin* 18 (1987) : 20-22.
6. "'The Love of Many Will Grow Cold : Matthew 24 : 9-13 and the Neronian Persecution." *RB* 96 (1989) : 352-357.
7. "The Portrait of the Jerusalem Church in the Acts of the Apostles, 2 : 42-47 and 4 : 32-35." *Forum Novum* 1 (1989) : 12-24.

Choix de recensions

8. AEJMELAEUS, L., *Die Rezeption der Paulusbriefe in der Miletrede (Apg 20 : 18-35)* et CASSIDY, R.J., *Politics in the Acts of the Apostles. RB* 96 (1989) : 416-422.

TABLE DES MATIÈRES

DATE DUE

HIGHSMITH   # 45220